WILHELM KRAIKER · DIE MALEREI DER GRIECHEN

WILHELM KRAIKER

DIE MALEREI

DER

GRIECHEN

W. KOHLHAMMER VERLAG

Fabio und Helga Dorigo

gewidmet

INHALT

DIE FRÜHZEIT

I. DAS WUNDER DES DASEINS

Der großen Zeit der griechischen Kunst war ein großes Zeitalter der Malerei auf griechischem Boden vorausgegangen, das weit vor den geschichtlichen Jahrhunderten liegt, im zweiten Jahrtausend vor Christus. Damals entfaltete sich in den Palästen auf Kreta und in den altgriechischen Königsburgen auf dem Festland eine üppig blühende Wandmalerei, die von dem Wunder der bunten Welt ganz erfüllt war (Farbtafel I). Sie zeugt von einer schrankenlosen Freude an der Mannigfaltigkeit und Farbigkeit der Natur und von einer freien Hingabe an die Erscheinungen, zu der erst die moderne Malerei wieder hinfand. In den Gemälden Kretas und auf den Gefäßen der Insel und des Festlandes erscheint alles Blühende und Sprießende der Natur, die bunte Fülle der Blumen und Schmetterlinge, die Wunder des Meeres mit seinen spielenden Delphinen, fliegenden Fischen (Tafel 1), seltsamen Kraken und flutendem Tang, die wilden Tiere, bunten Affen und farbig gefiederten Vögel, ja selbst das wachsende Gestein in immer neuen Formen und Farben.

Dies alles bietet sich in einer stets wechselnden verwirrenden Szenerie dar in einem ständigen Fluß der gekurvten Linien und oft ohne Oben und Unten, ohne bestimmten Hintergrund und häufig auf einem verschiedenfarbigen Untergrund bei einem unaufhörlichen Wechsel der Farben in reichen zarten Tönungen. Kaum je ergibt sich eine bestimmte Bewegung, eine feste Richtung, wenn auch alles beweglich erscheint, da diese Malerei vollkommen davon absieht, daß es eine Schwerkraft gibt. So gibt es in ihr auch keine Schwere und nur eine Natur des Gedeihens und Blühens, die sich lautlos zu den zarten Gebilden der Stengel, Blätter und Blüten entfaltet, in den leisen Bewegungen der Tiere sich regt oder sich mit Fischen und Polypen inmitten treibenden Tangs in schwebendem Zustand hält. Die Menschen lebten in den Palästen und Burgen in der ständigen Umgebung dieser ganzen bunten Welt, die eine unerschöpfliche Phantasie gleich einer zweiten Natur an die Wände ihrer Wohnräume zauberte.

Eine solche Kunst, in der man haust, die eine gesteigerte Welt des Scheins als höhere Wirklichkeit zur täglichen Umgebung des Menschen macht, hat es nur noch in den Wandmalereien der Römer und der Renaissancemaler in Rom gegeben. Beide werden jedoch von der kretischen Malerei an Farbigkeit übertroffen, die kühn über die Natur selbst hinausgeht und in blau gemalten

Affen, eigenfarbigen Blumen und bunt wechselndem Bildgrund frei mit der Farbe schaltet. Diese Wandmalereien sind keine bloße Abschilderungen der natürlichen Erscheinungen, sondern vielmehr das Ergebnis einer Verzauberung durch die Buntheit und Vielfältigkeit des Naturganzen. Aus ihnen spricht eine Weltfreudigkeit, die das Leben in seinen tausendfältigen Formen freimütig bejaht, eine „große pantheistische Mitfreudigkeit", wie sie Nietzsche nannte, die auch ein Grundzug des späteren Griechentums blieb.

In dieser Malerei sind Kunst und Natur nicht voneinander geschieden, gehen die Maler doch so weit, zum Beispiel die Meeresmuscheln nicht nur möglichst erscheinungsgetreu wiederzugeben, sondern sogar die am Strand aufgelesenen Muscheln selbst in ihren Gemälden zu verwenden. Da diese Malerei ganz am Augenschein haften und im Dinglichen befangen bleibt, fehlt ihr das ordnende Erkennen, das vom formenden Menschen ausgeht. Sie sieht nur die Vordergründe der Welt in ihrer Vielfältigkeit und Buntheit und ohne Tiefe. Ihr erscheint daher auch der Mensch als ein Gewächs der Natur wie die Blumen und Schmetterlinge, die ihn umgeben. Er lebt in diesen Bildern wie in einer schicksallosen Märchenwelt als ein blumengleiches Gewächs und eine festliche Erscheinung wie diese im Ganzen der Natur. Während die Wandbilder der festländischen Burgen Ausfahrt, Jagd und Kämpfe schildern, erzählen die Wandgemälde der kretischen Paläste nichts vom Schicksal ihrer Bewohner, selbst da nicht, wo sie das gesellige

8

Leben der Höfe schildern (Abb.). Es werden Tänze, Feste und Stierspiele dargestellt, aber keine Taten; es werden keine Götter- und Heldenbilder geschaffen, auch die festländischen Bilder kennen sie nicht. Diese Kunst steht nicht in dem Dienst eines Kultes, und es kommt auch dem Menschen in ihren Bildern kein anderer Anspruch zu als den Tieren und Pflanzen. Es ist eine Welt, in der Blumen, Tiere und Menschen nichts erleiden und nur die Wunder des Seienden gelten. Sie erschließt sich im bloßen Anschauen ohne eindringliches Fragen, in unbefangener Offenheit für das Wunder des Daseins.

Das menschliche Leben, das diese erste große Blüte der Malerei auf europäischem Boden hervorbrachte, ist uns kaum faßbar. Es scheint schon vor dem Ende des zweiten Jahrtausends für immer untergegangen zu sein, nachdem die kretischen Paläste um 1400 zerstört und die festländischen Burgen während der Völkerwanderungen des zwölften Jahrhunderts aufgelassen worden waren. Die folgenden Jahrhunderte zeigen in Giechenland ein ganz anderes Gesicht.

II. DER EWIGE LEBENSSTROM

Dieses neue Gesicht steigt aus der unergründlichen Tiefe jener stillen dunklen Zeiten, die jedem Neubeginn vorausgehen. Es trägt die Züge eines Zeitalters, das mit der Neugründung des menschlichen Lebens Ernst macht, und ist von jener beginnlichen Kargheit und Einseitigkeit im Ausdruck, die jeder neugeschaffenen Welt eignet. Diese neue Welt wendet sich ganz ab von der Buntheit und Farbenpracht der alten Welt, in ihr herrscht nur noch das O r n a m e n t. Sie gleicht darin den anderen vorgeschichtlichen Kulturen Europas, wie auch ihre Malereien sich wieder ganz auf die Bemalung von Tongefäßen beschränken (Tafel 2). Der gebrannte Ton und die keramischen Farben werden in Griechenland wieder zum ursprünglichen und einzigen Material der Maler. Die Paläste auf Kreta waren verfallen, die Burgen auf dem Festland verlassen, und die Wohnhäuser auch der Großen im Land, der Nachkommen der alten Burgkönige und Adelsgeschlechter, bestanden nur aus bescheidenen Lehmziegelbauten mit Holzwerk, die für Wandgemälde keine Möglichkeiten boten. Große Tempel entstanden erst an der Wende vom 9. zum 8. Jahrhundert und hatten sicher keine Wandmalereien. Nur in einem einzigen Falle sind Wandgemälde in der Vorhalle eines Tempels des 7. Jahrhunderts durch die erhaltenen Vorzeichnungen nachzuweisen (Abb.), und erst im 5. Jahrhundert wurden in einige Tempel Tafel-

bilder geweiht, die wahrscheinlich nur in der Vorhalle der Tempel aufgehängt waren. Den einzigen Schmuck der griechischen Wohnräume der Frühzeit bildeten Teppiche und Tongefäße mit einfachen linearen Mustern, aus denen die Maler im Laufe von drei Jahrhunderten schließlich ein ganzes Ornamentsystem entwickelten. Dieser Ornamentstil verwendet mit äußerster Konsequenz nur rein geometrische Muster und schließt alles aus, was an die Natur auch nur erinnern könnte. Er vermeidet selbst jedes pflanzliche Motiv, und so fehlt ihm von Anbeginn auch jede bildliche Darstellung.

Das Ornament gehört in allen alten Kulturen zum Brauchtum, zu dem was sich gehört zum Gebrauch, zum Alltag und zur Regel des Lebens. An den Gefäßen und Geräten entstanden, bleiben diese Ornamente mit ihnen notwendigerweise verbunden, da sie erst im Zusammenhang mit ihrem Träger ihre eigenartige Bedeutung und ihren Charakter als Ornament bekommen. Sie stehen also in einer unabdingbaren Beziehung zu den Gefäßen und Geräten, an denen sie erscheinen und über die sie etwas aussagen dadurch, daß sie auf ihre Form eingehen und sie erläutern oder betonen. Sie bilden in ihrer Gesamtheit eine vererbte Zeichensprache eines festen Lebenskreises von Blutsverbänden, Sippen und Stammesgruppen, in dem die Regel maßgebend ist. Als Ganzes versinnbildlichen sie die Ordnung, die alles durchwirkt, oder den Lebensstrom, der alles trägt. Daher bestimmt die Regel auch das Ornament, die sich in seiner gleichförmigen rhythmischen Wiederholung ausdrückt.

Zum Brauchtum gehören jedoch auch sinnbildliche Zeichen wie die Runenzeichen, die sich an manchen alten Bauernhäusern unserer Heimat in der Anordnung des Fachwerks oder an der Hochzeitstür des friesischen Hauses noch bis heute erhalten haben. Solche Zeichen sind Sigel für die Lebensmächte, denen sich die Menschen eines festen Lebenskreises verbunden und in denen sie sich geeint fühlen. Daher erscheinen solche sinnbildlichen Zeichen auch auf den Geräten, Gefäßen und Geweben, meist innerhalb des Ornamentsystems selbst, die dadurch in den Kreis des menschlichen Lebens und seine Ordnung einbezogen werden. So schwingt auch in den reinen Ornamenten, die keinen offensichtlichen sinnbildlichen Gehalt haben, oft ein sinnbildlicher Nebenton mit.

Was in diesen Ornamenten auch immer an sinnbildlicher Bedeutung hereinspielt oder in sie hineingelegt wird, ist dem Kreis der damit Lebenden geläufig, denn wie diese stehen sie in einer volkstümlichen Tradition der Gebräuche und Gegenstände des Alltags, in dem nur das Gewohnte und Hergebrachte Geltung hat. Ihr entspricht eine Kunst, für welche die Beständigkeit bezeichnend und wesentlich ist, die die Gültigkeit der gemeinschaftlichen Lebensordnung bestätigt. Diese Ornamente sind bewahrende, besiegelnde Formen, die alles Unerhörte ausschließen und die schweifende Phantasie in dem Gewohnten, Umgänglichen und Handlichen zur Ruhe bringen. Die Kunst verschließt sich daher auch vor der verwirrenden Fülle der Erscheinungen des Lebens und vor der schöpferischen Unruhe, dem Antrieb der großen Kunst, die das Unerhörte und Ungewöhnliche schafft. Ungleich dieser hat sie daher eine Lebensdauer, die sich über Jahrhunderte erstreckt.

Der Ornamentstil der griechischen Frühzeit trägt alle diese Merkmale, jedoch mit der bedeutsamen Ausnahme, daß ihm die Sinnbilder so gut wie ganz fehlen und so auch jeder sinnbildliche Nebenton. Er entwickelt sich im 11. und 10. Jahrhundert v. Chr. aus einigen wenigen alten Mustern, die sich wohl in der Teppichwirkerei und Geräteverzierung aus einer alten Überlieferung erhalten hatten und von den Gefäßmalern aufgegriffen wurden. Einzelne dieser Muster und die Art ihrer Verwendung lassen sich bis in das dritte Jahrtausend v. Chr. in die mitteleuropäische Heimat des zugewanderten Teils des griechischen Volkes zurückverfolgen, andere waren seit der Urzeit im Lande heimisch. Die Maler verwenden jetzt diese Muster jedoch völlig freizügig und in einem neuen Zusammenhang. Dieser griechische Ornamentstil ist also als Ganzes nicht aus einem alten Herkommen und Brauchtum stetig herausgewachsen wie in den urzeitlichen Kulturen, er ist eine neue und bewußte Kunstsprache.

Die völlige Aufgabe der alten Bildwelt und ihre Ablösung durch eine neue Kunstsprache ist ein tiefgreifender Vorgang, in dem der Mensch eine eigene Welt nach einem eigenen inneren Gesetz entwickelt, die sich von der Naturwelt eindeutig abhebt. Indem er nichts von der vorgegebenen Welt der Erscheinungen aufgreift, stellt er ihr etwas Neues entgegen, das ganz vom Menschen ausgeht. Sah die Kunst Kretas und des alten Orients den Menschen ungeschieden von seiner natürlichen Umwelt, so spricht nun der Mensch in einer eigenen Sprache zu sich selbst und weist sich damit einen besonderen Ort in der Welt zu. Indem die Kunst zum Ausdruck der Sonderheit des Menschen wird, entsteht eine S t i l b i l d e n d e Kunst. Im Bauernhaus und in der Burg hat das Leben Stil, nicht der Bau. Er ist lediglich Gehäuse des Lebens und als solches der unbewußte Ausdruck der Blutsmächte, den keine Kunst schuf oder ändern kann.

So ist auch noch in den kretischen Palästen und festländischen Burgen des zweiten Jahrtausends in Griechenland die Kunst nur Spiegelung des ungeschiedenen Lebens, aber sie gestaltet es nicht. Die neue Ornamentik ist dagegen nicht der naive Ausdruck eines seiner selbst unbewußten Daseins, sondern ein bewußt gewähltes Mittel ordnender Gestaltung. In einem Formenschatz, welcher der Willkür und der schweifenden Phantasie des Einzelnen entzogen ist und darum Dauer besitzt, erschließt diese Kunst eine Ordnung, in der von nun an das Dasein des Menschen steht. Sie steht so außerhalb der Zeit und der Erscheinungen, und das gibt ihr den zeitlosen Charakter und ihre Lebensfähigkeit für Jahrhunderte.

Der griechische Ornamentstil ist ein Gefüge, dessen besondere Struktur sich jeweils in strenger Metrik zeigt. Indem er die Gefäße gliedert und rhythmisch belebt, bildet er an ihrer Form mit. Er ist jedoch nicht nur ein gliedernder Flächendekor, sondern hat darüber hinaus auch einen gegenständlichen Wert. Gegenstand dieses Ornaments ist eine unmittelbar sinnfällige Gesetzmäßigkeit, durch die das Gefäß zum Träger eines geistigen Bildes wird. Der Mäander etwa, der an der augenfälligsten Stelle des Gefäßes umläuft oder auch als Hauptmotiv in einem „Bildfeld" auf der Schulter gleichsam in einem erzählenden Einzelstück erscheint, ist von einer großen inhaltlichen Wucht. Er ist ein Bild oder ein Gleichnis für sonst Unfaßbares und Unbenennbares.

In diesem Ornamentstil haben figürliche Darstellungen keinen Platz. Sie fallen aus seinem Kosmos heraus oder sprengen ihn — was später auch tatsächlich geschieht. Doch treten figürliche Darstellungen trotz der Allmacht dieses Stils in der griechischen Frühzeit schon sehr bald auf, zuerst vereinzelte Pferdchen, die zwei Jahrhunderte lang die einzigen und immer noch sehr seltenen Bilder bleiben. Erst gegen Ende des 9. Jahrhunderts erscheinen auf den Gefäßen häufiger figürliche Szenen. Alle diese Gefäße sind Beigaben für die Toten oder selbst Graburnen, auch Male auf ihren Gräbern, stehen also im Dienst des Totenkultes. Das bestimmt den Inhalt der Bilder, auch wenn Darstellungen aus dem Leben auf ihnen erscheinen: es sind bildliche Berichte aus dem denkwürdigen Leben, das der Tote geführt hat und das sie in typischen Begebenheiten schildern. Damit ist der Schritt zum aussagenden Bild getan, und mit ihm beginnt die figürliche Malerei der Griechen.

Eine Totenklage auf einem großen zweihenkligen Gefäß aus dem beginnenden zweiten Viertel des 8. Jahrhunderts ist eines der frühesten Beispiele solcher figurenreichen Darstellungen (Tafel 3, 1). Das schmale langgestreckte Bildfeld, das sich in seiner Rahmung dem Gefäßkörper angleicht, sitzt an der auffälligsten Stelle des Gefäßes zwischen den seitlichen Henkeln. Dieses mannshohe Tongefäß stand einst als Mal auf einem Gab vor der Stadt Athen. Die Gefäße auf den Gräbern waren ursprünglich nur als Opferschlund für die Spenden an die Toten bestimmt, wozu man ihren Boden ausschlug wie hier. Nun werden sie auch zu Bildträgern mit einem besonderen Bildfeld. Dieses Bildfeld ist in einer sehr betonten Weise durch besondere Ornamentstreifen eingerahmt und von der Ornamentik des Gefäßes deutlich geschieden und als Etwas für sich herausgehoben. Dabei bewahrt die rechtwinklig umgrenzte Bildfläche für das Auge des Betrachters den Anschein einer Ebene, auf die die Figuren aufgemalt sind, auch wo sie durch die Wölbung der Gefäßwand dies nicht wirklich ist. Diese Ebene ist zunächst nichts anderes als der Ort, an dem die Figuren auftreten können, seien sie Menschen, Tiere oder Dinge. Sie gibt ihnen den Raum für ihr Auftreten, der aber durchaus ein Phantasieraum ist und nur Medium ihres Auftretens. Doch hat er mit dem wirklichen Schauplatz der Menschenwelt das eine gemeinsam, daß er den Figuren einen Standplatz gibt durch die horizontale Standlinie. Die Standlinie bedeutet aber nicht nur den Ort, wo der Fuß auftreten und die Gestalt sich aufrichten kann, sondern auch die waagrechte Ebene des wirklichen Schauplatzes der Menschenwelt, auf der sie stehen und sich bewegen kann. Die Figuren und ihr Schauplatz werden dadurch bodenständig, das heißt, sie können sich dadurch erst aufrichten, handeln und sich bewegen wie Lebewesen. Die rechteckige Form des Bildfeldes betont durch die Rahmung die waagrechte Standlinie und das senkrechte Aufstehen. Zugleich gibt sie den Figuren als Schauplatz die Fläche, die ihnen ein Bewegungsfeld einräumt, doch immer nur in der einen Dimension der Breitenerstreckung der Fläche, die durch das Breitformat des Bildfeldes betont wird. Aufrichten und Handeln der Figuren vollziehen sich notwendigerweise nur in den beiden Dimensionen der Fläche. Wir bezeichnen daher die Malerei als „Flächenkunst". Nicht die isolierte Körperform wie in der Plastik, aber auch nicht der Raum als solcher ist der Vorwurf des Malers, sondern der Zusammenhang, der innerhalb der gezogenen Grenzen unter den Figuren herrscht. Daher ist für das Bild der Rahmen ebenso wichtig wie die Bildfläche, er umfängt und beherbergt alle Figuren des Bildes, so daß sie in dieses wie in einen Raum, der sie umgibt, eingehen. Das Bild als Einheit der dargestellten Gestalten und ihres Schauplatzes ist damit geschaffen.

Während der Bildhauer die bleibende Gestalt in ihrer Existenz als realen Körper darstellt, also in erster Linie Werte des leibhaften Daseins, so der Maler in erster Linie Werte des Lebens, des Zusammenhangs der Menschen und Einzelgeschöpfe unter sich oder mit ihrer Umgebung. Folgerichtig sind auch die Bilder auf den Gefäßen von vornherein auf eine Vielheit der Figuren aufgebaut. Von den Dingen und der Umgebung des Menschen wird nur so viel gezeigt, wie zur Bezeichnung des Schauplatzes eben gerade notwendig ist. Mit dem Bildfeld ist so für die erzählende Darstellung ein freies Feld geschaffen, in dem sie sich nach ihren eigenen Gesetzen frei entfalten kann. Die Darstellung auf dem Tongefäß folgt daher auch einem anderen Ablauf als das Ornament, das sich in fortlaufender Bewegung streifenweise rings um das Gefäß zieht. In diesem ausgesparten Bildfeld bewegen sich zwei Reihen menschlicher Figuren auf die Mitte zu, die durch einen besonderen Aufbau betont wird, in dem der Schlüssel zu der Deutung der Darstellung liegt.

Das Bild schildert die Aufbahrung und Beklagung des Toten, also die kultische Begehung, die den Toten zu dem machte, was er jetzt ist. Die Totenklage war ein alter Brauch nach unumstößlichen Regeln, die im Hof des Hauses unter der Beteiligung der ganzen Sippe stattfand unter Absin-

14

gung der Totenklage. Daß dem Toten diese Handlung zuteil wurde, das will dieses Bild besagen oder vielmehr bezeugen, denn es gibt ein wirkliches Geschehen wieder. Der Maler bedient sich hierzu einer einfachen und bündigen Zeichensprache, in der alles, was gesagt werden soll, auf die knappste Formel gebracht ist. So ist das Zeichen für den Menschen aus den bezeichnenden Formen seiner Glieder gebildet: dem runden Kopf, dem breiten Oberkörper mit den eckigen Schultern und der schmalen Hüfte, den hohen schwellenden Beinen und den beweglichen Armen. Noch die Sprache Homers hat kein Wort, das den Leib bezeichnet, sondern nur Benennungen der Glieder oder einzelner Teile, und noch keinen Begriff für die Einheit des Körpers, den sie im einzelnen beschreiben muß wie hier der Maler mit dem Pinsel.

Wie uns Anthropologen belehren, lernen wir die natürlichen Funktionen unserer Glieder als erstes kennen und beobachten sie als Werkzeuge bei ihrem praktischen Gebrauch, ehe wir diesen Leib als organisches Gewächs erkennen. So sind dem Menschen auch in seiner geschichtlichen Entwicklung zuerst die Gliedmaßen in ihrer Verwendbarkeit geläufig und die Ausdrucksfähigkeit seines Körpers im Tanz und in den mannigfachen Äußerungen seines Willens wohl vertraut, lange bevor sich eine Gesamtvorstellung der menschlichen Gestalt als organischer Einheit ausbilden kann. Diese Bildersprache ist also im Sinne ihrer Zeit eine sachliche und erschöpfende Beschreibung des Menschen und der Dinge, so wie sie in der Vorstellung der Maler lebendig sind. Denn hier hat die auf Erinnerung beruhende Vorstellung, nicht die unmittelbare sinnliche Wahrnehmung dem Maler die Hand geführt. Die Einzelfigur ist nicht in ihrer selbständigen Existenz erfaßt, sondern durch die allgemeinsten Merkmale der menschlichen Gestalt nur gekennzeichnet. Daher sagt sie auch für sich nichts aus und wird erst im Zusammenhang mit den anderen Figuren in ihrer Bedeutung kenntlich.

Nach dem strengen Ritus sind die Hände der aufrecht stehenden Gestalten rechts und links im Chor des gemeinsamen Klageliedes zum Kopf erhoben, und nur durch dieses Tun allein sind die Dargestellten als Klagende gekennzeichnet. Nur einer von ihnen tut nichts und liegt reglos ausgestreckt auf der Bahre, über die im buchstäblichen Sinne ein Tuch gebreitet ist: der Tote. Auch er ist durch sein Verhalten gekennzeichnet, denn nur im Schlaf oder im Tod liegt der Mensch. Alle Gestalten erscheinen in nackter Menschlichkeit, als Menschen schlechtweg, für die weder die Kleidung noch die verschiedene Erscheinung von Mann und Frau wesentlich ist. Da der Mensch vor allem als massiver Körper verstanden wird, sind die Gestalten massiv wiedergegeben, als „Schattenrisse". Der einfarbig ausgefüllte Schattenriß sichert den Gestalten die Körperlichkeit als Grundfaktor der Realität „Gestalt". Die sprechende Lebendigkeit des Schattenrisses setzt die einzelne

Gestalt mit ihren ausgreifenden Gliedmaßen an die Stelle im „Raum" des Bildfeldes, wo sie ihre Wechselwirkung mit anderen Gestalten entfalten kann. Ihre Profilstellung gibt die Beziehung der einen Figur zur anderen, sei es zum gleichenden Nachbar, sei es zu einem Tier oder zu den Dingen der Umgebung.

Die allgemeine Form, in der der Mensch hier erscheint und die bei jeder einzelnen Figur gleich ist, verbietet es, nach dem menschlichen Gehalt der einzelnen Gestalten zu fragen. Daher wird in dieser Kunst die Einzelgestalt selbst auch nicht dargestellt. Sie bekommt ihren Sinn nur durch die Stellung im Ganzen und jede einzelne kann nur dadurch ihr Wesen bekunden, sei es als Klagender, sei es als Toter. Darum gibt es in diesen Bildern auch keine Über- oder Unterordnung, sondern nur eine Gleichordnung, die sie alle auf die gleiche Ebene stellt. Die Bilder sind immer auf einer Vielheit von Figuren aufgebaut, die sich der Regel eines größeren Zusammenhanges gleichmäßig fügen. Doch ist die Einordnung der Figuren kein Zwang, sie geschieht gleichsam aus freien Stücken, denn die Figuren behalten durchaus ihre Regsamkeit. Auf anderen und vor allem auf späteren Bildern, in denen sich die Figuren aus der ihnen innewohnenden Regsamkeit gleichsam von selbst zu bewegen beginnen, löst sich mitunter eine Einzelgestalt aus der gebundenen Reihe, so daß – wie hier der Vorderste das Bahrtuch anfaßt – sie sich etwa zu dem Toten niederbeugt, die Köpfe gefallener Krieger zurücksinken oder ein Verwundeter vornüberstürzt. Diese Bewegungen zeigen, daß die unmittelbare Empfindung des Lebendigseins der Figuren nicht durch die strenge Stilisierung aufgehoben wird und der Ausdruck der Figuren von Anfang an lebendig bewegt gesehen ist und empfunden wird (Abb. S. 18).

So können dann auch reiche Figurenkomplexe stärker zu einheitlichen Bildern zusammenwachsen wie das Brautpaar auf dem Schiff, das schon eine bestimmte Sage zu erzählen scheint: das Brautpaar ist größer gemalt als die Menge der Ruderer und dadurch als etwas Besonderes herausgehoben (Tafel 5, 1). Darum ist hier wohl kein alltäglicher Vorgang gemeint, vielleicht die Entführung der Ariadne von Kreta durch Theseus. Hebt sich hier bereits eine Einzelhandlung aus dem Bildganzen heraus, so werden solche Einzelhandlungen auf einer späteren Entwicklungsstufe auch in Zweikampfgruppen nebeneinandergestellt (Tafel 4). Freilich schließen sie sich dadurch noch nicht zu einem neuen Bild zusammen, das dadurch einen neuen Sinn bekommt, denn die Figuren haben auch hier kein eigenes Dasein.

Diese Bilder schildern Land- und Seeschlachten, Kämpfe um die Schiffe, Ausfahrten mit dem Streitwagen, Fuchs- und Löwenjagden, festliche Wettspiele, Reigentänze, Leier- und Flötenspiel an Götterfesten und vereinzelt kultische Szenen am Grab: Taten und Inhalt des hohen Lebens, an dem der

16

1. Wandgemälde mit Blauracke aus dem „Haus der Fresken“ beim Palast von Knossos auf Kreta. Ergänzte farbige Kopie in Oxford. Herakleion

Tote teilhatte. Diese bildlichen Berichte besagen auf ihre Weise, daß der Tote, der hier im Grab ruht, zu den Großen seines Landes gehörte. Sie erscheinen seit etwa 800 v. Chr. auf Gefäßen aller Art, auch auf Trinkgefäßen, die nicht nur als Beigaben für die Toten, sondern auch als Preise bei Wettspielen, dem täglichen Gebrauch und dem Schmuck der Wohnräume dienten. Es gibt gegen Ende des 8. Jahrhunderts auch schon mit Bildern bemalte kleine Tontafeln, die als Weihgeschenke in den Hainen der noch tempellosen Heiligtümer an den Ästen der Bäume aufgehängt wurden (Tafel 6). Es sind die ersten Tafelbilder der europäischen Kunst. Sie unterscheiden sich weder im Stil noch im Inhalt von den Gefäßbildern: „Gefäßmalerei" und „Tafelmalerei" sind noch eines. Mit diesen Bildern hält die Welt der Erscheinungen Einzug in die griechische Kunst und verwandelt sie von Grund auf.

Auffallend ist an allen diesen Bildern das Streben nach Verdeutlichung und der Drang, das Bild bis in den letzten Winkel zu klären und in allen seinen Einzelheiten restlos deutlich zu machen. Diese nüchterne, sachliche Art, dem Gegenständlichen bis in die Einzelheiten nachzugehen, bleibt auch späterhin ein Grundzug der griechischen Malerei. Er entspricht einem Tatsachensinn, der dem Hellenen im Blute lag, und den man allzu leicht übersieht.

Wer diese erzählende Zeichensprache richtig lesen lernt, wird auch die Klarheit und Kraft ihrer Aussage empfinden, in dem Gleichtakt der Figuren die rhythmischen Bewegungen des Chores sehen, in dem Gleichklang der „Zeichen" den Klagechor vernehmen, die Sparsamkeit der Mittel als zuchtvolle Verhaltenheit erkennen und daran den Ernst der Darstellung ermessen. Er wird damit auch etwas von den Menschen jener Zeit erfaßt haben, deren Tun die Bilder schildern.

Der wesentliche Inhalt der Bilder ist immer ein Tun, und Tätigsein ist hier als der wesentliche Ausdruck des Menschseins begriffen. So ergibt sich die Szene der Bilder allemale aus der Handlung. Nicht Zustände werden geschildert, sondern lauter Handlungen, nicht der Held, sondern die Tat. Damit reichen diese Darstellungen noch nicht in die Welt der Erscheinungen, ihre Figuren schaffen keinen Raum um sich, sondern wesen in dem gleichen Grund wie die Ornamente, die sie umgeben. Aber indem diese Bilder das Tun des Menschen schildern, erzählen sie schon von seiner Welt. Sie schildern nicht das Märchen des Lebens wie die kretischen Wandmalereien mit ihrem Natursinn, hier herrscht auch nicht die träumerische Ruhe der Ornamentik der vorderasiatischen Teppiche, sondern tätigste Selbstbehauptung. Die Darstellungen bleiben auch nicht am Kleinen und Zufälligen haften, sondern gehen von vornherein auf das Bezeichnende und Bedeutsame. So drängt dieser Stil auch bald auf das Große im Ausmaß der Gefäße, der

Ornamentik und der Bilder. Seit dem zweiten Viertel des 8. Jahrhunderts treten Gefäßbilder mit großem Aufwand an Figuren auf, die große Zusammenhänge deutlicher machen und von einer weiteren Überschau und einem kräftigen Aufschwung des Lebens zeugen, das sie trug (Tafel 3, 2).

Die Quelle der Bilder ist das Leben selbst. Doch ist es überaus bezeichnend, daß der Inhalt der Bilder streng begrenzt bleibt auf Brauchtum und Kult, Wettkämpfe, Schlachten und Kampfschiffe, Jagd und Pferdehaltung. Die Jagd- und Reiterdarstellungen mehren sich seit der Mitte des 8. Jahrhunderts und zeigen an, daß sich in dessen Verlauf die bäuerliche Kultur der griechischen Gemeinden zu einer mehr rittermäßigen Lebenshaltung entwickelte. Die Themen umschreiben den Lebensinhalt des Adels jener Zeit und schildern Vorgänge, in denen sich ihren Menschen das Leben bedeutungsvoll zeigte, zumeist die großen Kämpfe und die Feste. Kämpfe und Feste sind adlig erhöhtes Leben, und um dieses erhöhten Lebens willen sind die Bilder da. Diese Welt fand ihre großartigste Gestaltung in der Ilias des Homer als reifster Frucht dieses altadligen Zeitalters. Wie im Epos entlädt sich auch in den Bildern der Maler das Feuer des „hohen Mutes" in Bewegung und Gebärde und erfüllt sich das Leben in tätigster Selbstbehauptung.

Der gleichmäßigen Struktur des griechischen Adels über alle Landschaften hinweg entspricht der panhellenische Horizont der Dichtung Homers. Ihr entspricht aber auch die gleichmäßige Gültigkeit dieses Ornamentstils in ganz Hellas, in dem es wohl landschaftliche Abwandlungen gibt, aber keine grundsätzlichen Unterschiede. Das gilt auch für den Inhalt der Bilder, wenn sie auch ihre erste Prägung und reichste Ausgestaltung in Athen erfuhren. Diese Stadt besaß in der neu sich ordnenden Welt die älteste bodenständige

Tradition, denn ihre geschichtliche Entwicklung war nicht durch die Wanderungen und Umstürze am Ende des zweiten Jahrtausends unterbrochen und gestört worden. Sie hatte sich auch des Ansturms der Dorier erwehrt, die damals erobernd in Mittel- und Südgriechenland eindrangen. Der neue Stil ist in Athen auf einem gereiften Boden als eine reife Frucht entstanden, und wie in späteren Zeiten erwies sich Athen auch hier am Beginn seiner geschichtlichen Jahrhunderte als fruchtbarer Boden für den Keim neuer Zukunft.

In Athen und gewiß auch anderwärts muß sich Vieles aus dem zweiten Jahrtausend erhalten haben, denn in den bildlichen Darstellungen des 8. Jahrhunderts finden sich einige bedeutsame Züge der Wandmalereien der Königsburgen des 2. Jahrtausends wieder, die man als Ausdruck der gleichen Haltung bewerten darf. Kriegertum, Auffahrten und Jagd sind hier wie dort die bevorzugten Themen, durch die sie sich von den kretischen Wandmalereien und der kretischen Lebensart unterscheiden. In den festländischen Burgen des 2. Jahrtausends schildern die Wandmalereien das tätige Leben der königlichen Burgherren nicht anders als die Gefäßbilder des 8. Jahrhunderts das tätige Leben des Adels der griechischen Gemeinden. Im Gegensatz zu der kretischen Malerei sind die festländischen Wandmalereien auch in der Form auffallend zurückhaltend und mehr erklärend als schildernd bis in die Einzelheiten, die weniger der Buntheit der Erscheinung dienen als ihrer Verdeutlichung. Darin läßt sich bereits die gezügelte Phantasie der festländischen Griechen erkennen, die sich dann im Ornamentstil des 11. bis 8. Jahrhunderts in die strengste Zucht nimmt, wie sie sich nur eine unbändige Lebenskraft mit einem starken Willen zur Form auferlegen kann.

Das kraftvolle Leben jener Frühzeit gibt auch den Dingen, deren sich die Menschen bedienen, ihre feste Form: dem tönernen Gefäß, das in einem eigenen Sinn zu einem körperlichen Ding für sich gebildet wird; dem wuchtigen Dreifußkessel aus Erz, dem Preis bei den Wettspielen und kostbarstem Besitz, der als Weihgeschenk in die Heiligtümer gestiftet wird; dem Streitwagen, der auf den Darstellungen so gegenständlich klar wiedergegeben ist. Und dann die Schiffe: diese herrlichen, „hochgehörnten, beiderseits geschweiften" Kriegsschiffe, mit denen die Adligen auf Kriegs- und Beutefahrten fuhren, die Rudermannschaft „in Reihen sitzend mit den Riemen die graue Salzflut schlagend", wie sie Homer in der Odyssee schildert (Taf. 5, 1).

Auch die Schilderungen von kostbarem Schmuck bei Homer gehören zu den Augenweiden seiner Zeit. Beispiele solchen Schmucks haben sich in den Gräbern Athens gefunden: schmale Goldbänder mit Tierfriesen und Kämpfen in flachem Relief, das der Zeichnung nahesteht (Abb. S. 20, 21). Die

Tierfriese sind von einer überraschend freien und naturnahen Wiedergabe der Löwen, Hirsche und anderer Tiere, die nicht im Banne des Ornamentstils steht. Sie sind die frühesten Zeugen dafür, daß die alte Bilderwelt mit ihrer Freude an der Erscheinung nicht untergegangen und nicht aus dem Auge verloren ist. Solche Tierfriese erscheinen auch auf den Gefäßen, doch sind sie hier im Einzelnen strenger gefaßt und dem Gesetz des Ornaments auch im Ganzen unterworfen, sie wirken selbst nur wieder wie Ornamentstreifen. Auch bei ihnen stammen die Vorwürfe aus dem Leben, es sind die Tiere des Landes: Rehe, Ziegen, Hasen, Hunde, Hähne, Gänse, Fische und Schlangen. Aus ihrer Wahl spricht ein frischer und offener Sinn für die natürliche Umgebung, in der diese Menschen lebten. Immer häufiger erscheint nun auch das Pferd, doch nicht mehr als „Totentier", sondern das vom Menschen gehaltene und gezügelte Pferd. Mit den Dingen und den Tieren dringt die Welt der Erscheinungen immer reicher in die griechische Malerei, und für das folgende 7. Jahrhundert wird gerade das Tier zum Träger des „unheimlichen Lebens".

III. DIE URBILDER

War das Leben nur Tätigsein, so gewinnt es nun auch G e s t a l t. Zwei
Bilder machen dies deutlich, beide Ausschnitte aus einem jener Friese mit
Auffahrten im Streitwagen, wie sie seit dem Beginn des 8. Jahrhunderts
häufig auf den Gefäßen dargestellt werden. Eine der frühesten Darstellungen aus dem tätigen Leben zeigt zwar schon eine große Biegsamkeit der
Gestalt des Wagenlenkers, der ganz vortrefflich in seinem Tun beobachtet
und wiedergegeben ist: dem Gegenstemmen seiner Beine, dem hohlen Kreuz
und dem Anziehen der zügelhaltenden Arme aus den Schultern heraus
(Taf. 7, 1). Darüber hinaus hat der Maler auch versucht, seine äußere Erscheinung genauer zu erfassen, denn er hat ihn bekleidet dargestellt mit
dem Chiton, dem langen, an den Hüften gegürteten Gewand der Wagenlenker. Der Rennwagen ist in seinen Einzelheiten beinahe wie eine Werk-
zeichnung genau wiedergegeben, und auch die Stellung der Beine des
Pferdes beim Galopp ist richtig und nach dem Leben beobachtet. Die Lebewesen und Dinge erfahren hier schon eine nähere Ausdeutung ihres Aus-
sehens. Aber gerade an dem Pferd fällt es auf, daß es nicht in seiner Erscheinung, sondern nur in seiner Funktion erfaßt ist.

Auf dem jüngeren Bild aus der Wende zum 7. Jahrhundert ist alles bereits
ganz anders (Taf. 7, 2). Hier s t e h t die Gestalt. Sie dehnt sich auch auf
der Fläche weiter aus und hat mit ihrer größeren Masse mehr Schwergewicht
bekommen. Das gleiche gilt von dem Gewand, das nun von der Hüftgürtung
breit und glockenartig herabhängt. Die menschliche Gestalt ist hier als Gewächs begriffen und wird daher als solches gegliedert. Deutlich ist dies vor
allem an dem mächtigen Haupt, dessen Gesichtszüge markante Linien fest-
halten. Als Wesentlichstes der menschlichen Gestalt erscheint diesen Malern
nun das Gesicht, und als Wesentlichstes in diesem Gesicht das schauende
Auge, das sie darum besonders groß und deutlich malen.

Ähnlich wertsetzende Akzente sind auch an dem schreitenden Pferd zu
beobachten, in beiden kündigt sich eine neue Anschauung der Lebewesen

an. Die wellig angegebene Mähne des Pferdes dient der Ausdeutung seiner Erscheinung und spricht von der Freude an dem gepflegten Pferd und seiner Schönheit, von dem Stolz des Adligen auf die edle Zucht. Damit stellt es sich dem Gleichnis in der Ilias (6, 506) zur Seite: „ein Pferd, ... von Stolz geschwellt ... hoch hält es den Kopf, und seine Mähne flattert ihm um die Schultern; seines Schönheitsglanzes bewußt tragen es seine Schenkel leicht".

Die „Füllmuster" zwischen den Gestalten, die auf keinem Bild der Zeit fehlen, verbinden und verweben alles miteinander, verflechten die Erscheinungen gleichsam in den gegenstandslosen Grund der Welt. Mensch, Tier und Ding sind noch nicht voneinander geschieden und von einer andersartigen Umwelt abgehoben. Sie stehen in dem gleichen ewigen Lebensstrom, dessen Wachstums- und Triebkräfte sich nun in den Gestalten und auf dem Grund der Fläche selbst regen. Diese Triebkräfte entfalten sich häufig zu seltsamen Blüten: etwas wie eine Pflanze wächst zwischen den Vorderbeinen des Pferdes auf, ein „Pflanzenmuster" gleich einem wunderlichen Kaktus, wie ihn die Natur hervorbringen könnte, und doch ganz ein Gebilde der Phantasie. Diese vegetative Phantasie treibt nun allenthalben ihr Wesen: Schlingmuster werden zu Schlingpflanzen, Spiralen zu Ranken und Kleckse zu Blüten. Überall sprießt es auf und fängt es an zu wuchern, als ob ein Zauberwort in die Welt der Ornamente und abstrakten Linien gefahren sei.

In Athen, wo der Ornamentstil vier Jahrhunderte lang allbeherrschend war, führt diese schweifende Phantasie in der Malerei zu mächtigen Entladungen und zur Sprengung fast jeden Gefüges. Auch hier hatte sich seit dem letzten Viertel des 8. Jahrhunderts nach der Auflösung und allmählichen Umwandlung des Ornamentstils die neue Entwicklung vorbereitet, die sich jedoch gegen stärkere und offenbar tiefer wurzelnde Widerstände durchsetzen mußte, anders als in dem dorischen Gebiet. Tiefgreifende innere Vorgänge und auch solche geschichtlicher Art müssen zu einer Umwandlung der alten Adelskultur und zu dem Ende dieser großen begründenden Epoche des frühen Griechentums geführt haben. Große Ereignisse waren eingetreten, die für die Entwicklung des Hellenentums und seiner Kunst von größter Bedeutung wurden: das Wirken Homers seit der zweiten Hälfte des 8. Jahrhunderts, die Wettspiele für Zeus in Olympia, die seit 776 panhellenischen Rang gewonnen hatten, und die Städtegründungen in Sizilien und Unteritalien seit der Mitte des 8. Jahrhunderts, die das Weltbild der Griechen erweiterten und ihnen neue geistige Horizonte erschlossen.

Die tiefgreifenden inneren Vorgänge beruhigen sich in Athen erst um die Mitte des 7. Jahrhunderts, die eine Befreiung der menschlichen Gestalt mit sich bringt und sie in der neuen Fülle und Größe einer geweiteten und vertieften Sicht zeigt (Taf. 9, 2 und 10). In ihr ist die formende Wirkung der Dichtung Homers zu erkennen, die überall ein neues geistiges Griechenland heraufrief, dessen Leben nun nicht mehr allein durch Sippengefüge und Tatenwelt, sondern durch geistige Ordnung und gesetztes Recht bestimmt wird, den Nomos des Zeus und der Polis.

Maß und Ordnung kommen in diese aufgewühlte Formenwelt indes von den Doriern, in der Malerei vor allem von den Malern Korinths. In der Peloponnes bereitet sich die neue große Form seit dem letzten Viertel des 8. Jahrhunderts von Stufe zu Stufe vor, der Vorgang der Klärung der Bildwelt ist an den korinthischen Malereien am deutlichsten zu fassen. Hier erscheint die vegetative Phantasie am ehesten gebändigt, denn bald nach der Jahrhundertwende treten die Pflanzen nurmehr als ornamentale Umgebung der neuen Gestalten auf. Schließlich übernehmen die vegetabilischen Ornamente die rein dekorativen Aufgaben der Verdeutlichung und Gliederung der Gefäßoberfläche und Gefäßform. Dies alles wirkt zurück auf Athen, und am Ende des Jahrhunderts beherrscht die menschliche Gestalt in den Bildern aller Landschaften fast allein das Feld.

Tiere und Fabelwesen

Die neue Erfahrung des Lebendigen scheint sich den Griechen des 7. Jahrhunderts am stärksten in den Tiergestalten offenbart zu haben. Außer den schon bekannten Tieren werden nun auch Eber, Stiere, Widder, Ziegen, Steinböcke, Löwen und Panther immer wieder auf unzähligen Gefäßen dargestellt, oft und besonders in den späteren Jahrzehnten in unermüdlich wiederholten Reihen von Tierfriesen, die die geometrischen Ornamentfriese ganz ablösen. Was in diesen Tieren steckt, zeigen vor allem die Löwen (Taf. 8). Der Löwe ist dieser Zeit das Tier mit dem gewaltigen „Drang", der auch in den Helden Homers mächtig ist. Auch alle anderen Tiere sind für Homer und das 7. Jahrhundert Träger mächtiger Lebenskräfte. Damals

müssen griechische Menschen die tiefe Erkenntnis gewonnen haben, daß das Tier ganz in seiner Lebenswirklichkeit aufgeht und nicht so hinfällig ist wie der Mensch, dessen Sinn und Vorstellungen „wechseln wie die Götter es wollen". Homer spricht es mit diesen Worten aus, daß das Tier fester und geborgener im Leben ist als der Mensch. Durch das Tier lernten die Menschen jener Zeit sich wohl in ihrem Drang und in ihrer konkreten Lebendigkeit erst recht verstehen und wurden sich durch das Geborgensein des Tieres ihrer eigenen Geborgenheit im Leben inne. Diese Tiere entspringen daher fast alle einer neuen Sicht der Lebensmächte.

Besonders auffällig ist dies an den Löwen. Es sind Urwesen von einer manchmal unheimlichen Mächtigkeit, die augenscheinlich nur einige wenige äußere Merkmale von den Großkatzen übernommen haben: Mähne, Gebiß, Tatzen und Sprungbereitschaft. In ihnen gerade gibt sich das „löwenhaft" Mächtige zu erkennen. Auffallend ist der ornamentale Charakter ihrer Umrißlinien und die oft ganz ornamentale Innenzeichnung, die sich nun durchweg der Kurvenlinien als Träger des flutenden Lebensstromes bedient. Das zeigt schon, daß hier mehr gemeint ist als eine Naturschilderung im Sinne einer Naturabschrift. Alles Ornamentale bezweckt eine erhöhte Bedeutung: dadurch sind diese Tiere als Wesen einer anderen Sphäre als der Naturwirklichkeit gekennzeichnet. Für ihre Bedeutung ist es wesentlich, daß sie von vornherein einer fremden und fabelhaften Welt angehören, die dem Griechen nicht allgemein zugänglich war.

So konnten sie in die Sphäre der Fabelwesen treten wie die Chimaira (Abb.), der Kerberos und der Ketos, die sich ihnen schon früh zugesellen. Neben sie treten andere halbtierische Fabelgestalten wie Kentaur, Typhon, Triton, Acheloos, Gorgo (Abb. S. 35) und geflügelte Dämonen, Götterwesen niederen Ranges. Sie wurden den Griechen Urbilder dämonischer Mächte, die aus dem Verborgenen in die sichtbare Welt hineinwirken, oder ganz allgemein Bilder des dämonischen Lebensdranges der Erscheinungen, die nach den Worten Heraklits „als Werden aus dem Unsichtbaren (dem Hades) wachsen und als Vergehen aus dem Licht sich zum Unsichtbaren mindern". Diesem unfaßbaren Grund der Welt entsteigen auch die geflügelten Panther und geflügelten Pferde — als Pegasos, auf dem der dorische Held Bellerophon gegen die Chimaira reitet — die Greifen (Abb. S. 36) und die Mischwesen aus Vogel einerseits und Greif, Löwe, Panther, Ziege, Phallos, Sirene, Gorgo andererseits. Sie werden entweder als ganze Gestalten oder in Einzelzügen der alten Bilderwelt entnommen, die sich im Nahen Osten erhalten hatte.

Diese bildhungrige Zeit greift nach allen erreichbaren Bildvorstellungen und gewährt daher auch Anregungen und Gestalten aus dem Osten Einlaß, den ihnen das vorausgegangene Zeitalter der einschränkenden Selbstbesin-

nung verwehren mußte: geflügelten Löwen, Greifen, Sphingen und Sirenen (Abb. S. 23). Es folgen Lotosblüten und Lotosknospen, Palmetten und Rosetten, sowie Flechtbänder, die eine bedeutende Bereicherung des Ornaments bringen und den Grund zu einer neuen Ornamentik legen, die bis an das Ende der Antike reicht. Alles dieses wird in die eigene Welt versetzt und in den eigenen Stil eingeschmolzen. Es bleibt seitdem ein fester Bestandteil der antiken Kunst, die ihn als verwandeltes Erbe des Ostens an die abendländische Kunst weitergibt.

Mit dieser Kunst, die nun in den Erscheinungen das Wesen des Lebendigen erkennt, wird die schöpferische Phantasie der Maler entfesselt, deren einzelne Werke als solche immer deutlicher hervortreten und faßbar werden. In ihren Gestalten der fabulierenden Phantasie, den Tieren der Wildnis und der Weide, den Geistern der Wälder und des Meeres, den Wesen der Luft, verdichtet sich eine gewaltig drängende Lebensfülle. Aber es ist nicht die naturverwobene Phantasie der kretischen Maler, die sich an das Märchen des Daseins verliert, sondern eine schaffende Phantasie, die das Dasein deutet. Sie tut dies, indem sie in den Erscheinungen, die mit großer Augenschärfe wahrgenommen sind, gerade jenes Unsichtbare, das sich in den Erscheinungen offenbart, erblickt und deutlich macht als das eigentlich Wirkende. Es ist „eine Phantasie, die im Augenschein auf das eigentlich Wirkliche dringt und so ein Bild des ernsthaft Wirklichen errichtet". Daher sind auch „Wirklichkeit" und „Bild" für sie nichts Verschiedenes, wie aus vielen Bräuchen jener Zeit hervorgeht, die ihre Kultstatuen badet, bekleidet, schmückt und nährt wie lebende Wesen. Begegnungen mit solchen Wesen bewegen das Jahrhundert und finden Ausdruck in seiner Kunst. Sie führen dazu, auch der menschlichen Gestalt neu zu begegnen.

25

Die Gestalten im Bild gewinnen Dasein dadurch, daß sie die Bildfläche mit einem neuen Volumen füllen und sich aus ihrer neuen Lebensfülle heraus zu bewegen beginnen. Ihr Tätigsein ist ihnen nicht mehr auferlegt als Regel, die sie alle ordnet, sondern wirkt aus ihnen selbst. Zunächst noch zaghaft wie in dem umlaufenden Friesbild mit dem Reigen attischer Jünglinge und Mädchen auf dem Halsstück eines dreihenkligen bauchigen Gefäßes (Tafel 5, 2). Die Gestalten haben hier den Rhythmus des alten Ornaments gleichsam in sich aufgenommen und geben sich ihm von sich aus hin. Die zierlich gesetzten Füße, der Schwung des in der Bewegung des Körpers sich breit entfaltenden Gewandes und die Haltung der Arme veranschaulichen dies in treffender Weise. Sie sind nicht mehr Zeichen, die erst im Zusammenhang des Ganzen Sinn bekommen, sondern jede einzelne Gestalt ist von diesem Sinn erfüllt. Man kann eine einzelne herauslösen, sie bleibt doch „ein Mädchen, das im Chor tanzt".

Damit hat die menschliche Gestalt im Bild eigenes Dasein und eigene Gesetzlichkeit gewonnen, wie auch die griechische Sprache sich erst jetzt ein Wort bildet für den Leib, den sie nun als Einheit begreift. Dieses Dasein wird umschlossen von einem festen Kontur, der die Gestalt von den anderen trennt und abhebt: die Umrißlinie gibt die gleichsam abtastbare Begrenzung ihres Körpers wieder. Die grenzsetzende Eigenschaft des Umrisses ist die große malerische Entdeckung des Jahrhunderts. Die Bedeutung des Umrisses ist an jeder dieser Gestalten ablesbar, selbst an den Figuren, die in gleichmäßig gedeckten schwarzen Flächen angelegt sind, deren sich die Gefäßmaler mit Vorliebe bedienen, da der vom Umriß begrenzte dunkle Flächenausschnitt einen stärkeren Sinneneindruck bewirkt als der Umriß allein (Tafel 8, 1). Der Kontur behält seitdem seine Bedeutung als körperschaffendes Mittel durch die ganze griechische Malerei, die die Form stets im Umriß zu fassen sucht. Die Zeichnung gliedert und verdeutlicht die Gestalten nun auch innerhalb ihres Umrisses, sei es als Ritzlinie, sei es als farbig eingesetzte Linie. Neben sie tritt die Flächenfarbe als ein Mittel zur Abrundung und Bereicherung des Daseins der einzelnen Gestalt, die ihr die körperhafte Erscheinung sichert. Sie kann daher auch auf alle Naturfarbigkeit verzichten. Außer dem hell- und dunkelbraunen Grundton, den schon der Ornamentstil als keramische Farbe für seine bildlichen Darstellungen verwendete, wird vor allem Rot und seltener und nur für Einzelheiten auch Weiß von den Gefäßmalern angewendet, um nach ihrer freien Wahl einzelne Teile des Körpers und des Gewandes zu decken. Die Verwendung dieser Farben geschieht immer mit einem sicheren Gefühl für die malerisch wirksame Farbverteilung und verrät einen ausgeprägten Farbensinn. Die Farben sind dabei meist unabhängig von der natürlichen Erscheinung gewählt und geben in einem reichen Wechsel ganz allgemein die Buntheit der Erscheinungswelt wieder.

Um die Jahrhundertmitte kommt auf den Gefäßen für einige Zeit eine noch farbenfreudigere Malweise auf, wohl im Wettstreit mit der gerade damals aufkommenden Tafelmalerei. Sie läßt eine selbständigere Entwicklung der Konturmalerei auf den farbigen Tafelbildern erschließen, für die wohl jetzt auch Holztafeln verwendet werden. Neben der großen Konturmalerei beginnt in dieser Zeit das große plastische Schaffen der Griechen: beide sind aus dem gleichen Sehen geboren, das in der Gestalt das Wesen erkennt und darum die Erscheinungen nun als selbständige Körper im Raum begreift. Die reine Zeichnung, zumal die Konturzeichnung, die im Umriß die Begrenzung von Körpern abtastet, steht zu allen Zeiten der Plastik näher als die reine Farbenmalerei. Daher bleibt die griechische Malerei auch bei reicherer farbiger Behandlung noch lange im wesentlichen Zeichnung. Sie wahrt dadurch die plastische Klarheit ihrer Gestalten, die für die Griechen bis in die klassische Kunst unabdingbar zur Wirklichkeit der Erscheinung gehört.

In dem Bild eines Liebespaares auf dem Hals eines Tonkruges aus dem dorischen Kreta sind zwei klar unterschiedene Gestalten, Mann und Mädchen, in ihrer unterschiedlichen Tracht durch große allgemeine Züge in ihrer körperlichen Erscheinung wiedergegeben (Tafel 9, 1). Gewiß gab es damals in Kreta wie im ganzen dorischen Gebiet als einem Mittelpunkt der neuen plastischen Kunst bessere Malereien, und in der Wiedergabe der Arme und Hände steht der Gefäßmaler sicher hinter anderen seiner Zunft zurück. Doch sind gerade sie in unserem Zusammenhang aufschlußreich: die neu erkannte Eigengesetzlichkeit der Gestalten führte die Maler zur Entdeckung der Gebärde. Diese Entdeckung ist ganz im Sinn der Griechen, die das Leben immer als Erscheinung des Körpers wahrnehmen, wie die griechische Plastik zeigt. Leben wird hier immer nur an der Haltung und der Gebärde des Menschen sichtbar und ist und bleibt stets rein anschaulich und rein bildlich. Es gibt nichts, was dahinter liegt, und auch das Unsichtbare, das erst die Erscheinungen hervorbringt und trägt, zeigt sich nur in dem, was an den Erscheinungen sichtbar ist (S. 25). Formal gesehen werden die Arme durch ihre diagonale Führung, die von den Bildrändern abweicht, zu starken Ausdrucksträgern. Dies um so mehr, als die Grundrichtungen der aufbauenden Linien des Bildes vor allem das senkrechte Bildgefüge straffen. Dabei wird es aber auch deutlich, wie sehr ein solches Bild nur zweidimensional in der Fläche verspannt ist, wobei die Wölbung des Gefäßhalses als solche gar nicht

mitspricht. Diese Malerei ist eine reine Flächenkunst. Mit der feineren
Unterscheidung der Gebärden erschließen sich die Maler erst die eigentümliche Sprache der Gestalten. Die Flächenkunst ist in der Wiedergabe der
Gebärden ja zudem freier als die statuarische Plastik, da die Profilstellung
der Figuren mit ihrer Bewegungs- und Aktionsrichtung zusammenfällt und
so schon die Beziehung der einen Figur zur anderen gibt, und darum behält
sie fürder auch hierin die Führung.

Die Gebärdensprache der Gestalten ermöglicht es den Malern, die Zu-
sammengehörigkeit der Menschen nun nicht nur im gleichen Tun darzustellen, sondern auch im Verhalten des Einzelnen, das heißt aber: die Gestalten zu beseelen. Die Liebkosungen des Mannes und das einverständliche
Gebaren des Mädchens sprechen mit einer starken Unmittelbarkeit von dem,
was in beiden vor sich geht und sie bewegt, jedes in seiner Weise. Durch die
Gebärde werden beide zugleich zu einer Gruppe verschränkt, wobei die
Haltung der Arme und Beine und die ganze Durchgliederung des Körpers
bei beiden aufeinander bezogen ist, während ihre Verspannung in der Fläche
sie wie von einem einheitlichen Willen gelenkt erscheinen läßt, durch den
sich das Geschehen als solches darstellt. Wenn auch hier ein Geschehen dargestellt ist, so doch ein anderes und tiefer begriffenes, als es die Malerei
bisher ausdrücken konnte.

In den Bildern des Ornamentstils konnte ein einheitliches Geschehen nur
durch übereinstimmende Formung der einzelnen Figuren erreicht werden.
Wo dort eine Zweifigurengruppe auftritt, entbehrt sie der Spannung, da die
Gleichförmigkeit der Figuren sie nicht auszudrücken vermag (Tafel 4). Diese
Spannung tritt in der neuen Gruppe mit voller Kraft in Erscheinung. Die
gegensätzlich gebildeten Gestalten des Mannes mit seinem eigenmächtigen
Andringen und des Mädchens mit ihrem erschrockenen und zugleich ein-
verständlichen Zugreifen heben sich durch ihren betonten Kontur von
der neutralen Fläche deutlich ab. Daher ist auch die Bildfläche von allen
verwebenden Mustern freigehalten, die jedoch als Fläche erhalten bleibt,
weil die Bestandteile des Bildes einschichtig zweidimensional sind. Profilstellung und bildparallele Bewegungen decken sich mit der reinen Kontu-
rierung und den Binnenflächen der Gestalten. Die breiten Flächen beim
Mann: das dunkelbraun abgedeckte Haar und der dunkelrote Rock, und
beim Mädchen: das links weiß abgedeckte und rechts gemusterte Kleid,
geben den Gestalten zugleich Masse und Körperlichkeit, eben jenes Gewicht,
dem die ausdrucksvollen Köpfe noch einen besonderen Nachdruck verleihen.
In dem Bildfeld erscheinen nur die Gestalten selbst und füllen es ganz aus.
Diese Menschen haben keine andere Umgebung als „sich selbst". Das Empfinden für dieses Selbstsein der Gestalt wurzelt tief im griechischen Men-

schen, in ihm begreift er das Dasein der Welt. Freilich nicht im individuellen Selbstsein, im Fürsichsein, und so fehlt auch diesem Bild das eigentlich Individuelle. Es ist nicht ersichtlich, ob hier Theseus und Ariadne, Zeus und Hera oder ein anderes hehres Paar dargestellt ist. Es bleibt ganz in der allgemeinen Bedeutung seiner Gebärdensprache und kann das eine oder andere oder alle Liebespaare meinen, denn auch dies ist ein Urbild: das Liebespaar schlechthin.

Das neue Bild des Menschen erneuerte auch die alten herkömmlichen Themen. Das zeigt die Totenklage auf einer attischen Kanne derselben Zeit, auf der sich zu dem Haupt des aufgebahrten Toten zu beiden Seiten die Köpfe der Klagenden beugen (Tafel 9, 2). Der rechte Kopf mit kräftigeren Zügen und einem Bart, der in dunklerer brauner Farbe abgedeckt ist, gehört wahrscheinlich dem Vater des Toten. Leider sind die Augensterne, die wohl in schwarzer Farbe eingesetzt waren, an beiden Köpfen verloren, da die Maltechnik nicht auf Haltbarkeit berechnet ist. Sie müssen ursprünglich viel zum Ausdruck der Köpfe beigetragen haben, wie uns andere Bilder lehren. Der Aufbau der Gestalten im Bild wächst ganz aus der menschlichen Haltung heraus: soviel ist auch noch an den Oberkörpern und Köpfen deutlich. Das Gefäßbild ist wohl von einem Künstler, der sonst auch Tafelbilder auf Holz malte und die Temperatechnik auf weißem Grund der Tafelmalerei auf das Gefäß übertrug, dessen Tonwand er zu diesem Zweck mit einer weißen Grundierung versah. Dieser wenig haltbaren Maltechnik konnte er sich hier bedienen, da das Gefäß für den Totenkult bestimmt war und alsbald mit der Asche des Toten unter die Erde kam. Es ist das beste erhaltene Beispiel der attischen Malerei dieses Jahrhunderts und vermag trotz seines beschädigten Zustandes noch eine Vorstellung zu vermitteln von der großen Form und der Kraft, zu der sich die Malerei Athens um die Mitte des 7. Jahrhunderts erhob.

Wie die Tafelbilder jener Zeit im ganzen ausgesehen haben, kann das Bild eines etwas jüngeren Tongefäßes von der dorischen Insel Melos veranschaulichen: Herakles holt seine Braut im Wagen heim und nimmt Abschied von ihren Eltern (Tafel 11). Es ist eines der seltenen erhaltenen großen Figurenbilder dieses Jahrhunderts und versucht wie das attische Gefäßbild in der Farbgebung die reiche und bunte Wirkung der Tafelbilder wiederzugeben. Der Gefäßmaler muß solche Tafelbilder vor Augen gehabt haben oder selbst ein Tafelbildmaler gewesen sein, was auch seine Malweise, die sich vorwiegend des Pinsels bedient, und sein Können nahe legen. Mehr als die Einzelheiten der Ausführung aber sprechen der großzügige Vortrag und die ausdrucksvollen Gebärden von der groß durchgebildeten Formensprache und dem feierlichen Ernst der Tafelbilder jener Zeit.

Die feinsten Gefäße mit den zeichnerisch am meisten durchgebildeten Darstellungen des 7. Jahrhunderts wurden in Korinth hergestellt. Korinth entwickelte sich damals unter der Herrschaft des bedeutenden Adelsgeschlechts der Bakchiaden zu einer rasch aufblühenden reichen Stadt mit einem weit ausgedehnten Handel und einem offenbar schneller pulsierenden Leben. Es liegt im dorischen Gebiet, das in diesem Jahrhundert einen sehr bedeutenden Anteil an der griechischen Kunstentwicklung nimmt. Dort und in dieser Zeit ist der neue Baukörper des dorischen Tempels entstanden. Die plastische Bestimmtheit seiner Formen und die Klarheit seines Aufbaues finden sich auch in der korinthischen Malerei wieder. In ihr hat das neu erwachte Leben nach einer kürzeren Zeit des Suchens und der Gärung zuerst und am klarsten seine neue Form gefunden. War die formelhafte Ordnung der geometrischen Ornamentik und ihrer Bilder ein Abbild der durch Überlieferung und göttliche Fügung geheiligten Ordnung des Adels und seiner Herrschaft, so entspricht die neue Blüte der Malerei einer reicher abgestuften Ordnung des menschlichen Zusammenlebens, in dem überall das Besondere in seinem Rang Gestalt und Farbe erhält und die Welt der Erscheinungen als sichtbarer Ausdruck dieser Ordnung immer mehr zur Geltung kommt.

Der innere Vorgang, der diesen Wandel herbeiführt, spiegelt sich in der neuen Dichtung der Lyrik am faßbarsten wieder. Aus ihr spricht eine Welt, die sich nicht mehr nach dem alten Herkommen aufbaut, sondern sich selbstbewußt ihre Werte und ihr Leben neu wählt. Diese neue Wertung des menschlichen Lebens veranschaulicht ein nur unvollständig erhaltenes Gedicht der Sappho vom Ende des 7. Jahrhunderts in sprechender Weise:

> Mancher preist die Reiter, das Fußvolk wohl ein
> andrer oder Schiffe als Herrlichstes der
> dunklen Erde, ich aber wonach liebend
> Menschen sich sehnen.
> . . . . .
> (Kypris) läßt der fernen Anaktoria
> mich nun gedenken.
> Ihren Schritt voll Anmut zu schaun ersehn ich
> und den Schmelz im strahlenden Antlitz mehr noch
> als der Lyder Wagen und schwerbewaffnet
> kämpfendes Fußvolk.

(freie Übertragung)

Die Dichterin stellt in diesem Gedicht ihre Welt – eine aphrodisische Kultgemeinschaft von Mädchen – der Welt der Männer gegenüber. Diese Welt der Männer mit ihren Wagen, Reitern, Kriegern und Schiffen ist die Welt des Handelns und der Tat, welche die Bilder des 8. Jahrhunderts schilderten. Wie sie ihr aber die eigene Welt gegenüberstellt: in der Anmut des Leibes und dem Schmelz der Erscheinung eines geliebten Mädchens – das geschieht ganz in der Weise der Menschen dieses Jahrhunderts mit seinem Schauen, Erfahren, Verweilen und der Freude am sichtbaren Dasein im lichten Tag.

Der Drang zu neuer Entfaltung, zum Schauen und Erfahren regte sich schon im ausgehenden 8. Jahrhundert in den wegbereitenden Entdecker-fahrten. In ihnen bekundete sich nicht nur die Bereitschaft zur Gefahr, die an sich noch nichts Neues schafft und jedem Adel eigen ist, sondern auch „eine neue Aufgeschlossenheit für das noch Unbekannte und ein begieriger Mut zu erfahren", die der vorausliegenden Zeit der Selbstgenügsamkeit fremd sind. Diese ganze bunte Welt schilderte an der Wende zum 7. Jahr-hundert die Odyssee, in der selbst „die Phantastik der alten Schiffermärchen aus einem völlig neuen Geist in einer neuen Weise erlebt ist".

Sagen

Aus diesem neuen Geist gewinnen auch die Sagen eine neue Bedeutung, vor allem die Heldensagen. Die griechischen Heldensagen sind keine Wundergeschichten, die Göttersagen keine Auslegung kosmischer Vorgänge, sondern Erzählungen von bestimmten Begebenheiten und Ereignissen an einem bestimmten Ort in der bekannten Welt und häufig auch aus einer bestimmten Zeit. Oft gehen sie in ihrem Kern auf ein geschichtliches Ereig-nis zurück. Sie schildern die Welt in ihrem gewordenen Dasein und machen es so sinnfällig. Sie sind für die Griechen Geschichte. Die Göttermythen, aber nicht weniger auch die Heldenlieder „sagen, wie der Mensch handeln und sich halten muß, wenn das Dasein in Ordnung bleiben soll. Sie machen die Wirklichkeit gangbar und umgänglich für den Menschen. Nicht durch Gedanken und Gebote, sondern durch Gestalten und Begebnisse, welche die Essenz des Daseinsvorganges selbst sind" (R. Guardini).

In dem gegenständlichen Bild gewinnen sie nun eine neue anschauliche Wirklichkeit und gehören so fortan im eigentlichen Sinne zum „Bild der Welt". Das 8. Jahrhundert kannte solche Bilder nicht, sie treten erst in seinen zwei letzten Jahrzehnten auf. Nun nehmen auch sie eine bestimmtere Gestalt an wie die Brautfahrt des Herakles auf dem melischen Gefäßbild (Taf. 11) und die unzähligen anderen Sagendarstellungen des 7. Jahrhunderts. Das geschieht zumeist nur in der genauen Verdeutlichung des Helden wie hier des Herakles, denn die Braut können wir nicht benennen, sie ist nicht besonders bezeichnet. Zur genaueren Verdeutlichung schrieben die Maler zu solchen Gestalten oft den Namen; die Figuren selbst reden aus der Wirklichkeit des Bildes wie die Statuen in ihren Aufschriften aus der Wirklichkeit ihres Daseins. Diese Sagenbilder sind aus der gleichen Aufgeschlossenheit und dem gespannten Wachsein geschaffen wie die Statuen und die Dichtwerke jener Zeit. Ihre Dichter erfahren zum ersten Mal den „Lebensdrang" als Schicksal im eigenen Innern und erschließen sich so auf eine neue Weise den Reichtum des menschlichen Lebens, der sich ihrem neu erwachten Auge nun in den einzelnen Erscheinungen darbietet und enthüllt. Die Maler schildern in ihren Bildern dieses „schöne Leben" in der sinnerfüllten Wirklichkeit, die geheimnisvoll göttliche Wesen bewirken und erhalten, und diese Gewißheit schenkt ihnen die neue Freiheit der Hingabe an alles Lebendige.

Die freie Hingabe an die Schönheit der lebendigen Welt führt die Maler zu Bildern voller Anmut und Liebreiz, von denen die Bildfriese auf einer korinthischen Kanne die köstlichsten Beispiele bieten (Tafel 12). Es sind erzählende Darstellungen, doch schildern sie keine Sagen, sondern eine Schlacht, Ausfahrt und Ausritt, Jagden auf Löwen, Hirsche, Hasen und Steinböcke. Das ist die männliche Welt des Kampfes, der Gefahr und der Daseinslust einer immer noch adligen Lebensführung. Doch wieviel bunter an Gestalten und Farben ist sie geworden, und mit welchen frischen Augen ist hier der Reiz der Erscheinung gesehen in dem „anmutigen Gang" des Pferdes und dem freien Sitz des Reiters, seinem „strahlenden Antlitz", den „schattenden" Locken, den springlebendigen Tieren und selbst in den aufsprießenden Zweigen eines Gebüschs. Doch fehlen die Schiffe, alles begibt sich hier auf dem Land. Kein Kampf um die Schiffe wie in der Ilias des Homer und in den Schlachtbildern des 8. Jahrhunderts, kein Wüten des Ares mit grausamem Morden und Haufen von Leichen, sondern eine Feldschlacht mit „schwerbewaffnet kämpfendem Fußvolk" ist auf dem Hauptfries dargestellt.

In der neuen Kampfform der Phalanx marschieren dichte Reihen gewappneter Krieger mit prunkenden Schilden und Panzern unter Flötenmusik wie zum Kampfspiel auf. Die geschlossene Reihe der Phalanx ist die kriegerische Form der neuen Polis-Ordnung, die das Zusammenleben der Menschen während dieser Jahrzehnte neuer Sammlung und Besinnung unter der erfahrenen Führung adliger Geschlechter in den landverwurzelten Stadtstaaten erfahren hat. Die Dorier und allen voran die Spartaner schufen aus dem Helden Homers mit seinem unbändigen Tatendrang dieses Bild des

32

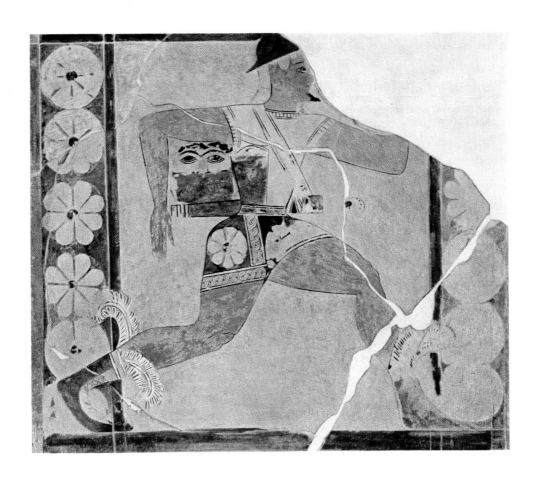

II. Bemalte Tonplatte vom Apollontempel in Thermos. Korinthisch. Nachzeichnung. Athen

Kämpfers für die Polis, des Tüchtigen und Wackeren, der gleich Hektor für Familie, Heim und Stadt lebt und sein Leben einsetzt.

Darin sah das Jahrhundert jetzt die Erfüllung des Manneslebens, das sich auch im Krieg bewährt, so wie es der Dichter Tyrtaios den Spartanern vor Augen stellte. Wie sehr diese Malerei aus der Zeit schafft, zeigt das Gedicht des Tyrtaios, dessen dichterisches Bild sich neben das gemalte Bild der Feldschlacht stellt:

> In dichter Reihe kämpfend Speer an Speer
> und Schwert an Schwert voll Ungestüm
> drängt Fuß an Fuß und Schild an Schild
> und ruhmbegierig Brust an Brust.
>
> (freie Übertragung)

Fast könnte man das Gedicht als Quelle des Bildes betrachten, denn seit der Wende zum 7. Jahrhundert wird neben dem Leben nun auch die Dichtung zur Quelle der Bildkunst. Ein Sagenbild erscheint auch auf der Kanne: das Urteil des Königssohnes Alexandros, des Paris von Troia, der den Preis der Schönheit der Aphrodite vor Hera und Athena zuerkennt. Er gewinnt dafür die Schönste der Welt und entführt Helena aus Sparta, die Gattin des Menelaos, der mit seinem Bruder Agamemnon um ihretwillen Troia belagert. Doch tritt dieses Bild vom „Urteil des Paris" auf der Kanne hinter den Darstellungen aus dem Leben zurück, es ist nur beiläufig zwischen die anderen Darstellungen eingeschoben und sitzt an einer sehr unbezeichnenden Stelle, auf der Rückseite des Gefäßes unter dem Henkel. Es ist also mehr der große Zug der Zeit und weniger das einzelne Gedicht, der zu solchen Bildern wie die Feldschlacht führt.

Diese Feldschlacht könnte auch ein Gemälde zum Vorbild haben, ein geweihtes Tafelbild aus Holz, dem das Bild auf der Kanne – abgesehen von seiner Kleinheit – jedoch im einzelnen wie im ganzen kaum nachsteht. Die auffällige farbige Behandlung legt diese Gleichstellung mit einem Tafelbild besonders nahe, denn der größte Teil der Malerei ist in einem hellen warmen Braun ausgeführt, vor allem die sonnengebräunten Körper, der Rest in Rot und Schwarz, wobei das Rot stärker hervortritt. Dazu kommen noch weiße Punkte als Verzierung am Ansatz der Helmbüsche und die weiß auf schwarzem Grund gemalten Steinböcke und Hunde auf dem kleinen Fries unten. Das ist keine reiche Farbenskala, sie war jedoch durch die Beschränktheit der verwendbaren keramischen Farbtöne von vornherein eng begrenzt. Trotz der wenigen Farben macht diese Malerei einen lebhaft bunten Eindruck, der durch die geschickte Verteilung der Farben hervorgerufen wird, die einen sehr feinen Farbensinn verrät. Auch hier sind die Innenzeichnung der Figuren und alle Teile der Konturen geritzt, und dies ist wohl der einzige Unterschied in der Malweise gegenüber der gleichzeitigen Tafelmalerei, deren Bilder im wesentlichen ebenso ausgesehen haben müssen, zudem sie kaum über ein kleines Format hinausgingen.

Auch die Tafelmalerei dieser Zeit scheint sich in der Hauptsache auf wenige Farben beschränkt zu haben, wie aus der spärlichen literarischen Überlieferung zu erschließen ist: Gelb und Rot in verschiedenen Abstufungen, dann Weiß, Grau, Schwarz und seltener Blau, das aus Kupfer nur schwierig zu gewinnen und wenig haltbar war.

Die einzigen Bilder größeren Maßstabes dieser Zeit finden sich auf bemalten quadratischen Platten aus gebranntem Ton, die an den dorischen Tempeln außen in das gegliederte Holzgebälk über den Säulen eingelassen waren, den Metopen. Die Tempel hatten damals noch ein Gebälk aus Holz, das zum Schutz gegen Verwitterung mit Versatzstücken aus gebranntem Ton verkleidet war. Reste solcher bemalter Tonplatten sind uns von einem Tempel des Apollon in Thermos in Aetolien erhalten (Farbtafel II und Tafel 13). Sie sind mit keramischen Farben gemalt, unterscheiden sich also in der Technik nicht von den Gefäßbildern und wurden wohl oft in den gleichen Werkstätten hergestellt. In diesem Falle in einer korinthischen Werkstatt, wie aus den Schriftzeichen und dem Stil der Bilder zu erschließen ist. Die Themen der Bilder stammen aus der griechischen Götter- und Heldenwelt; ihre Auswahl bestimmte nicht der Architekt oder Maler, sondern der Auftraggeber, also die Kultgemeinde oder die Stadt, die den Tempel errichten ließ. Sie mußten nicht immer zu der Gottheit des Tempels in unmittelbarer Beziehung stehen und geben in dieser Zeit ganz allgemein „die Welt im Bilde" wieder, wie sie den Griechen in den Gestalten der Götter- und Heldensage vor Augen stand.

Die vorgeschriebene Größe der Platten beschränkte den Maler von vornherein auf ein Bildfeld von bestimmten Ausmaßen, das er mit seinen Figuren zu füllen hatte. Hier wählte der Maler eine einzige Gestalt oder auch Szenen mit zwei oder höchstens drei Figuren, die mit weit ausholenden Gebärden und in klaren Achsen in dem schildernden flächigen Malstil der Zeit angelegt sind. An ihnen wird besonders deutlich, daß die Malerei dieser Zeit eine ausgesprochene Flächenkunst ist. Wie in den Friesbildern der korinthischen Kanne wird der menschliche Oberkörper ganz in die Fläche gelegt und auf ihr ausgebreitet, dementsprechend werden auch Gesicht, Arme und Beine im Profil in ihrer charakteristischen Form gegeben. Die Maler legen Wert darauf, alles möglichst deutlich zu machen und alle wesentlichen Züge aufzuzählen, alles muß daher an die Oberfläche. Eine solche großfigurig breite Malweise eignet sich ganz besonders zur Füllung großer

34

Flächen in einem architektonischen Rahmen, sie verleiht ihnen den Charakter des Dekorativen, ohne dadurch an Gegenständlichkeit zu verlieren. Dieser dekorative Charakter wird durch die Rosetten auf dem breiten Rahmen der Metopen-Bilder noch betont.

Ähnliches wird auf den Gefäßbildern durch die Füllmuster erreicht, die die Gefäßwandung zu einer einheitlichen Oberfläche zusammenschließen. Sinngemäß fehlen daher die Füllmuster in den Tafelbildern ganz. Der große Zug der Linien und in der Verteilung der bunten Flächen ist Stil der Zeit, wie der Vergleich mit dem gleichzeitigen Heraklesbild auf dem melischen Gefäß zeigt, das im übrigen den Tonplatten künstlerisch kaum nachsteht. Wie in allen großen Zeiten der Kunst liegt auch hier die Monumentalität nicht in den Größenmaßen, sondern in der großen Form.

Dieser großfigurige Stil findet sich wieder in der großflächigen Darstellung des Apollon auf einer attischen Tonplatte von gleicher Größe, von der leider nur ein Bruchstück erhalten blieb (Tafel 10). Sie ist nur wenig jünger, gehört aber noch ganz in das 7. Jahrhundert als eines der letzten Beispiele der großen Form, zu der sich die attische Malerei in den Jahrzehnten seit der Jahrhundertmitte erhoben hatte. Überraschend ist ihre Gleichartigkeit mit gleichzeitigen attischen Gefäßbildern, selbst die Anwendung von Ritzlinien zur Erreichung eines klaren und scharfen Konturs findet sich auf der Tontafel wieder. Mit Ausnahme dieser maltechnischen Einzelheit müssen so auch die attischen Tafelbilder auf Holz ausgesehen haben.

Auf der zeitlosen Kunst des Ornamentstils fußend brachten die Maler des 7. Jahrunderts die griechische Malerei erst zur Entfaltung. Kein Jahrhundert der europäischen Völkergeschichte bedeutet daher so viel für die Begründung der europäischen Malerei und darstellenden Kunst. Sie hat sich damals die Pflanzen- und Tierwelt erobert, dem Menschen im Kunstwerk Form gegeben und seine Welt deuten gelernt. Gegen Ende des Jahrhunderts liegt dies alles in einer großen Mannigfaltigkeit vor und ist die große Form gefunden, die den Bildern ihren Rang neben der großen Dichtung gibt. Jede einzelne Gestalt verkörpert nun ihre Welt, das Tier, der Mann und die Frau, und dies alles in reichen Abstufungen. Diese sichtbare, von göttlichen Mächten durchwirkte Welt der Dichter und Maler erwächst aus der Kraft einer schaffenden Phantasie, die sich aus einer gespannten wachen Weltoffenheit nährt. Sie formt sie, indem sie diese Welt im Bild vergegenwärtigt und ihrer dadurch inne wird.

IV. DIE WEGE DES LEBENS

Die Lust am Erzählen und Schildern bleibt der vorherrschende Zug der griechischen Malerei auch in dem folgenden 6. Jahrhundert und darüber hinaus. Das 6. Jahrhundert ist die Zeit der Bildwerdung der griechischen Welt im engeren Sinne, wie sie in der Polis, den olympischen Göttern, den panhellenischen Heiligtümern und Festen in Delphi, Delos und Olympia, den Tempeln aus Stein, den Statuen aus Marmor und der Dichtung Gestalt gewonnen hatte. In dieser stets sichtbar gegenwärtigen, im Nomos geordneten Welt hat nun alles seinen Platz und seinen Rang, und diese Rangstufen treten auch in den bildlichen Darstellungen immer deutlicher hervor. Die Urwesen der vorausliegenden Gründerzeit verlieren ihr Unheimliches und verwandeln sich in Schaubilder, die auf den Gefäßen bald als schmückende Tierfriese in die untergeordneten Bildstreifen rücken. Sie vertreten hier auf einer unteren Stufe die animalische Seite des Lebens, das in den Begebenheiten der Hauptfriese nun seine rein menschliche Ausdeutung erfährt. In den Hauptbildern treten die Kämpfe der Helden mit den unheimlichen Tieren und Fabelwesen immer mehr zurück zugunsten der Begegnungen mit den Göttern, dem Leben des Menschen und dem Werden seines Werkes. Die menschliche Gestalt nimmt daher den vornehmsten Platz in dem neuen Jahrhundert ein, und darum erscheint auch die Gottheit durchweg in dieser Gestalt.

Große vielfigurige Sagenbilder entstehen seit dem Beginn des 6. Jahrhunderts vor allem in Korinth. Die Maler verdeutlichen die Sagen und Begebenheiten nun durch genaue Schilderung der Personen und Dinge und durch Veranschaulichung beiläufiger Züge, die oft den Dichtwerken, oft ihrer eigenen Erzählerlust entspringen, die an den Sagen weiterspinnt und sie zugleich in eine menschlich nähere Gegenwart rückt. Die Gestalten leben auch nicht mehr aus einem urkräftigen und unbändigen Menschentum in der ortlosen Weite des Mythos, sondern bewegen sich in der neuen Luft der Polis, ihrem Leben und Treiben und ihrer geselligen Gesittung.

Von diesem Wandel wird die ganze griechische Kunst erfaßt, doch ist er in der Malerei am augenfälligsten. So speist Herakles auf einem korinthischen Gefäßbild beim König Eurytos (Euritios) wie die Vornehmen der Stadt in ihren Häusern beim geselligen Mal (Tafel 14). Wie diese bringen die Teilnehmer auch ihre Lieblingshunde mit, die unter den Liegebetten angebunden auf die zugeworfenen Leckerbissen lauern. Auf so hoher Stufe erscheint das Leben der Gegenwart, daß es auch die Form abgibt, in der sich das große Geschehen vollzieht, das den Griechen die Begebenheiten der Sage bedeuten. Mit dieser Vergegenwärtigung der alten Sagen dringt der „Alltag" in die Bildwelt ein, und auf diese Weise erschließt sich die Malerei allmählich den ganzen Reichtum der menschlichen Gebärden und Beziehungen, der dieser Kunst ihren durchaus weltlichen Charakter gibt. Auf großen figurenreichen Bildern wird das ganze Gewebe der Sage ausgebreitet, in das nun jede einzelne Gestalt „ihre Strecke hineinwebt". Die Tochter Jole (Fiola) des Königs Eurytos steht auf dem Gastmahlbild zwischen ihrem Bruder Iphiktos und dem Werber Herakles wie mitten in ihr Schicksal gestellt. Jole wendet sich zu Herakles, der sie von ihrem Vater als Braut forderte, blickt aber zurück zu ihrem Bruder: sie kann sich von ihm und den Ihren nicht trennen, die sie schließlich auch dem Herakles verweigern. So wird sie zum Verhängnis der Ihrigen, denn bald darauf wird Herakles aus Rache für die verweigerte Jole mit seinen Mannen die Stadt des Königs zerstören und seine ganze Familie töten. Die Einheit des Bildes liegt hier in den Gestalten selbst, und daher genügt es, das Geschehen nur anzudeuten, durch eine Kopfwendung oder sonst eine leise Gebärde.

Wie die vielen anderen Sagendarstellungen jener Zeit, so will auch dieses Bild keine bestimmte Situation der Dichtung oder Sage veranschaulichen, sondern ist von dem Maler selbstschaffend aus dem Geist der Dichtung gestaltet. So formen auch die Maler mit an den Lebensbildern der griechischen Kunst. Die Unterscheidungen werden daher zahlreicher und feiner, die Maler in ihrer Kunst eigener und selbstbewußter, so daß sie nun auch immer häufiger ihre Bilder signieren, und die Töpfer machen es ihnen nach. Auch die Gestalten der Bilder treten aus ihrer Anonymität heraus in eine menschlich wärmere Gegenwart und Nähe und in die bewußtere Welt der neuen Gemeinschaften. Das Menschenbild bekommt so eine besondere Wärme und Lieblichkeit, und auch die Götter- und Heldengestalten formen sich nach diesem neuen Menschenbild, das sie ihrerseits wieder mit ihrer mythischen Kraft durchdringen.

Der Mythos trägt die Menschen und Gemeinschaften noch in ungebrochener Stärke und entfaltet sich in den drei letzten Jahrzehnten des 6. Jahrhunderts in der Tragödiendichtung Athens zu seiner größten künstlerischen Schöpfung. In ihr kommt der gleiche Geist zur Sprache, der zu Beginn des Jahrhunderts aus Solon spricht, dem Begründer des neuen attischen Staates, der es in einem Gedicht ausführlich darlegt, wie die Wege des Lebens für die Menschen verschieden sind. Die „Wege des Lebens" werden das große Thema des Jahrhunderts und seiner Malerei.

Den großen Ton hatte Korinth angeschlagen und behielt ihn bei bis in das zweite Viertel des Jahrhunderts, wie die Sagenbilder auf den korinthischen Gefäßen zeigen. Sie lassen eine erste große Blüte der Tafelmalerei vermuten, und vielleicht sind es gerade korinthische Maler gewesen, die zuerst Holzplatten mit Kreidegrund für die zu weihenden Tafelbilder benutzten. Darauf mag die Überlieferung zurückgehen, daß die Malerei in Korinth erfunden worden sei. Solche Holzplatten waren für die Niederschriften der Nomoi, der Gesetze der neuen Gemeinschaften, schon länger in Gebrauch. So mochte es für die Maler naheliegen, sich solcher Holzplatten statt der Tonplatten auch für die Weihebilder zu bedienen. Die Tontafeln blieben daneben als bescheidenere Weihebilder immer noch in Gebrauch, wie zahlreiche Funde solcher Weihetäfelchen gerade aus Korinth lehren. Die Tafelbilder auf Holz ermöglichten durch ihre Temperatechnik jedoch eine reichere Farbgebung, die seit der Mitte des voraufgehenden Jahrhunderts auch auf die Gefäßmalerei zurückwirkte, wie wir sahen.

Es ist gewiß ein Zufall, daß die einzigen hölzernen Weihebilder, die aus der Antike erhalten sind und im Nationalmuseum in Athen aufbewahrt werden, gerade von korinthischen Malern stammen, doch sind sie ein willkommenes Zeugnis dafür, daß die Malerei auf Holztafeln in Korinth einen hohen Stand der Ausbildung erfahren hat. Leider steht ihre Veröffentlichung noch aus, nur ihre farbigen Kopien sind im Athener Museum ausgestellt.

Es sind Weihetafeln von kleinem Format, die größte 33 cm lang und 15 cm hoch, deren Erhaltung nur ganz besonders günstigen Umständen zu verdanken ist. Wie die Inschrift am oberen Rand der besterhaltenen von ihnen besagt, ist sie den Nymphen geweiht, in deren Grotte die Täfelchen niedergelegt und wieder aufgefunden wurden. Die Stifter stellen sich darauf den Nymphen selbst als Weihende dar: ganz links ein bärtiger Mann, wohl der Vater der ganzen Familie, vor dem zwei zartgebildete Frauen schreiten, die Gattin Euthydika und die Tochter Eukolis. In den Händen geweihte Zweige und Binden haltend, die Linke erhoben zum ehrfürchtigen Gruß an die Nymphen, so nähern sie sich im „Schritt voll Anmut" dem Altar der Göttinnen. Voran gehen zwei kleine Brüder, Nachkommen des flötenspielenden Knaben der Feldschlacht, die mit Flötenmusik und Leierspiel den Zug anführen und die Hymne begleiten, mit der die Familie die Göttinnen feiert. Davor treibt ein kleiner Knabe das Opferlamm zum Altar, und vor ihm schreitet eine Dienerin mit der Spendenkanne in der Rechten und dem Tragbrett mit den Opfergaben auf dem Kopf. Die Begeher nennen sich den Göttinnen mit Namen, und auch der Maler hat seinen Namen beigefügt und sich als Korinther bezeichnet.

Das Ganze ist ein Bild schlichter griechischer Frömmigkeit und heiteren Daseins von unsagbarem Zauber, der auf einem innigen Vorstellen und Beobachten beruht. Die leuchtende Reinheit der Farben und ihr einfacher Zusammenklang, die vollkommene Schönheit der Zeichnung bei einfachsten Mitteln sind nicht mit Worten zu beschreiben. Die Umrisse sind mit dem Pinsel in schwarzer Farbe, an den weiß gelassenen Gliedmaßen der Frauen in roter Farbe gezogen. Die Untergewänder sind blau getönt, die Mäntel darüber dunkelbraun, der Mantel des Vaters blau, das Nackte der Knaben hellbraun. Diese Farbgebung will, wie auf den Gefäßen, weniger ein bestimmtes Aussehen als Buntheit und farbiges Leben ausdrücken, die das Ganze in eine heitere Verklärung und einen festlichen Glanz tauchen. Alles ist daher auch in ganz reinen Farben angelegt, wie es dieser bunten Flächenkunst angemessen ist, ohne Schatten an den Körpern oder schattenden Falten an den Gewändern. Die Gestalt erfüllt sich jeweils in der Fläche, ohne selbst je Schatten zu werfen, so wie auch die Buchstaben in der Fläche liegen. Die Gestalten stehen auch nicht im Bild, sondern in der vordersten Ebene: sie s i n d das Bild. Diese Malerei vermeidet die Halbtöne und Schatten, die die Dinge unscharf machen und den Rändern die Kraft nehmen. Sie duldet nichts Unklares, alles muß in klaren und greifbaren Formen vor ihr stehen und daher auf der Fläche sich ausbreiten. Der Klarheit wegen gibt sie die Eigenfarbe der Körper und Gewänder stets rein und unverändert wieder und hält an der unbedingten Flächigkeit des Farbenbildes während der ganzen Frühzeit fest. Die Farbe ist hier als etwas den Erscheinungen Eigentümliches und daher Unveränderliches aufgefaßt. Sie bringt die Dinge und Wesen nicht nur in die Sichtbarkeit, sondern unterscheidet sie auch eindeutig.

Sparsamste Linienführung, ausdrucksvolle Umrisse, auf das feinste abgestimmte Farbgebung, klar geschiedene aber doch aufeinander abgestimmte Gestalten mit verhaltenen aber ausdrucksvollen Gebärden und freier Haltung und Bewegung im Bildfeld, Faßlichkeit der Gestalten und Innigkeit ihrer Wahrnehmung – dies alles läßt erkennen, daß hier die Malerei auf ihrem eigensten Gebiet zu einer ersten hohen Blüte gekommen ist. Ihr Charakter ist vergleichbar der griechischen Sprache, in der nach einer Bemerkung Goethes Klarheit, Gegenwart, Sinnenhaftigkeit, Wirklichkeit, Glanz und Ruhe herrschen, ungleich der deutschen Sprache und Malerei mit ihren vielfachen Andeutungen und Zwischentönen, ihrem raunenden Geheimnis und der überwirklichen Bedeutung, die fast in jedem ihrer Worte und jeder ihrer Gestalten anklingt. Beide, griechische Sprache und griechische Malerei, sind ein ganz eigenes Gewächs, und es sind solche Bilder wie das kleine Tafelgemälde, in denen eine neue Welt, die sich von allen anderen Welten grundlegend unterscheidet, ihre Verwirklichung gefunden hat. Nur in dieser Welt schreiten die Menschen in dieser freien Haltung vor dem Göttlichen und sehen sterbliche Augen menschliche Wesen so mit den Augen der Götter. Die europäische Malerei erstrebte immer wieder diesen Blick auf ein ursprüngliches Menschentum, wenn auch in einem anderen Kleid der Zeit und eines anderen Gottes oder Heiligen gewärtig.

Das waren immer die Zeiten der Erneuerung, in denen die Sicht wieder frei geworden war und neues Schaffen gewährte, wie auch uns heute diese Sicht sich wieder öffnet. Hier ist ein Thema angeschlagen, das in der griechischen Kunst nie mehr verklang und als ein Grundmotiv in die Kunst des Abendlandes einging.

Korinth war bis weit in die erste Hälfte des 6. Jahrhunderts hinein die große Schule der Malerei, und die Maler Athens waren ihre großen Schüler. Einer ihrer besten, von dem uns Reste bemalter Tontafeln und zahlreiche Gefäßbilder erhalten sind, war ihr eifrigster Schüler und übernahm alle ihre Errungenschaften, ohne sich an sie zu verlieren. Das ist an den Gestalten eines großen tönernen Weinmischgefäßes vielleicht am deutlichsten, das einst als Weihgeschenk von einem unbekannten Stifter auf der Akropolis von Athen aufgestellt worden war und von dem einige Bruchstücke bei den Ausgrabungen wieder aufgefunden wurden (Tafel 15, 1). Sie sind überaus sorgfältig bemalt und von einer bunten Farbgebung, die an die korinthischen Holztafeln erinnert. Dargestellt war der Götterzug zu der Hochzeit des Helden Peleus und der Göttin Thetis, der Eltern Achills, in einem Fries, der um das Gefäß lief. Auf dem abgebildeten Bruchstück erscheinen hinter der Götterbotin Iris die Göttinnen Hestia und Demeter, dann Leto, die große Mutter des Apollon und der Artemis, und Chariklo, die Gattin des Cheiron, des weisen Lehrers des Achill. Es sind Gestalten von einem derberen, warmblütigeren Schlag als die korinthischen, aber kaum weniger anmutig. Ihre ionische Lebensfülle und Innerlichkeit heben sie noch über die korinthischen Bilder hinaus. Nicht geringer ist die Freude an den festlichen Gewändern und der Pracht des Aufzuges, wie er damals in den feierfrohen griechischen Städten öfter zu sehen war und wie ihn ein Gedicht der Zeit schildert:

Laufend nahte der Herold, den Hektor vorausgesandt,
der beflügelte Bote Idaios, mit diesem Spruch:
„Über Troia, o König, und Asiens weites Land
leuchtet heute der Glanz eines Ruhmes, der nie vergeht.
Hektor führt die erwählte, die Braut mit dem Sternenblick
führt vom heiligen Theben, wo ewig der Plakos ragt,
mit den Freunden zu Schiffe die zarte Andromache

übers salzige Meer. Und sie bringen die Goldlast mit
vieler Reifen, auch purpurne Bänder und bunten Tand,
Blumen, zahllose silberne Becher und Elfenbein".

So der Herold. Der liebende Vater stand eilends auf.
Das Gesagte durchflog die geräumige Stadt und kam
zu den Freunden. Da spannten die Männer von Ilion
vor die festlichen Wagen die Maultiere gleich. Die Schar
stieg der Frauen hinauf und der zierlichen Mädchen auch.
Doch die Töchter des Priamos gingen für sich einher.
Pferde wurden von Jünglingen gegen das Joch gedrängt
der gerundeten Streitwagen. Machtvoll erhoben die
Lenker ihre befeuernden Stimmen. Mit Erzgedröhn
rollten alle Gefährte durchs Skäische Tor ins Feld.
Sie umringten das Paar, das unsterblichen Göttern glich,
und geleiteten Wagen an Wagen den Hochzeitszug
durch den Staub des Gefilds nach dem heiligen Ilion.
Süß vereinte die Flöte, erklirrend das Becken sich
mit dem Rauschen der Saiten. Die Jungfrauen sangen hell
ein Gebet in der alten geheiligten Melodie.
Rein und feierlich schwebte der Widerhall himmelwärts.
Überall an den Straßen, durch die sich der Festzug wand,
waren Krüge und Schalen mit Räucherwerk aufgestellt.
Weihrauchwolken, durchduftet von Myrthengewürz und Zimt,
stiegen hoch. Und die Greisinnen brachen in Jubel aus.
Alle Männer begannen das Festlied und riefen den
Weithintreffenden Gott mit der Leier an.
Hektor, sangen sie, sei und Andromache Göttern gleich.

(Übertragung von Manfred Hausmann)

Das Geleit der Götter „Wagen an Wagen", die zu dem göttergleichen
Paar Peleus und Thetis kommen, ist auch auf dem Hauptfries eines attischen
Prachtgefäßes der sechziger Jahre dargestellt (Tafel 15,2). Die Malereien
dieses großen Mischgefäßes bieten die großartigsten Beispiele des Erzähler-
stils, wie er sich in dieser Zeit gerade in Athen ausgebildet hatte und zu
den köstlichsten Errungenschaften der griechischen Malerei gehört. In einer
wahren Bilderchronik werden auf ihm in vier großen Bildfriesen auf jeder
Seite Sagen um Peleus-Achilleus und um Theseus geschildert. Die Auswahl
der Helden und ihre Gegenüberstellung ist an sich schon sehr eigentümlich:

„Der Zusammenhang der verschiedenen auf dem Gefäß vereinigten Bilder ist nicht schwer zu erkennen. Das Hochzeitsfest des Peleus und der Thetis, zu dem die ganzen olympischen Götter herbeikommen, ist das Thema des Hauptbildes, das sich um das ganze Gefäß zieht. Doch ist die Seite, auf welcher die Spitze des Götterzuges von Peleus begrüßt wird, die vornehmste. Die übrigen Bilder dieser Seite beziehen sich nun alle auf Peleus und seinen gewaltigen Sohn Achilleus. Ganz oben erscheint die kalydonische Jagd, bei welcher Peleus neben Meleager den Ehrenplatz einnimmt und mit diesem gemeinsam das Untier – dem in Kalydon wütenden riesigen Eber – den Spieß in den Rachen treibt. Auf den Peliden Achilleus aber bezieht sich der untere Bauchstreif des Gefäßes auf dieser Seite, wo Achilleus den Troilos ereilt. Ein Orakel hatte verkündet, daß Troia nicht genommen werden könnte, wenn Troilos – der jüngste Sohn des Priamos – das Alter von zwanzig Jahren erreichen würde. So hatte diese Tat Bedeutung für den ganzen Troianischen Krieg, Bedeutung aber auch für Achilleus persönlich, indem er Apollons Zorn durch Verletzung seines Heiligtums bei der Tötung des Troilos erregt und sich dadurch den eigenen Tod vorbereitet. An den Zorn des gekränkten Achilleus und an seine Freundesliebe erinnert dann das Bild am Halse, wo er die Rennen zu Ehren des toten Patroklos veranstaltet. Seinen eigenen Tod aber führen die Henkelbilder uns vor Augen, wo Aias den toten Freund aus dem Kampf trägt. Auf der anderen Seite des Gefäßes feiert der attische Maler dagegen vor allem seinen heimischen Helden Theseus, zu oberst dessen edle Tat, die Befreiung der Opfer des Minotauros; darunter den Kampf mit den wilden Kentauren. Als Bild des unteren Streifens wählte er die Geschichte vom Triumphe des Hephaistos, des Schutzpatrons der Töpfer in Kerameikos, deren vornehmster einer damals unser Maler war. Der Triumph des Hephaistos war aber zugleich einer des Dionysos, und ein Gefäß zum Mischen der Gabe des Weingottes war es ja, das diese Bilder zierte. Als heiteren Abschluß des Bildzyklus, ohne engere Beziehung zu dem übrigen, diente der Fries um den Fuß, der Kampf der munteren Zwerge und der streitbaren Kraniche" (Adolf Furtwängler).

Die ganze Art der bildlichen Schilderung und die Gegenüberstellung von Achill und Theseus ist wie ein Echo des reichen dichterischen Lebens der Stadt Athen während dieser Jahrzehnte. Dieses dichterische Leben ist uns durch die Gedichte Solons zu Beginn des Jahrhunderts, die Einführung des Sängerwettstreites bei dem 566 v. Chr. erneuerten großen Athenafest und die Erneuerung der homerischen Epen bezeugt. Die Bildfriese des Gefäßes bezeugen aber auch, daß die ganze Künstlerschaft Athens bis zu den Gefäßmalern an ihm teilnahm. Wie in diesen Bildfriesen große, über das Leben eines einzelnen Helden hinausgehende epische Zusammenhänge geschildert werden, ist ganz in der Art der Dichtungen jener Zeit.

Darüber hinaus aber sind die Friese von hohem malerischem Wert. Eine nie rastende Bewegung geht durch die feingliedrigen sprühenden Gestalten, indes jede einzelne doch klar für sich dasteht und von der anderen geschieden ist mit einem sicheren malerischen Empfinden für leere Fläche und volle Gestalt, die mit feinem Gefühl untereinander ausgewogen sind. Wo Gruppen auftreten, sind die Gestalten oder Pferde flächig nebeneinander gestaffelt und geben so den Eindruck gedrängter Fülle, ohne die Klarheit der Aussage jeder einzelnen Figur zu verlieren. Auf diese Weise erreicht der Maler mit seinem erzählenden Flächenstil eine einzigartige epische Breite und Kraft der Schilderung.

In der Wiedergabe der über 120 Figuren – ohne die sehr zahlreichen Tiere – breitet sich allein auf diesem einen Gefäß eine überwältigende Fülle von malerischen Motiven und Einzelheiten aus. Die Figuren selbst erscheinen in immer neuen Abwandlungen der Stellung, Gruppierung und bunten Gewänder mit ihren Borten und Säumen, in stets frischen Episoden, die ihren dramatischen Höhepunkt in der Rückkehr des Theseus-Schiffes zu den befreiten attischen Jünglingen und Mädchen am Ufer der Insel Kreta finden. Nicht weniger aber auch in der sublimen Zeichnung und feinen Ritzung, in der bei jeder einzelnen die reiche Innenzeichnung ausgeführt ist. Die Bewältigung dieses großen Stoffes mit seinen vielen Figuren in großen Bildzyklen und der durchdachte Plan des Ganzen stellt der kompositionellen Fähigkeit dieses attischen Malers ein hohes Zeugnis aus. Die Bedeutung dieser Gefäßbilder geht daher weit über die Gefäßmalerei hinaus, denn sie bezeugen einen großen Umfang an malerischem Können, einen großen Bilderreichtum und die Fähigkeit zur Darstellung größerer Zusammenhänge, die die führende Stellung Athens in der griechischen Malerei seit dieser Zeit verständlich machen.

Die führende Stellung Athens in der Kunst der folgenden zwei Jahrzehnte ist in der großen Entwicklungs- und Wandlungsfähigkeit des attischen Menschen begründet. Sie führt in den nächsten Jahrzehnten zu einer großen Wende durch Maler, die das erzählte Geschehen in wenigen Gestalten von starker Monumentalität verdichten. Schon um die Jahrhundertmitte treten Bilder auf mit Gestalten von gewichtigerem Schritt und schwererem Ernst. Ein großfiguriger Bildfries auf der Wandung eines großen Mischgefäßes aus der Jahrhundertmitte schildert das bedeutende Ereignis des Einzuges des Dionysos in den Olymp (Tafel 16–18). Er geschieht durch die Rückführung des von Hera verstoßenen Hephaistos, den allein Dionysos durch seine Weingabe überreden konnte, Hera von ihrer Fesselung an den Thron zu befreien, durch die sich Hephaistos für seine Verstoßung vom Olymp an ihr gerächt hatte. In dieser Erzählung der Versöhnung des Hephaistos findet die Aufnahme des Dionysos in den Kreis der großen olympischen Götter ihre myhtische Begründung. Sie war schon auf dem zwei Jahrzehnte älteren Prachtgefäß dargestellt und ein bevorzugtes Thema der Zeit, das auf eine steigende Bedeutung des Dionysoskultes in Athen deutet. Die neue Darstellung aus der Jahrhundertmitte geht jedoch über die ältere noch hinaus dadurch, daß sie den Thiasos, den Schwarm der Silene und tanzenden Mainaden um Dionysos, und ihren Orgiasmos zum ersten Mal zu einem bedeutenden Gegenstand der Malerei macht. Dionysos tritt hier vor dem orgiastischen Thiasos im Bilde ganz zurück, in dem die dionysische Ekstase in mitreißender Bewegung vorbeirauscht. Mit diesem Naturgott und seinem Schwarm von Naturwesen dringt in die Bilderwelt der städtischen Malerei eine urtümlichere Welt, die draußen auf dem Land in den bäuerlichen Schichten von alters her heimisch war. Mit ihm hält der eigentliche Göttermythos seinen Einzug in die Malerei: Leiden, Kampf und Sieg der olympischen Götter. Ihre Leiden mitleidend, verwandelt sich nun auch der Mensch und mit ihm alle Wesen. Selbst der tierhafte Silen erscheint in seiner dionysischen Versunkenheit in einer neuen Ergriffenheit (Tafel 17 rechts). Dieser Silen ist eine bis dahin unerhörte Gestalt, deren Bedeutung sich erst aus der Betrachtung der weiteren Entwicklung der Malerei ganz erschließt.

Ein Widerschein des großen öffentlichen Festes, das die Stadt Athen dem Gotte Dionysos im Jahre 534 v. Chr. einrichtete, ist die Darstellung des Dionysos mit zwei tanzenden Mainaden auf einem attischen Vorratsgefäß (Tafel 19). Von diesem Maler kennen wir auch ältere Gefäße, deren Bilder es wahrscheinlich machen, daß er ein Schüler des Malers des großen Prachtgefäßes aus den sechziger Jahren war. Er unterscheidet sich aber von Anfang an von seinem Lehrer dadurch, daß er die zweihenkligen Vorratsgefäße bevorzugte, auf deren bauchiger Wandung er ein tongrundiges Bildfeld aussparte, in das er seine Figuren in einer einfachen Anordnung hineinsetzte. Damit war wie zu Beginn der griechischen Malerei (S. 13) ein begrenzter „Schauplatz" für die Figuren gegeben, die in diesem Spannungsfeld nun intensiver miteinander in Zusammenhang gebracht werden konnten. Daraus entwickelte sich die besondere Kunst der Komposition, die gerade in diesen Jahrzehnten von den Malern ausgebildet wurde und zu neuen spannungsgeladenen Bildern führte (Taf. 20). Einen wesentlichen Anteil hatten daran die neuen Gestalten mit ihrer größeren Lebensfülle, die nun auch auf dem unbegrenzten Feld der Gefäßwandung gewichtig-bedeutend erscheinen (Tafel 19).

Es ist ein Schüler des Thiasos-Malers, der in den drei folgenden Jahrzehnte im Bild zu gestalten weiß, was die Generation innerlich bewegte, die die Geburt der Tragödie erlebte. Von ihm, wie von allen bedeutenden Gefäßmalern des 6. Jahrhunderts, sind uns große bemalte Tontafeln erhalten, die einst wahrscheinlich an Grabbauten Verwendung fanden (Farbtafel III). Kleinere tönerne Weihetafeln für die Heiligtümer, wie sie sehr zahlreich vor allem in Korinth gefunden wurden, stammen von anderen Malern. Diese bemalten Tontafeln unterscheiden sich weder in ihrer Art noch in ihrer Technik von den Gefäßbildern, wenn sie auch als Weihebilder sich nur auf religiöse und rituelle Themen beschränken. Das Herkömmliche der Themen bedingt es wohl auch, daß sie mehr in der herkömmlichen Art dargestellt werden.

Das gleiche dürfen wir vielleicht auch von den verlorenen Weihetafeln auf Holz aus dieser Zeit annehmen, die ebenso wenig Anlaß boten, neue Themen auf eine neue Weise darzustellen. So werden auf den Tontafeln zwar die alten Themen der Beklagung und Überführung des Toten nach den reicheren malerischen Möglichkeiten dieser Zeit abgewandelt und durch die eine oder andere Variation bereichert. Aber ihre Bindung an die religiöse Bestimmung und Überlieferung verhinderte doch eine freiere Entfaltung der neuen reicheren malerischen Möglichkeiten, wie sie die „weltlichen" Themen der Bilder auf den Gefäßen gestatten, bei denen die Maler sowohl in der Wahl wie in der Gestaltung ihrer Themen freier sind.

Das Neue, das die attischen Maler zu sagen haben, sagen sie jedenfalls unbefangener in ihren Gefäßbildern, und sie geben auch als Gefäßmaler ihr Bestes. So dürfen wir wohl in den Gefäßbildern, die in den Wohnräumen ja die Stelle unserer Wandbilder einnahmen, die eigentliche „freie" Malerei dieser Zeit erkennen. Sie konnten jedenfalls das Feld für eine fortschrittliche Entwicklung abgeben und werden für die damalige Zeit eine ähnliche Rolle gespielt haben wie die Holzschnitte für die Dürerzeit. Ihre Bedeutung für die freie Entfaltung der Malerei wird eher noch größer gewesen sein, war doch der gebrannte Ton und die keramische Farbe das ursprüngliche und vertrauteste Material der Maler, mit dem sie eigenwilliger schalten konnten. Dieses Fortwirken einer jahrhundertealten Tradition ist in einer Kunstentwicklung nicht unwahrscheinlich, die wie die griechische ausschließlich auf handwerklicher Überlieferung beruht.

Eine wesentlich neue Gestalt dieser Bilder ist der Held, der in sein Tun versunken ist (Tafel 20—21). Achill und seinen Freund Aias vor Troia beim Brettspiel während einer Kampfpause zu schildern, ist schon als Gedanke etwas völlig Neues. Ihm liegt die Anschauung zugrunde, daß der Held nicht nur in seinen Taten, sondern an sich groß ist, auch wenn er nur spielt. Sie bezeugt ein neues, vertieftes Menschenbild. Daß dem Maler diese Gestalten gelangen, die nur mit rein zeichnerischen Mitteln darzustellen waren, über die der Erzählerstil offenbar noch nicht verfügte, und ohne die in die Darstellung übernommenen episodenhaften Züge der dichtenden Kunst, auf die sich die älteren Maler angewiesen sahen, ist ein Zeichen für die große Reife und Tiefe dieses Künstlers. Er ist besonnener als seine Vorgänger, aber auch empfindsamer für Gehalte, die über die Einzelgestalt hinausreichen. Die epische Erzählerkunst des Malers des Prachtgefäßes aus den sechziger Jahren und die Ergriffenheit der Gestalten des Thiasosmalers, seines Lehrers aus der Jahrhundertmitte, bereiten gewiß auch seine Bilder vor. Was der Maler aber aus Eigenem dazubringt, ist die äußerste Verdichtung des Geschehens und seine feste Umschreibung in wenigen Gestalten von besonderer Monumentalität. Hier kam ihm das ausgesparte Bildfeld zu Hilfe, das diese Steigerung erst ermöglichte.

Ging die attische Malerei in den Bildern des Ornamentstils von der Bildeinheit aus als einem einzigen Handlungsablauf, dem sie die einzelnen Gestalten unterordnete, so verlegt dieser Maler nun die Betonung endgültig auf die Einzelgestalt. Nicht nur das einheitliche Geschehen oder der gemeinsame dunkle Schicksalsgrund werden heraufbeschworen, sondern jetzt versucht der Maler auch darzustellen, wie der Mensch darin steht, es auf sich nimmt oder sich von ihm abhebt. So stehen diese Gestalten in dem gerahmten Bild in einem neuen Spannungsfeld, das sie ganz anders aneinanderschließt.

Das gibt diesen Bildern ihren besonderen Gehalt an Stimmung, die aus einer neuen, t r a g i s c h e n Anschauung vom Menschen kommt. Diese große Anschauung ist in einem anderen Gefäßbild des Malers besonders deutlich: in Aias, der sich in sein Schwert stürzen will (Taf. 23, 1). Hingerissen von seinem Zorn über die Erniedrigung durch die von Athena über seinen Geist verhängte Umnachtung, einem Zorn, der ihn in den Tod treibt, gräbt er sein Schwert in den Boden, um sich hineinzustürzen. Dabei bleibt er aber seiner vollkommen Herr in der Auseinandersetzung mit seinem Schicksal. Besonnen und bedächtig, aber beharrlich in dem Entschluß, seine Schmach mit sich selbst auszulöschen, vollbringt der Held diese letzte tragische Tat, die ihn in die völlige Vereinsamung treibt. Es ist die erste Darstellung des einsamen Menschen in der europäischen Kunst: des Menschen, der mit seinem Schicksal allein ist und nur noch von den stummen Dingen umgeben. Dies alles ist in dem einfachen Bild dargestellt, das einen dramatischen Ausdruck erreicht, der an Tiefe weit über die älteren Darstellungen hinausgeht. Das Bild besagt aber noch mehr: daß jedes Wesen in sich frei ist und in jedem Einzelnen sich das Leben regt und seine Haltung bestimmt. Wie die Gestalten auf diesem und anderen Bildern dieser Jahrzehnte ganz in sich beschlossen sind und auch in ihrer Stellung im Bild nicht über sich hinausgreifen, so wird die Gebundenheit des Menschen nur noch darin gesehen, daß er sich nicht eigenwillig über seine Grenzen hinwegsetzt. Damit wird in den Bildern ein Grundmotiv vorweggenommen, das sich erst Jahrzehnte später in der attischen Tragödie voll entfaltet. Die einzigartige Gestalt des Aias ist schon von der Luft der Tragödien des Aischylos umwittert, und der Maler weiß dies mit den einfachsten Mitteln ergreifend darzustellen.

Das neu gestimmte Menschenbild findet in anderen Gefäßbildern des Malers seinen Ausdruck in schlichtester Gebärde, innerlicher Teilnahme der Menschen aneinander und Verbundensein mit den kreatürlichen Gefährten Pferd und Hund (Taf. 22). In dem Gegenbild zu den brettspielenden Helden auf der anderen Seite des gleichen Gefäßes sind die Dioskuren Kastor und Polydeukes dargestellt, wie sie nach einem Ausritt in das Haus ihrer Eltern Tyndareos und Leda einkehren: scheinbar eine häusliche Szene, die aus dem attischen Alltag genommen ist. Doch ist dieses Bild nicht als eine Szene des „Alltags" zu verstehen, welcher der Maler heroische Namen beigeschrieben hat, sondern als eine Szene des Heroenlebens auf seiner einfachen alltäglichen Ebene. Der in dem Gefäßbild angeschlagene Ton ist derselbe wie bei den brettspielenden Helden und wie in jenem Teil der Ilias, wo Nestor und Odysseus zum Haus des Peleus kommen und ihn im Hof beim Opfer antreffen, wobei ihm Menoitos und Patroklos helfen – eine ebenso „häusliche" Szene.

In das Schweigen des Waldes führt uns ein anderes Bild, das vielleicht von dem gleichen Maler, jedenfalls aber seiner würdig ist (Taf. 23,2). In der Mitte steht eine reich gekleidete Frau, vornübergebeugt die Arme erhebend, sich mit der Linken die Haare raufend und die Rechte kummergeschlossen. Sie trauert um ihren toten Mann oder Sohn. Dieser liegt nackt und bloß ausgestreckt auf der Erde, sorglich auf Zweige gebettet. Es ist ein Krieger, der im Kampf fiel, das sagen sein abgelegtes Gewand und seine abgestellten Waffen, auch sie in fraulicher Sorgfalt an Baumästen aufgehängt oder an Baumstämmen angelehnt. Knorrige Bäume mit merkwürdigen Nadelästen, wohl Kiefern, und zwei Platanen mit ihren zackigen Blättern und ihren Samenkugeln geben den Schauplatz an. Sie füllen das Bildfeld in unregelmäßigen Formen, aber so, daß daraus so etwas wie ein Ornament entsteht. Ihm fügt sich auch der ruhig sitzende Vogel auf einem Kiefernast über der Trauernden ein, der stumm den Kopf wendet. Zusammen mit den stummen Dingen, den Bäumen und dem Waffengerät, ist so das ganze Bild gefüllt mit einer Stille, die seinen Inhalt nur um so ergreifender erscheinen läßt. Es gibt in der ganzen griechischen Malerei kein Bild, das ihm gleicht.

III. Bruchstücke einer bemalten Tonplatte des Exekias. Attisch. Farbige Kopie. Berlin

Diese Bilder sprechen so auf ihre Weise von den neuen Wegen des Lebens, die sich den neu geweckten Sinnen erschließen. Getragen ist dieses neue Verständnis von der tiefen Erfahrung der inneren Größe des Menschen, die diese Zeit wie eine aufgehende Sonne durchstrahlt und nie mehr im Bewußtsein der Griechen unterging.

In der zweiten Hälfte des sechsten Jahrhunderts gab es neben den vielen Malerwerkstätten in Athen, die sich ständig vermehrten, noch viele Malschulen in anderen Landschaften. So in Jonien, Chalkis und Sparta, die alle in gleicher Weise und je nach ihrer Stammesart an dieser letzten reifen Blüte der älteren griechischen Malerei teilhatten. Korinth mit seiner ehemals sehr großen Ausfuhr von bemalten Tongefäßen war seit dem Untergang der Kypseliden, der „Tyrannen" von Korinth, um die Jahrhundertmitte von Athen überflügelt und als Wettbewerber auf den Märkten der griechischen und etruskischen Städte ganz ausgeschaltet worden. So kommt es, daß die meisten attischen Gefäße des sechsten und fünften Jahrhunderts außerhalb Athens vor allem in den Gräbern Etruriens gefunden und zuerst als „etrurische Vasen" bekannt wurden. Griechische Maler und Töpfer ließen sich damals auch in Etrurien in Mittelitalien selbst nieder und arbeiteten dort in ihren Werkstätten für den Absatz im Land. Auch dies ist neben anderem ein Zeichen für die Freizügigkeit und Weltläufigkeit der griechischen Künstler bei einer sonst so seßhaften Bevölkerung. Sie kamen aus den ionischen Griechenstädten auf den östlichen Inseln des Ägäischen Meeres und an den Küsten Kleinasiens, woher auch die Etrusker stammten. Unter den Jonern hatte sich eine eigene und überaus feine Malerei entwickelt, mit lebensvollen Bildern von besonderem Liebreiz und natürlichem Zauber, die von jeher dem Wesen der Joner eigentümlich waren. Sie zeichnet sich aus durch eine große Fähigkeit des Stilisierens und des klaren, bestimmten Gestaltens, vor allem aber durch Genauigkeit und Frische der Auffassung.

Ein Gefäßbild aus einer der ionischen Werkstätten in Etrurien mag als Beispiel für alle dienen (Taf. 24). Auf ihm wird Europa, die Tochter des Okeanos und einer Meernymphe, von einem prächtigen Stier über das Meer mit seinen stummen Fischen und spielenden Delphinen getragen. Der Stier ist niemand anderer als Zeus, der liebesentbrannt die Nymphe entführt zu dem Land, das dann von ihr seinen Namen empfing. Dem Liebespaar voraus fliegt mit schwerem Flügelschlag eine Gans, der Vogel der Liebesgöttin. Leichtbeschwingt wie die Möve das Schiff begleitet, folgt ihnen eine geflügelte göttliche Gestalt, die erfolgbringende Nike, die ihnen mit dem Brautkranz Liebeserfüllung verheißt. Eine lockere, fein stilisierende Zeichenweise verbindet sich hier mit einer vielseitigen Farbigkeit und einer freien Anordnung der Bildelemente, in der Luft und Wasser, Freizügigkeit der Geschöpfe und

Freiheit des Meeres zu ungebundenem Ausdruck kommen. Da ist nichts von der Welt des Aias, das Bild scheint am weitesten entfernt von dem inneren Gesetz, das die Malerei der attischen und dorischen Schulen von Anfang an bestimmte. Die Freude an der Buntheit der Welt, die Bezauberung durch den schönen Augenschein und das fraglos Unbeschwerte der Darstellung gestalten die Sage zu einem neuen Märchen des Lebens in einem zauberhaften Bild von natürlichem Liebreiz und unvergleichlicher Poesie.

Athen, wo die ionische Ader nie versiegte und seinen plastischen Schöpfungen gerade in jener Zeit ihren zarten Schimmer gibt, zeigt sich für diese Malerei besonders aufgeschlossen. Anscheinend sind damals auch Künstler aus Ionien in die vielversprechende Stadt gezogen, deren Beherrscher Peisistratos ionische Dichter und Künstler in seine Umgebung zog, und wo ihnen auch die demokratische Verfassung nach dem Sturz der Tyrannis der Peisistratidenfamilie große Freiheiten und Möglichkeiten bot. Die erhaltenen Inschriften von Weihgeschenken auf der Akropolis der attischen Maler und Töpfer dieser Zeit beweisen jedenfalls, daß sie zu den reichsten Bürgern der Stadt gehörten, die große Weihestatuen bei den besten Bildhauern in Auftrag geben konnten und demnach gewiß auch als Künstler Ansehen in der Stadt genossen. Waren es nicht gerade die Gefäßmaler Athens, die viel dazu beitrugen, attische Art und attisches Leben im Bild zu verklären und das Ansehen der Athener in den Augen der Griechen zu heben?

Die Darstellung eines Atheners auf einem Gefäß aus den zwanziger Jahren gehört zu diesen „Alltagsbildern", die das attische Leben schildern und damals besonders beliebt wurden (Taf. 25, 1). Schon um die Mitte des 6. Jahrhunderts hatte die attische Malerei im „Erzählerstil" den ersten Schritt zu solchen Darstellungen getan. Dieser Athener mit seinem schön bestickten leichten Mantelkleid, der dem Spiel eines Kitharaspielers lauscht, während er lässig und zierlich seinen Stock hält und dabei an einer Blume riecht, ist ein Bild attischer musischer Lebensführung und attischen Lebensgenusses von einem besonderen Zauber und voll der verklärenden Poesie des ionischen Europa-Bildes. Von ihr empfängt auch die vollblütige Gestalt der Artemis auf der anderen Seite des Gefäßes ihr Leben (Taf. 25, 2).

Die Gestalten dieser attischen Gefäße sind in einer neuen Weise gemalt, die seit den zwanziger Jahren gerade durch diesen Gefäßmaler in Athen aufkommt und sich dann allgemein durchsetzt (Abb.): nicht mehr als schwarze Schattenrisse, in die die Innenzeichnung durch Ritzung eingetragen wird, sondern mit der Malfeder als Konturenzeichnung, um die der Grund ringsum schwarz abgedeckt wird. Sie erscheinen so als tongrundige Figuren auf einem neutralen schwarzen Bildgrund, wobei der rote Ton nur noch als Farbwert wirkt. Die rotbraune Farbe des attischen Tones gibt den Gestalten

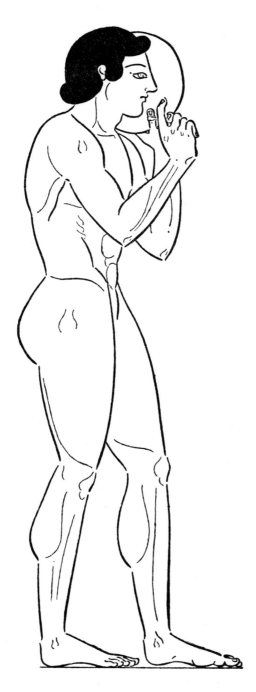

die warme Färbung sonnengebräunter Körper, die sich nun auf dem neutralen schwarzen Grund stärker abheben und dadurch an Plastik gewinnen.
Durch diese technische Neuerung wurde eine Vergegenständlichung der Gestalten erreicht, zu der die Malerei der Zeit drängte. Sie bringt viele Vor-

teile mit sich. Die Gefäßmalerei gleicht sich dadurch wieder der Konturmalerei der Tafelbilder an und vermag so besser mit ihr Schritt zu halten.
Die Ausführung der Innenzeichnung mit der Malfeder ermöglichte eine
reichere und geschmeidigere Durchzeichnung der Figuren, die durch die Ver-
einheitlichung der Zeichnung, die reichere Ausführung der Muskeln und
Falten, schließlich auch durch die einheitliche Konturlinie mit ihrer grenz-
setzenden Eigenschaft an der Verkörperlichung der Gestalten mitwirkt, wie
sie auch durch eine immer feiner durchgebildete Faltengebung zur Verstoff-
lichung der Gewänder beiträgt. Sie gibt der Malerei wieder stärker den
Charakter der Zeichnung, die nun folgerichtig auch auf größere bunte
Flächen verzichtet. Diesen Charakter wahrt die Malerei durchweg, auch auf
den Tontafeln und Marmorgemälden für den religiösen Brauch.

Eines der Hauptthemen dieser „weltlichen" Gefäßmalerei sind Bilder
aus dem attischen Leben, in denen nun die unmittelbare Gegenwart zur
Sprache kommt und oft auch lebende Knaben und Jünglinge als Schönstes
der Stadt namentlich genannt und gepriesen werden. Noch nie ist die
Jugend eines Volkes, schönste Gegenwart und sicherste Verheißung seiner
Zukunft, so gefeiert worden wie in Athen während über einhundert Jahren
vor und nach der Wende zum 5. Jahrhundert. Die Straßen, Plätze und
Gymnasien der Stadt, die Stätten der nationalen Wettspiele hallten wider
von dem Lob der schönen und tüchtigen Jugend, die durch Aufschriften an
Wänden und Geräten gepriesen wurde — bis zu dem Schönsten, dessen
Namen Pheidias auf dem Finger seines großen Zeusbildes im Tempel von
Olympia eingrub. Wem dies seltsam und unerklärlich erscheint, dem sei
Hölderlins Gedicht in Erinnerung gerufen:

Sokrates und Alkibiades

„Warum huldigest du, heiliger Sokrates,
    Diesem Jünglinge stets? kennest du Größeres nicht?
        Warum siehet mit Liebe,
            Wie auf Götter, dein Aug auf ihn?"

Wer das Tiefste gedacht, liebt das Lebendigste,
    Hohe Jugend versteht, wer in die Welt geblickt,
        Und es neigen die Weisen
            Oft am Ende zu Schönen sich.

Ein „Lebensbild" ist auch die fast lebensgroße Gestalt des Atheners Lyseas auf seinem Grabmal (Farbtaf. IV). Es war auf eine Marmorplatte mit
bunten Farben aufgemalt, die mit einem sehr haltbaren Bindemittel auf den

52

Stein aufgetragen wurden, so daß sich ihre Spuren über die Jahrtausende erhielten. Diese Maltechnik wurde vor allem in der Baukunst angewendet, die Grabtafel des Lyseas ist eines der ersten erhaltenen Beispiele ihrer Verwendung in der Malerei. Sie hält das Bild des Toten fest wie er nach dem Empfinden der Griechen allein im Gedächtnis der Mitwelt fortzuleben verdient: als dauernde Gestalt, der ein Dasein höherer Art eigen ist. Zu diesem gereinigten Bild gehören nicht die individuellen Züge, die nur dem wirklich unvergleichlichen Menschen zukommen wie den Helden Herakles, Theseus, Achilleus und anderen großen Einzigartigen.

Das Bild der gewöhnlichen Sterblichen beschränkt sich auf die Unterscheidung des Geschlechts und der Altersstufe, manchmal auch des Ranges, des Siegers in den Wettspielen oder des Priesters. „Menschen, die auf ihren privaten Lebenskreis beschränkt blieben, erschienen den Griechen am schönsten nach dem Bild der Götter geformt, jedoch erfüllt von den ewigen Empfindungen menschlichen Lebens und in den Haltungen, die für sie bezeichnend waren: junge Krieger im Kampf, Greise, die um ihre Kinder trauern, Frauen in der Blüte ihrer Schönheit, mit ihrem Schmuck beschäftigt oder ihre Kinder hegend, oder Männer in Haltungen, die nicht ihre Individualität, sondern ihr Wirken betonen, Züge, die ihn teuer und unvergänglich machten, am gewöhnlichen Sterblichen die Blüte seiner Schönheit und Kraft, am Heros dagegen außerordentliche Wesenszüge, auch solche der äußeren Gestalt" (K. Schefold).

Auf der Grabplatte stellen die geweihten Zweige und der Spendebecher in der Hand des Dargestellten sowie seine Haltung den Toten als opfernden Priester dar, in dem vornehmsten Amt, das er im Leben inne hatte. Von dem ursprünglich blau getönten Hintergrund hebt sich die Gestalt durch den schwarzen Kontur kräftig ab. In derselben schwarzen Farbe sind auch die Faltenlinien des Mantels gezeichnet, der über dem purpurnen Untergewand liegt und wohl im Marmorton weiß gelassen war, der Farbe der Dionysospriester. Wie auf den Gefäßbildern bedient sich der Maler durchgehender Linien als Mittel, das Hängen und Fallen der Gewänder, ihre Faltung und Bauschung wiederzugeben, und verkörperlicht damit die Gestalt auf eine neue Weise. In dem Widerspiel von Gewand und Körper und in dem Rhythmus der Falten gewinnen die Maler ein neues Ausdrucksmittel, regsames Leben darzustellen. Sie bedienen sich seiner immer mehr und in immer neuen Formen sowohl in ihren Gefäßbildern wie in der Malerei großen Formats, wofür das Grabmal des Lyseas nicht das einzige erhaltene Beispiel ist.

Von dem Kopf einer gemalten Knabengestalt auf einer solchen Grabtafel blieben nur die Spuren der Farben auf dem Stein erhalten, so daß der

Kopf nun in einem negativen Bild hell auf der ringsum dunkler verwitterten Oberfläche des Marmors erscheint (Taf. 26). Doch gibt er auch so noch eine hinreichende Anschauung von der Art der Malerei in großem Format aus dem letzten Jahrzehnt des 6. Jahrhunderts. Er sieht einem Jünglingskopf auf einem gleichzeitigen Gefäßbild so sehr ähnlich, daß beide fast von dem gleichen Maler sein könnten (Taf. 27). Beide Köpfe unterscheiden sich nur in den Maßen, aber nicht in der Art der Wiedergabe und sind von der gleichen inneren Größe. Es erhellt daraus, daß die Bilder der bedeutenderen Gefäßmaler jener Zeit nicht als Erzeugnisse von geringerem Rang betrachtet werden, sondern als vollwertige Zeugnisse der attischen Malerei gelten dürfen.

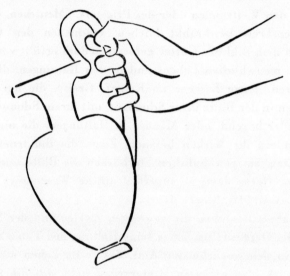

Gleichzeitig mit der Anwendung der neuen Malweise auf den Gefäßen nimmt die attische Malerei einen bisher ungeahnten Aufschwung, und Maler in einer fast unübersehbaren Zahl treten nun auf. Allein aus der attischen Gefäßmalerei des 5. und 4. Jahrhunderts v. Chr. sind uns heute 800 Maler mit über 15 000 Gefäßen bekannt. Diese Gefäße sind oft von den Malern selbst signiert, andere lassen sich nach der Handschrift ihrer Bilder zum Werk eines einzelnen Malers zusammenstellen und Schulzusammenhänge sich erschließen, so daß der Fortgang der attischen Malerei von Jahrzehnt zu Jahrzehnt zu verfolgen ist. Aus der Unzahl der Gefäße heben sich die Werke einzelner bedeutender und vieler weniger bedeutender Maler als individuelle Leistungen deutlich heraus und lassen sich oft über drei und mehr Jahrzehnte hinweg in ihrer künstlerischen Entwicklung verfolgen und als künstlerisches Gesamtwerk erkennen.

V. DIE GROSSE GESTALT

Der Lebensstrom, dem die Urbilder entstiegen und aus dem die ersten Menschen hervortraten und die Wege des Lebens beschritten, verdichtet sich den Malern seit der Wende zum 5. Jahrhundert in der g r o ß e n G e s t a l t (Taf. 28). Sie beherrscht ihre Bilder, und die Maler werden der Variationen über dieses Thema nie müde. In den reifsten Bildern dieser neuen Malergeneration verbindet sich die urtümliche Kraft der Frühzeit mit dem reicheren Ausdruck der neuen Malweise, die die Linie zu einem vielseitigen neuen Ausdrucksmittel entwickelt. Diese Linien sind hart und von einer fast gläsernen Sprödigkeit, sie verleihen den Gestalten und Gewändern eine außerordentliche Festigkeit und Bestimmtheit. Das Geheimnis dieser Zeichnungen liegt aber nicht nur in dem gestrafften Strich, sondern auch in der völligen Gleichwertigkeit der Linien. Es gibt keine Linie untergeordneten Ranges, und so ist jedes Sichtbare gleichmäßig gegenwärtig in einer Fassung, die keine Steigerung, aber auch nicht die leiseste Abschwächung duldet.

Das gibt den Darstellungen eine ungewöhnliche Kraft des Ausdrucks. In der schwärmenden Mainade aus dem ersten Jahrzehnt des 5. Jahrhunderts steigert das Linienspiel des rauschenden Gewandes den Eindruck des dionysischen Schwärmens bis zur Verzückung, von der die ganze, große angelegte Gestalt mitgerissen wird. Ein Inneres bricht aus ihr beinahe gewalttätig hervor, das weit über die Versunkenheit einzelner Gestalten auf den älteren Bildern hinausgeht und auch in der griechischen Kunst selten ist, wo sie auf den dionysischen Kreis mystischer Entrückung beschränkt bleibt. Vergleichbare Gestalten finden sich in der europäischen Kunst erst wieder in der barocken Malerei und Skulptur, aber sonst in keiner anderen Kunst. Diese Vision des sich verströmenden Menschen erschließt sich scheinbar nur dem Europäer, sie steigen aus den schwer faßbaren Tiefen seines spirituellen Wesens, das nicht nur auf den Kreis der alten Mittelmeervölker beschränkt ist.

Tief verbunden mit dieser visionären Schaukraft ist die religiöse Einsicht der Griechen in die göttliche Macht des Eros. Es ist bezeichnend für die Art ihrer Lebenserfassung und für ihre Weltfrömmigkeit, daß sie auch in dem sinnlichen Begehren diese göttliche Macht erkennen, die seiner Darstellung alles Anstößige nimmt. So kann der festlich mit Kranz und Stirnbinde geschmückte Zecher, der eine Hetäre umschlingt und mit sich zieht, mit ihr zu einer Liebesgruppe verbunden werden, die durch das tiefe Versenken der Blicke ineinander eine innige menschliche Krönung erhält (Taf. 29). Wie hier die Köpfe der beiden als inhaltlich Wichtigstes betont sind, so auch das Zusammenspiel der Formen, das durch die altertümlich flächige Ausbreitung der Gestalten ermöglicht wird. Die Klarheit der linearen Gesamtanlage, die aufeinander abgestimmten Faltenlinien, deren Bahnen als elementare Formen der Fläche das Ganze zusammenhalten, und der Gesamtkontur, der das Paar zusammenschließt, verleihen diesem Bild aus dem Beginn des 5. Jahrhunderts eine Geschlossenheit, die die menschliche Verbundenheit der beiden klar vor Augen stellt. Diese menschliche Verbundenheit erfährt eine nähere Ausdeutung durch die verschiedene Haltung der beiden: dem rücksichtslosen Zugriff des Mannes und dem unmächtigen Gebanntsein des Weibes. Darin spiegelt sich nicht nur der Unterschied der Geschlechter wider, sondern auch ein künstlerisches Temperament, das den Gestalten einen eigenen Charakter gibt.

Bei vielen Liebesgruppen dieses Malers kehrt derselbe harte Zugriff des Mannes wieder, dem eine leidenschaftliche oder unmächtige Antwort des Weibes entspricht. Zum ersten Mal ist hier in einem griechischen Kunstwerk von der Persönlichkeit des Künstlers selbst etwas zu spüren, füllen sich die Bilder mit den Impulsen und Erfahrungen des persönlichen Lebens.

In der Gegenüberstellung solcher Paare unterschiedlichen Verhaltens (Abb.) gelingt es nun den Malern, eine ganze Stufenleiter menschlicher Liebesregungen darzustellen: des Werbens, Gewährens, der auflodernden Leidenschaft und aller Grade weiblicher List und Verstellung, ja der Liebeserfüllung selbst. Andere Gestalten dieser Zeit sind wie in einen Zauberkreis

gebannt, in dem sie oft in dem umrandeten runden Innenbild der Schalen tatsächlich zu stehen scheinen, so in sich beschlossen und still sind sie (Abb. S. 66). Wieder andere versuchen sich füreinander zu öffnen als fühlende lebende Wesen, aber nie gleiten diese Darstellungen in das Sentimentale ab, sondern sie behalten stets die klare Aussage kraftgeladener Körper.

Klarheit des Ausdrucks ist das hervorragende Merkmal der attischen Malerei noch in den folgenden beiden Jahrzehnten. Ein Kopf des Mainadenmalers von einem Schalenbruchstück, der etwa ein Jahrzehnt jünger ist als sein Mainadenbild, zeigen die ganze Kraft, die dieser kristallinischen Klarheit innewohnt (Taf. 32, 1). Sie ist von dem gereiften Künstler zu einer wahrhaft großen Gestaltung geläutert, die ihn als einen bedeutenden Maler seiner Zeit ausweist. Andere Maler erfüllen diese Klarheit mit einer neuen Innigkeit, die sich auch ihrer Strichführung mitteilt. In dem Sänger mit der Kithara aus dem gleichen Jahrzehnt ist die urtümliche Besessenheit der Mainade in die Begeisterung des Ergriffenen gewandelt und ganz in das Menschliche verlegt, ohne an Tiefe zu verlieren (Taf. 30). Gegenüber der dionysischen Verzückung erscheint hier die appollinische Erhebung durch die Musik. Die Hand dieses Malers ist leichter und schwungvoller, die Falten des Gewandes sind gewichtsloser und nachgiebiger, die ganze Gestalt biegsamer und hingebender, weniger mitgerissen und mehr beschwingt, das Bild von größerer Innigkeit und im Gesamten reicher in den zeichnerischen Mitteln und daher feiner und anmutiger im Ausdruck, aber nicht weniger groß.

57

Im dritten Jahrzehnt bereitet sich eine große Wende in der Malerei vor durch eine Feinheit des zeichnerischen Ausdrucks, die auch die feineren menschlichen Regungen wiederzugeben vermag. An ihr haben auch diejenigen Maler teil, die ihre Bilder noch in dem altertümlichen flächenhaften Stil und in straff gespannten Linien mit zeichnerisch festem Ausdruck anlegen.

So gibt das Bild des schönen Jägers Képhalos, den die Göttin Eos liebesentbrannt verfolgt (die auf einem zweiten gleichen Gefäß dargestellt war), die neue seelische Regsamkeit der menschlichen Gestalt noch mit den alten zeichnerischen Mitteln wieder (Taf. 31). In Schritt und Haltung und im Widerspiel des Kopfes, der sich der nahenden Göttin gebannt zuneigt, kommen Furcht, Scheu und erstes Liebesrühren, die ganze Vielfältigkeit der

Erregung in einem anmutigen Bild zum Ausdruck. Selbst der Hund, der auf solchen Bildern sonst als bloßer Gefährte und Begleiter des Jägers erscheint, spielt hier mit. Er spitzt die Ohren, hebt witternd den Kopf und erwartungsvoll die Pfote und den Schwanz, aber er wird von dem, was da auf beide zukommt, nicht innerlich berührt wie der Mensch. So wird die Art des Geschehens noch einmal in dem verschiedenen Verhalten von Mensch und Tier verdeutlicht und in seinen inneren Bezügen sinnfällig gemacht. Diese Züge sind wesentlich für das Verständnis der Bilder, die erst dadurch ihren reichen inneren Gehalt auf eine stille Art erschließen.

Dieser innere Gehalt kommt bei dem Mädchenkopf eines jüngeren Malers in der Zeichnung selbst deutlich zum Ausdruck (Taf. 32, 2). Der Kopf gehört zu einem großen Bild in Konturmalerei auf dem weißen Grund im Innern einer Schale, die auf die Akropolis in Athen geweiht worden war und nur in Bruchstücken erhalten blieb. Der Maler hat hier die Pinseltechnik auf geweißtem Grund vorgezogen, weil sie ihm mit der größeren Feinheit und Weichheit im Strich des nachgiebigen Pinsels eine größere Feinheit und Anmut des Ausdrucks gestattete. War bisher die Linie selbständiger Träger des Ausdrucks, so scheint sie diesen Wert hier beinahe zu verlieren. Der Kontur entfaltet sich freier und stetiger, und in der empfindsamen Art, wie er die Flächen umgrenzt, bekommen die Formen eine neue Fähigkeit der Aussage durch die zart und lebendig geführte Linie. Die Seele dieser Gestalt aber ist ihr B l i c k. Erst jetzt öffnet sich das menschliche Auge dem Gegenüber, strahlt das Innere aus dem beseelten Auge. Damit erst hat die Verinnerlichung der Gestalten ihren eigensten menschlichen Ausdruck gefunden. Er gibt auch der Verbindung der Gestalten untereinander die große Innigkeit, die dem Menschen zum Menschen in Schicksalsstunden geschenkt wird. In diesen Bildern erschließt sich das menschliche Leben in der neuen Tiefe und Weite, die ihm damals der Dichter Aischylos in seinen Tragödien gab. Es ist der Vorabend zu dem hohen Tage der griechischen Kunst.

An diesem Vorabend, in den siebziger Jahren des 5. Jahrhunderts, hat der Mainadenmaler das Bild vom Fall Troias gemalt, das noch einmal alles zusammenfaßt, was die ältere griechische Malerei an Gestaltungsfähigkeit erreichte (Taf. 33). Es ist in einem kreisförmig angelegten Bildfries auf der Schulter eines bauchigen Gefäßes angebracht und diesen schwierigen Verhältnissen so vortrefflich angepaßt, daß es nur auf dem Gefäß selbst als Gesamtbild richtig erscheint. Überraschend an diesem vielfigurigen Bild ist vor allem die Einheitlichkeit des Ganzen und die Abstimmung im Einzelnen. Seine Komposition wird ganz getragen von den groß angelegten und groß gesehenen Gestalten, die der Maler in einzelne Gruppen zusammenfaßte, von denen eine jede ihre besondere Aussage hat. Jede dieser Gruppen erzählt eine ganze Geschichte, und sie alle zusammen veranschaulichen die Bedeutung und Tragweite des Geschehens im Ganzen mit einer großen dramatischen Kraft der Schilderung.

Alles ergibt sich auch hier aus der Handlung, für die bei jeder Gruppe ein Augenblick gewählt ist, der ihre Vor- und Nachgeschichte sinnvoll einbegreift. Das Kernproblem der Bildschöpfung ist immer die richtige Auswahl der Bildsituation, wie schon Lessing in seinem „Laokoon" feststellte: „Die Malerei muß den prägnantesten Augenblick wählen, aus welchem das Vorhergehende und Folgende am begreiflichsten wird". Er sah darin das „fruchtbare Moment" jeder Bildkonzeption. „Dasjenige aber allein ist fruchtbar, was der Einbildungskraft freies Spiel läßt. Je mehr wir sehen, desto mehr müssen wir hinzudenken können. Je mehr wir dazudenken, desto mehr müssen wir zu sehen glauben." Dieses Grundgesetz der Bildschöpfung hatten die griechischen Maler schon frühzeitig erkannt. Es bestimmte die Wahl des Augenblicks bei dem Bild mit der Einschiffung der Braut aus dem 8. Jahrhundert (Taf. 5, 1): die Besteigung des Schiffs ist die Situation, in der der Abschied von Heimat und Mädchentum und die neue ferne Zukunft an der Seite des fremden Mannes in einem „fruchtbaren Moment" sinnfällig werden. Das gleiche gilt auch von der Heimführung der Braut des Herakles in dem Bild des 7. Jahrhunderts (Taf. 11) wie überhaupt von allen griechischen Sagendarstellungen der älteren Zeit. Im besonderen Maße aber gilt es von dem Troiabild des Mainadenmalers.

Die einzelnen Gruppenszenen dieser Iliupersis sind äußerst sinnreich angeordnet und aufeinander bezogen. Die Mittelgruppe führt den dramatischen Höhepunkt des Geschehens vor Augen, das zu beiden Seiten in je zwei Gruppen verebbt. In ihnen faltet sich die Vielsinnigkeit des Ganzen bedeutungsvoll auseinander und hebt sich in den einzelnen Handlungen zugleich bis zur Gegensätzlichkeit ab: in der Mitte Vernichtung und an den Enden Rettung.

In der Vernichtung des Königshauses in seinem Stammherrn Priamos und dem letzten Sprossen Astyanax wird die Vernichtung der Troer und die Besiegelung des Schicksals ihrer Stadt auf eine drastische Weise verdeutlicht. Auf diesem Höhepunkt des Dramas begegnen sich die Gegenspieler noch einmal in ihren größten Vertretern: Neoptolemos, der Sohn Achills und furchtbare Rächer seines Todes, hat den Sohn Hektors eben zerschmettert und wütet als letzter noch im Morden, „bis alles erfüllt ist". Er ist dabei, den greisen Priamos zu erschlagen, der vergebens auf dem unverletzlichen Altar des Zeus Schutz suchte, wo er den erschlagenen Enkel Astyanax auf seinem Schoß beweint. Der blutüberströmte Astyanax auf dem Schoß des gebrochenen alten Mannes ist selbst in der griechischen Malerei, die vor realistischen Darstellungen nie zurückscheute, ein neues graues Motiv, und schon ein Jahrzehnt später wäre es nicht mehr möglich. Aber auch sonst wird die Furchtbarkeit des Geschehens in jedem einzelnen Zug recht deutlich gemacht. Der Schmerz des Priamos über den toten Enkel läßt den Betrachter seinen Schmerz über seinen Sohn Hektor „hinzudenken". Indes erreicht die Vernichtung schon Priamos selbst.

Dies aber geschieht nur für die Augen des Betrachters und zeigt, wie bewußt diese Kunst mit ihren Mitteln arbeitet. Der Priamos im Bild nimmt die Bedrohung seines eigenen Lebens nicht mehr wahr, so sehr hat er sich in seinem Schmerz schon innerlich verschlossen. Der Betrachter aber erlebt das Drama im Bild wie der Zuschauer im Theater die Tragödie. Seine Augen werden durch das Geschaute wissend. In der Gestalt des Priamos ist die völlige Vereinsamung gegenüber dem Schicksal dargestellt, wie sie schon in dem Bild des allein gebliebenen Aias anklang. Sie schilderte Aischylos gerade in dieser Zeit in seiner Aias-Tragödie. Die „Hohe Schicksalswelt" wird nun der Gegenstand der Dichtung und der bildenden Kunst.

Der Groll Achills auf Hektor, der ihm seinen besten Freund Patroklos erschlug, scheint in der Blindwut seines Sohnes wieder aufzubrechen. Neoptolemos schreckt selbst vor der Heiligkeit des Zeusaltars nicht zurück, die jeden des Schutzes des Höchsten versichert, der sich zu ihm flüchtet. Damit hat auch Neoptolemos sein Schicksal von Zeus herausgefordert. In der Stadt aber liegen schon alle Männer erschlagen, doch die Heftigkeit des eben endenden Kampfes wütet in den verzweifelten Weibern weiter, deren eine mit einer Mörserkeule auf einen Griechen losschlägt. Dieser will eben einem toten Troer den Panzer ausziehen, um ihn als Beutestück heimzutragen, den Leichnam schutzlos und unbestattet zurücklassend. Auch durch diesen Zug macht der Maler das furchtbare Ausmaß des Geschehens deutlich: selbst für die Bestattung der Toten wird es keine Überlebenden in der Stadt mehr geben.

Links von der Mittelgruppe vergreift sich Aias von Lokris an der Seherin Kassandra, der Tochter des Priamos, die sich an die heiligste Stelle geflüchtet hat und das ehrwürdige älteste Kultbild der Athena schutzsuchend umklammert. Aias riß nach der Sage die Kassandra mit Gewalt von dem Kultbild weg, so daß es umfiel, was in den Augen der Griechen ein ungeheurer Frevel an der Göttin war, den Athena an ihnen bitter rächte. Aias trachtet jedoch nicht nach dem Leben der Kassandra, sondern nach ihrem Leib. Der Betrachter wußte aus der bekannten Sage, daß auf den dargestellten Augenblick nicht nur der Sturz des Bildes, sondern auch die Schändung der unantastbaren Seherin Apollons folgen werde. Das hatten schon die älteren Bilder durch die Entblößung des Mädchens angedeutet; Aias hatte ihm wohl

bei der Verfolgung die Kleider vom Leib gerissen. Die griechische Kunst ist bis in die klassische Zeit hinein immer sehr zurückhaltend in der Darstellung des nackten weiblichen Körpers, sie war hier jedoch zur Verdeutlichung des Vorganges notwendig und ist in dem sonst so eigenwilligen Bild ein alter Zug.

Jammernde Troerinnen, der Knechtung in der Gefangenschaft gewiß, und ein verwaistes Kind am rechten Bildrand (Abb.) sprechen von dem Jammer der Überlebenden in der zerstörten Stadt, über die in der Schreckensnacht ein Sturmwind herfiel, von dem die gebeugte Palme im Heiligtum zeugt.

Am rechten Bildrand schließt sich der Kreis eines anderen Geschehens. Die gealterte Mutter Aithra des Theseus, die einst die Brüder der Helena gefangen wegführten und Helena als Dienerin mit nach Troia verschleppte, wird von ihren Enkeln Demophon und Akamas, den beiden Söhnen des Theseus, aufgefunden. Sie schicken sich an, die Alte in die Freiheit zu führen nach einem Leben schlimmsten Loses als Sklavin — zu spät für die gebrechliche Alte, die schon vor den Toren des Todes steht. Am linken Ende trägt der Troer Aineas seinen alten Vater Anchises aus der Stadt, begleitet von seinem Sohn Askanios, die beide ihre Blicke nicht von der verlorenen Heimatstadt und ihrem furchtbaren Schicksal wenden können. Aineas war der einzige überlebende Troer, dem als altem Gastfreund des Odysseus freier Abzug gewährt wurde. Er zieht in die Fremde und Hoffnungslosigkeit, denn die Heimatstadt war den Menschen damals alles, da nur sie das allein würdige Leben eines Freien verbürgte. Doch fehlt dieser Gruppe nicht der versöhnende menschliche Zug: in dem großen Untergang umfassen sie einander wenigstens als kostbares Pfand. Das Bild ist voll solcher Ausdeutungen in das Menschliche, man muß sie im einzelnen nacherzählen, um ihren Sinn ganz zu erfassen.

Das Thema der Zerstörung Troias hatte damals schon eine lange Bildgeschichte, aber seine Behandlung durch diesen Maler ist voller neuer Züge. Die Mittelgruppe mit Priamos und die beiden Außengruppen mit Aithra und Aineas sind ganz neu und brechen mit der bisherigen bildlichen Tradition. Sie sind auch von späteren Malern nicht mehr so dargestellt worden. Diese hohe Schöpferkraft des Malers bekundet sich auch noch in anderen Zügen. Es gibt in der griechischen Malerei noch viele andere trauernde Gestalten, aber keine gleicht den Frauen, die hier auf Stufen und Steinen wehklagen. Neuartige Gruppen, visionäre Frauengestalten wie die rasende Mainade (Tafel 28) und Figuren von ungewöhnlich starkem Ausdruck wie der Theseus im Schalen-Innenbild (Tafel 32, 1) hatte der Maler auch in anderen früheren Werken gestaltet. Dieses Bild vom Untergang Troias durchweht jedoch ein Geist besonderer Art und Kraft, der einen großen gestaltenden Künstler erkennen läßt. Wieviel davon ihm selbst angehört, was von einem anderen darin eingegangen ist, läßt sich heute nicht mehr ergründen. Doch so wie es ist, zeugt das Bild von der Art der Jugendwerke jener Maler, die mit ihren reifen Werken eine neue Malerei heraufführten.

IV. Bemalter Grabstein des Lyseas aus Marmor. Farbige Rekonstruktion auf Grund
von Farbspuren. Athen

DIE BLÜTEZEIT

Durch die Gesetzgebung des Solon zu Beginn des 6. Jahrhunderts war auch in Athen wie in ganz Griechenland an die Stelle des blutsgebundenen Adelsstaates die neue Ordnung der Polis getreten. Diese Polis machte grundsätzlich das ganze attische Volk zum Träger des gemeinschaftlichen Lebens und baute sich auf dem persönlichen Wert des einzelnen Bürgers auf, den sie zu innerer Freiheit, eigener Entscheidung und schöpferischem Handeln aufrief. So setzte sie auf allen Lebensgebieten neue Kräfte der Menschen frei, die seit dem zweiten Viertel des 6. Jahrhunderts in der Malerei und in der Bildhauerei zu einer reichen künstlerischen Entfaltung führten, durch die Athen die anderen griechischen Städte bald überflügelte. Diese Entfaltung war nur möglich bei vollkommener Freiheit für das künstlerische Schaffen, die auch unter der Tyrannis der Peisistratiden gewahrt blieb und durch die Verfassungsreform des Kleisthenes im Jahre 508 bekräftigt wurde. So allein war die Entstehung der Tragödie in den dreißiger Jahren des 6. Jahrhunderts in Athen und das Aufkommen der großen Dramendichter im 5. Jahrhundert möglich, die dem Griechentum für alle Zeiten seine menschlich freie Form gaben, ohne die auch die großen Werke der bildenden Kunst nicht entstanden wären.

Seit Solon, der selbst Dichter war, und dem Tyrannen Peisistratos und seinen Söhnen, die berühmte Dichter in ihre Umgebung zogen und den bildenden Künstlern in Athen die reichsten Möglichkeiten zum freien Schaffen boten, stehen neben den großen attischen Staatsmännern die großen attischen Dichter und bildenden Künstler als Mitschaffende an dem Gebilde des attischen Freistaates. Die Verbindung der führenden attischen Staatsmänner mit den führenden Künstlern ihrer Zeit fand ihre Krönung in der Freundschaft des Perikles zu Pheidias, unter deren Gestirn sich die griechische Kunst zu ihrer klassischen Höhe erhob. So stehen auch neben dem führenden Staatsmann Kimon in den entscheidenden Jahrzehnten des Wiederaufbaues nach den Perserkriegen die Maler Mikon aus Athen und Polygnotos aus Thasos, die in den sechziger und fünfziger Jahren des 5. Jahrhunderts große Wandbilder in Athen schufen, die später zu den größten Ruhmestiteln der Stadt zählten.

Die Bilder der großen griechischen Maler sind allesamt untergegangen. Doch blieb uns in den Bildern der griechischen Tongefäße, die die schützende Erde durch die Jahrtausende bewahrte, so viel von der griechischen Malerei

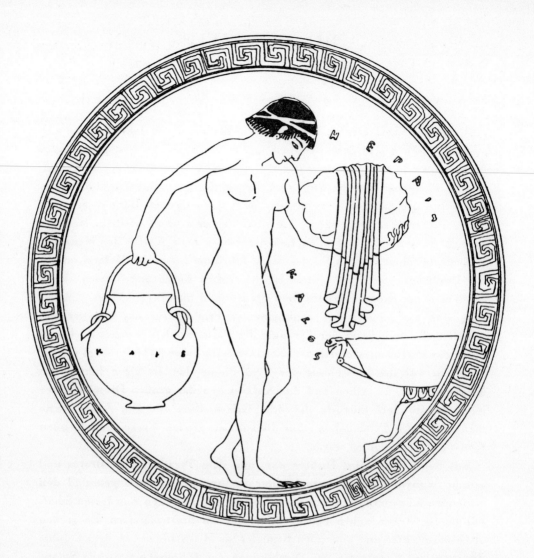

erhalten, daß an ihnen allein schon die Lebensgeschichte der griechischen Kunst bis zum Ende des 4. Jahrhunderts v. Chr. abzulesen ist. Diese Tongefäße bildeten den einzigen Schmuck der griechischen Wohnräume, wo sie die Stelle unserer gerahmten Wandbilder einnahmen, denen sie auch in ihrem künstlerischen Wert nicht nachstehen. Tafelgemälde gab es nur in den Heiligtümern und öffentlichen Gebäuden der Gemeinden als Weihungen frommer Stifter oder der Gemeinden selbst. Die bildgeschmückten Tongefäße hingegen dienten dem täglichen Gebrauch im Haus, aber auch als Weihegaben für Heiligtümer, oder sie wurden den Toten gleichsam als ein Stück Leben mit in das Grab gegeben. Beides bezeugt die hohe Wertschätzung, die ihnen von den Griechen entgegengebracht wurde und die auch uns als Maßstab dienen darf. Ihren besonderen Wert für uns besitzen sie aber deshalb, weil in ihnen griechisches Leben unmittelbar Gestalt geworden ist (Abb.). Sie schildern dieses Leben freilich nicht in seinen zufälligen Erscheinungen, sondern wählen aus und gestalten um, heben Urbilder aus dem Fluß des Geschehens, die weit in die Zeit wirkten. Noch heute strahlen sie die Kraft dieses Lebens unvermindert aus, und gerade den dunklen Zeiten leuchten sie reiner und ungebrochener als den im eigenen Licht befangenen. In Zeiten der Wirren, die es verlernt haben, dem Auge zu trauen, „das nicht trügt", erschließen sie sich dem Betrachter gewiß nicht ohne eigene Mühe. Wer aber in das Verständnis dieser Bilder eingedrungen ist, der wird vom Menschen und seinem Los mehr erfahren als aus den Bildern einer anderen Kunst. Er kann dem unerhörten Glück begegnen, die Welt mit neuen Augen zu sehen.

Dieses Sehen ist den Griechen nicht mühelos zugefallen und nicht so leicht, wie uns heute seine Früchte zufallen. Die griechische Kunst und vor allen anderen bildenden Künsten die Malerei reifte in einer Jahrhunderte währenden langen Entwicklung, in der sich erst die Keime zu dem verzweigten Gewächs bildeten, das in der kurzen Spanne weniger Generationen die herrlichsten Blüten der europäischen Kunst hervorbrachte. Nach einer langen Zeit beständigen Wachstums, wechselnden Kräftespiels und immer wieder neuen Beginnens und Aufblühens aus den verborgenen Tiefen dieses künstlerisch so reich begabten Volkes erhebt sich von allen Künsten die älteste von ihnen, die Malerei, als erste zu einer Größe, in der das Mühen der früheren Generationen um das Bild des Menschen erst ganz zur Erfüllung kommt.

Bald nach den Perserkriegen treten in Griechenland große Maler auf, die ihre ganze schöpferische Kraft mit einer Ausschließlichkeit, wie sie in der Geschichte der europäischen Kunst nur noch bei Michelangelo anzutreffen ist, in den Dienst des Menschenbildes stellen. Ganz in der Überlieferung ihres Malerhandwerkes fußend, vermochten sie Gestalten von einer neuen Tiefe des Gehaltes zu schaffen, wie sie die Menschheit bis dahin noch nicht erblickt hatte. Diese Gestalten atmeten in einer anderen Luft, lebten in einem anderen Raum als die Figuren der älteren griechischen Flächenkunst und forderten daher größere Flächen, die ihnen nur das Bild großen Formats bieten konnte. So wurden diese Maler zu den Begründern der m o n u m e n t a l e n   M a l e r e i.

Neben dieser Monumentalmalerei steht im geistigen Schaffen Athens als formende Macht die Tragödie, in der Aischylos seit den achtziger Jahren des 5. Jahrhunderts die überlieferten Mythen aus einer neuen Tiefe deutete und so ein neues Menschenbild schuf. Dichter und bildende Künstler beginnen nach seinem Vorgang nun, jedes Leben als Träger eines eigenen Schicksals zu begreifen, und dies verlangte von beiden neue Darstellungsformen. Von dieser hohen Forderung schieden sich die Geister. Das unbefangene Erzählen und die Kunst am Erfinden war von jeher die Stärke der schlichter schildernden Gefäßmaler. Die konzentrierte Macht der Tragödie mußte jedoch gerade diese Kraft schwächen, ihr konnte nurmehr die große Form des monumentalen Bildes genügen. So rief die Tragödie eigentlich erst die neue Monumentalmalerei hervor, selbst auch da, wo diese nicht die gleichen Themen behandelte. Gerade die begabtesten Maler sahen sich nun ausschließlicher als bisher auf die Tafelmalerei verwiesen, die damit ganz eigene Bahnen beschritt.

I. DIE SCHICKSALSWELT

Mikon von Athen

Die ersten dieser neuen Monumentalgemälde, von denen uns antike Schriftsteller berichten, malte der Athener Mikon in den frühen sechziger Jahren des 5. Jahrhunderts unter Kimon für das Theseusheiligtum in Athen. Es waren drei mythische Gemälde, gewiß große Tafelbilder aus Holz, die in dem heiligen Bezirk geweiht und dort aufgestellt worden waren: zwei Sagenbilder mit den Kämpfen des Theseus gegen die Amazonen und gegen die Kentauren und eine Epiphanie des Theseus. Seit der Begründung des attischen Freistaates war Theseus zum eigentlichen Heros der Stadt geworden, die sich in ihm ein selbstbewußtes eigenes Gegenbild zu dem Herakles der dorischen Stämme geschaffen hatte. Sein Herold wird ein unbekannter attischer Dichter gewesen sein, dessen verlorenes Theseus-Epos die Gestalt des Heros geprägt hatte, wie sie seit dem ausgehenden 6. Jahrhundert in immer neuen Abwandlungen in der attischen Plastik und Malerei erscheint.

Auch die Theseusbilder des Malers Mikon standen in dieser Tradition und zeugten von dem Selbstbewußtsein der Athener und dem Stolz auf ihre eigene Art. Die siegreiche Schlacht gegen das asiatische Volk der Amazonen, die nach der Sage vor Zeiten in Athen eingefallen und von den Vorvätern unter ihrem König Theseus von der Akropolis zurückgeschlagen worden waren, war das mythische Bild für die jüngste Abwehrschlacht der Athener, den Sieg über die Perser bei Marathon (490), und jeder Athener verstand sie so. Der Kampf des sagenhaften Volksstammes der Lapithen gegen die Kentauren, die als Gäste beim Hochzeitsmahl des Lapithenkönigs Peirithoos in der Pholoë in Arkadien alle guten Sitten durchbrechen und lüstern über die Frauen und Knaben der Lapithen herfallen, deutete jedermann auf den Sieg der hellenischen Gesittung, deren sich die Stadt besonders rühmte, über die Barbarei. Es ist bezeichnend für das Selbstbewußtsein der Athener, daß der attische Held als Gastfreund des peloponnesischen Königs nicht nur an seiner Seite kämpfte, sondern geradezu den Kampf entschied. Das dritte Bild bezeugte die hohe Abkunft des Helden, der ein Sohn des Poseidon war, des Bruders von Zeus, von dem Herakles abstammte. Es zeigte ihn auf dem Meeresgrund, wie er von der Gattin des Poseidon, der Meergöttin Amphitrite, als Zeichen seiner göttlichen Abkunft einen goldenen Kranz empfing.

Ein weiteres Bild des Mikon im Tempel der Dioskuren in Athen schilderte die Rückkehr der Heldenfahrer des Schiffes Argo, die die abenteuerliche Fahrt zur Erbeutung des goldenen Vlieses nach Kolchis an der fernen Südküste des Schwarzen Meeres unternommen hatten, an der sich nach der Sage auch die Dioskuren beteiligten, die Zeussöhne Kastor und Polydeukes. In dieser Sage spiegelte sich der griechische Wagemut einer bedeutsamen Epoche der griechischen Geschichte wieder: der kühnen Entdeckerfahrten der griechischen Adligen des 8. Jahrhunderts, die zu der Ausbreitung des Griechentums an alle Küsten des Mittelmeeres führten. – Mikon malte in den fünfziger Jahren noch eine Amazonenschlacht für die unter Kimon neu errichtete Säulenhalle am Nordrand des alten Staatsmarktes in Athen. Diese Staatshalle nannte der Volksmund „Bunte Halle" (Stoa Poikile) wegen der Tafelgemälde, die darin angebracht waren, deren Ruhm bis zum Ende der Antike ungeschmälert anhielt. Sie galten den Hellenen als hervorragende Zeugnisse der attischen Kultur und waren von Hellenen und Römern so überschwenglich gepriesen worden, daß sie dem neuen Glauben zum Opfer fallen mußten: um 400 n. Chr. ließ der Prokonsul des christlichen Kaisers die Tafeln entfernen. Es ist dies eines der wenigen Beispiele eines „Bildersturms", der uns aus der Zeit der Auseinandersetzung des neuen Glaubens mit der griechisch-antiken Tradition überliefert ist.

Die Bunte Halle schmückten noch drei weitere Gemälde: die Marathonschlacht des Jahres 490 von dem attischen Maler Panainos, dem Bruder des Bildhauers Pheidias, nun aber nicht mehr in mythischer Einkleidung, sondern selbst schon zum Mythos geworden, eine Schlacht der Athener gegen die Spartaner vom Jahre 456 eines ungenannten Malers und Troias Fall von Polygnotos von Thasos, der das Bild der Stadt geschenkt hatte.

Die Gemälde des Mikon und des Polygnotos waren von einer augenblicklichen starken Wirkung auf die attischen Maler und auf die ganze griechische Kunst. Ihre Wirkung ist für uns noch unmittelbar zu fassen in neuartigen Gefäßbildern, die sich nicht mehr aus der Entwicklung der Gefäßmalerei allein erklären lassen (Taf. 35). An ihnen fällt vor allem auf, daß sie den dargestellten Gestalten einen bisher unbekannten Spielraum geben und den Eindruck erwecken, daß die Menschen an Größe und Bedeutung gewonnen haben. Die Maler bevorzugen auch die großen Gefäße mit hoher Wandung und breiter Fläche für ihre Bilder, in denen die Gestalten die ganze Fläche der Wandung einnehmen und so schon äußerlich in einer bisher unbekannten Größe erscheinen, die fast bis zu einem halben Meter reicht. In diesen Bildern öffnet sich eine Welt von anderem Zuschnitt, als sie die Maler bis dahin kannten. Lauter bedeutende Linien und Flächen treten auf, und große Stoffmassen kommen zur Darstellung, in der wenige starke Züge Ordnung schaffen. Das neue Verlangen nach dem Geräumigen und Großen und eine allgemeine Steigerung der Dimensionen drohen oft den gegebenen Rahmen der Gefäßbilder zu sprengen.

Die Gefäßmalerei hatte bisher mit der Tafelmalerei Schritt halten können und mitunter wohl auch durch die freiere Wahl und Gestaltung ihrer Bilder Entscheidendes zur Entfaltung der Malerei beigetragen. Nun aber werden die großen Maler die Bahnbrecher, die schon durch den großen Figurenreichtum ihrer Bilder über die Möglichkeiten der kleinformatigen älteren Tafelmalerei und zumal der Gefäßmalerei weit hinausgreifen. Die besondere Größe der Gestalten der monumentalen Tafelbilder und ihre Komposition mußte den herkömmlichen Rahmen der Gefäßbilder übersteigen, wollte der Gefäßmaler es ihnen gleichtun.

So ergibt sich zum ersten Mal in der Geschichte der griechischen Malerei ein Zwiespalt zwischen monumentaler Malerei und Gefäßmalerei, der nie mehr ganz überwunden wurde. Er verrät sich in dem Schwanken der Gefäßmaler zwischen den Versuchen, sich die Errungenschaften der monumentalen Malerei nutzbar zu machen, und der Beschränkung auf eine eigene engere Welt, die in dem kleineren Maßstab gestaltbar blieb (Tafel 34). Die Gefäßmaler schaffen so nunmehr selten an den formenden Lebensbildern der großen Kunst und bleiben mehr als früher in dem Bereich des bloßen Gewerbes. Andere ihrer Bilder weisen über sich hinaus auf die monumentale Malerei, die sie bedingt und bald näher bald ferner hinter ihnen steht.

Von dieser Monumentalmalerei können wir daher vieles noch in seiner Wirkung auf die Gefäßmalerei fassen. Freilich nicht in einfachen Nachbildungen der großen Gemälde in kleinerem Maßstab, sondern in der neuen großen Auffassung und gelegentlich auch in einzelnen Figuren und Gruppen, die die Gefäßmaler den monumentalen Bildern entlehnten oder in ihrem Geist gestalteten, ohne daß wir dies im einzelnen nachprüfen können. Am bedeutendsten zeigt sich die Wirkung der Monumentalmalerei in eigenen Bildgestaltungen der Gefäßmaler, in denen sie gleichsam in Gegenbildern auf den Anruf der großen Malerei antworteten. So steht hinter den mächtigen Gestalten des Amazonenkampfes auf dem Mischgefäß anscheinend die Amazonenschlacht des Mikon in der Bunten Halle aus den sechziger Jahren mit ihren neuartigen Figuren (Tafel 35). Der Maler scheint das meiste aus der Monumentalmalerei einfach übernommen zu haben, wie er denn auch seinen Gestalten einen neuen Spielraum gibt und sie durch Drehungen und Wendungen aus dem Bann der alten Flächenkunst zu lösen versucht. Ein überaus bezeichnender Zug hierfür ist die Entwicklung des Körpers in die Bildtiefe hinein, der besonders an der Figur des Gefallenen auffällt, der vom Rücken gesehen und zum großen Teil von seinem Schild verdeckt ist.

71

Die perspektivische Verkürzung einzelner Glieder oder Körperteile ist
auf den attischen Gefäßbildern schon seit dem Beginn des 5. Jahrhunderts
zu beobachten (Abb. 6). Sie wird aber nun erst für die Entfaltung der Fi-
gurenmalerei besonders bedeutsam. Ihr Ursprung liegt darin, daß die Körper
mehr als bisher als dynamisch bewegte erfaßt werden, wie an der Entwicklung der griechischen Plastik von den Giebeln des Zeustempels in Olympia
bis zum Parthenon in Athen abzulesen ist. Das führte in der Malerei zur
Anwendung perspektivisch verkürzender Linien, zunächst nur an einzelnen
Gliedmaßen oder in der Drehung des Rumpfes in seinen Gelenken. Die
Anwendung perspektivischer Verkürzungen an den Gestalten ist jedoch
nichts anderes als ein neuer Ausdruck der für sich bestehenden Gegenstände
der Bildwelt, die als eine objektive Gestaltenwelt unabhängig vom Betrachter besteht und in dieser Kunst immer noch als solche gesehen wird. Der
Betrachter kommt nur insofern in diese Bildwelt hinein, als die Körper nun
nicht mehr dem Gesetz der Bildfläche unterworfen werden, sondern
den Erfahrungen der Wahrnehmung. Denn das menschliche Auge
nimmt die Körper in der täglichen Erfahrung als solche nur wahr durch die
Verkürzung, in der es einzelne Teile des Körpers sieht, das heißt durch die
Tiefenerstreckung, deren Wahrnehmen durch das Doppelsehen mit zwei
Augen unterstützt wird. Die in der Malerei durch die Linienführung an-
gedeutete Tiefenerstreckung ist also eine Angleichung an die Wahrnehmung.

Dadurch wird die Bildwelt „realer" im Sinne der Wahrnehmung, jedoch nicht im Sinne des Gehalts, der immer noch einer objektiven Gestaltenwelt angehört, der Sage oder der Menschenwelt. Die Figuren sind so zwar als Körper wahrgenommen, aber in einer neuen Weise in ihrer Körperlichkeit isoliert, das heißt ohne Raum. Daher haben auch die Geländeangaben dieser Bilder keine raumbildende Funktion im Sinne der Wahrnehmung. Die Aktion der Figuren bleibt weiterhin an die Fläche gebunden und vollzieht sich nur in der Fläche. Bezeichnend hierfür sind die Lanzen, Schwerter und Stauden, die alle in der Bildfläche liegen. Diese „Perspektive" bleibt also ganz in den Grenzen der dargestellten Gestalten und Dinge und schafft keinen Tiefenraum, der auch außerhalb dieser Gestalten vorhanden und dargestellt wäre. Das gilt von nun an für die ganze griechische Malerei.

Die neue Malerei wendet sich nun entschieden ab von der Art der älteren Maler, alles in die Fläche zu bringen und die Gestalten vor dem Beschauer auszubreiten und bis in die Einzelheiten auf der Bildfläche zu klären, die jede perspektivische Verkürzung auch der Gliedmaßen vermied. Den verblüffenden Gedanken, die Gestalten gerade durch das Verschwinden einzelner Teile dem Beschauer als Körper zu vergegenwärtigen, die sich in die Tiefe erstrecken, hätten die älteren Maler gar nicht fassen können. Er ist etwas völlig Neues und tritt hier zum erstenmal in der griechischen Malerei auf. Er wurde auch sogleich bei den aufgeweckten Athenern sprichwörtlich, sagten sie doch von einem, der mit einer Sache schnell fertig wurde, er mache es „wie Mikon mit seinem Butes". Mikon hatte in einem seiner Bilder von dem Helden Butes nur ein Auge und den Helm gemalt, während alles übrige durch eine Bodenwelle verdeckt war.

Damit öffnete sich eine ganz neue Anschauung der Formenwelt, die alle Motive der griechischen Malerei umwandelte. Der alte Vorwurf des Kriegers, der durch seinen Schild fast ganz verdeckt ist, erscheint zwar schon in den frühesten Bildern der griechischen Malerei und ist dort sogar ein sehr beliebtes Motiv, wird aber dort ganz in der Art der strengen Flächenkunst verwendet. Hier ist es in dem neuen Sinn aufgenommen, die Figur als körperliche Gestalt sich in die Tiefe erstrecken zu lassen, was an dem perspektivisch verkürzt gezeichneten Schild deutlich gemacht wird (Abb. S. 74). Auch die Verdeckung des Unterschenkels durch die Fußsohle ist ein ebenso neuartiges wie für die ältere Malerei unerhörtes Motiv, das dem gleichen Zweck dient. So kann auch durch einen zum Schlag erhobenen Arm das halbe Gesicht verdeckt werden, so werden die flächig wirkenden reinen Profilansichten jetzt oft vermieden, und häufig erscheint die Dreiviertelansicht und das „verlorene" Profil. Die Bilder sind auch sonst voller Verkürzungen und Überschneidungen der Körper von oft sehr gewagter Art, wie etwa die Dar-

stellung einer Amazone zu Pferd, die geradenwegs auf den Beschauer zusprengt.

Durch alle diese Motive werden die Gestalten zum erstenmal unmittelbar mit dem Beschauer in Beziehung gesetzt und erst durch seine mitschaffende Phantasie zum Leben erweckt. Der neue Zug der Malerei, gerade durch verlorene Teile der Gestalten und Sichverbergen in der Tiefe ihre körperliche Dynamik um so eindringlicher empfinden zu lassen, rechnet mit der mitschaffenden Phantasie des Beschauers, die er ganz anders als bisher in Bewegung setzt.

Diese Kunstwerke sind nicht mehr für sich selbst da. Sie führen Zwiesprache mit dem Betrachter, und damit wird die Malerei zu einer sehr überlegten Kunst, wie überhaupt nun viel Überlegung und Nachdenken in die Bilder kommen. Auch die neuartigen „Geländeangaben" machen diesen Eindruck. Sie sind nichts Augenmäßiges und sollen gewiß nicht eine bestimmte Gegend andeuten oder gar einen Einblick in eine Hügellandschaft von einem erhöhten Standpunkt oder nach Art der „Kavalierperspektive" hoch zu Roß vermitteln, wie man gemeint hat. Sie sind vielmehr ein rein kompositionelles Mittel, die Gestalten auf die ganze vorhandene Fläche zu verteilen

74

und ihnen so mehr Möglichkeiten zu der körperlichen Regsamkeit zu geben, die die neue Auffassung verlangte. Sie sind eher bedingt von der neuen starken Atività dieser Gestalten, dem Sitzen, Liegen, Auf- und Absteigen – und dem Verschwinden. Auf dem Bild mit dem kämpfenden Amazonenpaar (Tafel 35) durchziehen sie gar als wellige Linien den ganzen Bildgrund und geben den Gestalten eine eigentümliche ornamentale Umgebung, von der sie sich als körperliche Erscheinungen und frei bewegliche Wesen mit einer um so eindringlicheren Lebendigkeit abheben. Diese gesteigerte Regsamkeit ist die eigentliche Absicht des Malers, die er durch das gewollte Ausspielen des Beseelten gegen das Unbeseelte erreicht, das er durch die ganz ornamental gezeichneten, an ihrem Ort festgewurzelten Blumen und Stauden in dieser irrealen „Landschaft" noch verstärkt. Die völlig ornamentale Ausdeutung der Geländelinien ist in diesem Maße gewiß dem Gefäßmaler allein zuzuschreiben, der dadurch den dekorativen Charakter des Bildes betont, das durch sie einen festen wandmäßigen Grund bekommt. In den Bildern der Monumentalmalerei dienten sie offenbar dazu, den Gestalten den neuen Spielraum zu verschaffen, den die neue Anschauung von der Formenwelt verlangte, wie das ein anderes Gefäßbild noch deutlicher zeigt.

Die Gestalten selbst sind im einzelnen aus den klaren Achsen ihrer Körper und Gliedmaßen neu aufgebaut. Ein einheitlicher Kraftstrom durchflutet sie in einer fließenden Bewegung von der Zehe bis zum Scheitel, so daß sich die Körper in einer beschwingten Beweglichkeit in neuer Spannung durchbiegen. Besonders auffallend ist dies an dem Theseus eines großfigurigen Bildes auf einem attischen Mischgefäß, dessen Vorbild wohl die Kentaurenschlacht des Mikon im Theseusheiligtum war (Tafel 37). Der Gefäßmaler gibt denn auch einen Ausschnitt aus einer größeren Darstellung. Der jugendliche Theseus, der das Getümmel durch die Hoheit seiner Erscheinung überragt, ist ganz in der Weise des neuen Monumentalstils gestaltet, wie er ähnlich auch in den Theseusbildern des Mikon dargestellt gewesen sein muß. Was dabei von dem Gefäßmaler stammt, was seinem großen Vorbild zuzuschreiben ist, läßt sich heute nicht mehr entscheiden, so sehr trägt das Bild das Gepräge der neuen großen Malerei. Die Gestalt des strahlenden Heros erinnert an den Theseus im Westgiebel des Zeustempels in Olympia, der um 460 von unbekannter Meisterhand geschaffen wurde und dessen Entwurf vielleicht ebenfalls von dem Bild des Mikon im Theseusheiligtum angeregt war.

Anders ist das Echo, das die Amazonenschlacht des Mikon der sechziger Jahre im Theseusheiligtum bei einem Gefäßmaler weckte, der in den gleichen Jahren im Innenbild einer sehr großen Tonschale den Tod der Amazonenkönigin darstellte (Tafel 36). Der Vorwurf des Schalenbildes gehört einer anderen und älteren Sage an, von der auch Kleist die Anregung zu seinem Penthesileadrama empfing. In ihr erscheint nicht der attische Held Theseus, sondern der Held Homers Achilleus als siegreicher Überwinder der fremden Königin und ihres Volkes. Der Gefäßmaler muß voll der Gesichte und Gestalten der neuen Monumentalmalerei gewesen sein, als er das Rundbild schuf, das die Figuren kaum zu fassen vermag. Allein die Gestalt des Achilleus ist rund 40 Zentimeter hoch. Die Gestalten sind denn auch von einer solchen Wucht, daß sie durch nur zwei Kämpferpaare ein ganzes Schlachtgetümmel vor Augen zaubern. Selbst in der Farbgebung, die für ein Gefäßbild ganz ungewöhnlich bunt ist, versucht der Maler seinen Vorbildern zu folgen. Der Körper des Achill ist rot lasiert. Sein Mantel ist an der Schulter rot und geht nach unten zu in Gelblichweiß über. Die Randfalten sind graublau, einst wohl hellblau. Das Schildinnere ist rot ausschattiert und wird nach unten zu gelblichweiß. Die Körper der Amazonen und des davoneilenden Kriegers zeigen eine gleichmäßig verteilte bräunliche Lasur. Panzer und Helm des Kriegers sind bräunlichrot, sein Mantel ist rotgrau, einst wohl hellrot. Das Obergewand der Penthesilea hat eine ähnlich gelblichweiße Farbe wie der Mantel des Achill, mit gelbbraunen Faltenstrichen darin. Arm- und Fußreifen wie auch der sonstige Schmuck der Amazonen und Teile der Waffen sind in Gold aufgehöht.

Vor allem aber ist die Auffassung des Ganzen neu und groß. Der Schwerpunkt der Gestalten liegt ganz im Innern, in einem persönlichen Ethos, das ihr Handeln und Leiden bis in die Gebärden hinein bestimmt und offenlegt. Es ist auch nicht mehr wie in den älteren Bildern der äußere Vorgang des Kampfes selbst betont, sondern die seelische Wirkung des Geschehens. Die Königin, die bereits aller Waffen entblößt ist und daher gar nicht mehr als Feind, sondern nur noch als Weib erscheint, fällt der glänzenden Erscheinung des Helden in dem Augenblick anheim, in dem sie der todbringende Herzstoß trifft. In diesem alles entscheidenden Augenblick treffen sich die Blicke beider mit der Gewalt des Schicksals, das von großen Menschen ausgeht. Die freie Gefolgschaft des Gefäßmalers zu den großen Malern seiner Zeit hat ihn in diesem Bild in die Höhe der großen Kunst erhoben.

Polygnotos von Thasos

Der bedeutendste und schöpferischste dieser Maler war nach dem übereinstimmenden Urteil der antiken Schriftsteller Polygnotos von der Insel Thasos im nördlichen Ägäischen Meer. Schon Aristoteles bezeichnete ihn ein

Jahrhundert nach seinem Tod als den bedeutendsten Maler der Griechen. Er führte nach dem Urteil der antiken Schriftsteller die erste große Blütezeit der griechischen Malerei herauf und ihm wurde die höchste Ehrung zuteil, die die Athener zu vergeben hatten: die Verleihung des Bürgerrechts in ihrem Freistaat. Wenn der unmittelbare Anlaß zu dieser Ehrung auch der Dank der Athener für das große Tafelbild gewesen sein sollte, das er der Stadt für ihre neue Stadthalle am Markt schenkte, wie einige antike Schriftsteller behaupten, so war dies doch nicht weniger eine Handlung, mit der die Athener ihre panhellenische Gesinnung bekundeten, denn Polygnotos galt schon zu Lebzeiten als der bedeutendste Maler der Griechen. Er ist der erste e p o c h e m a c h e n d e Maler Griechenlands und der große Wegbereiter der Klassik. Seine berühmtesten Bilder waren das Troiabild in der Bunten Halle in Athen aus den fünfziger Jahren und seine großen Wandgemälde in einer Halle in Delphi, die von der Stadt Knidos in das Apollonheiligtum gestiftet worden waren.

Die großen Wandgemälde in Delphi stellten in einem tiefsinnigen Zusammenhang Troias Fall und die Unterwelt mit ihren mythischen Gestalten dar. Beide wurden 600 Jahre nach ihrer Entstehung von Pausanias beschrieben, und diese Beschreibungen sind das einzige, das uns von den Gemälden erhalten blieb. Pausanias zählt für die Wandgemälde in Delphi über 150 Gestalten namentlich auf. Das ist ein erstaunlicher Figurenreichtum, der weder vorher noch nachher von irgendeinem anderen antiken Bild bezeugt ist, und aus dem allein schon die Größe und Bedeutung dieser Wandgemälde hervorgeht. Von der Halle auf der höchsten Stelle des heiligen Bezirks, einer Lesche, die als Versammlungsraum der Delphier diente, wo „sie zusammenkamen und sich über die wichtigeren und die sagenhaften Dinge unterhielten" (Pausanias 10, 25), sind die Grundmauern auf einer Terrasse erhalten. Von den Malereien fanden sich bei den Ausgrabungen jedoch nicht die geringsten Spuren. Die Lesche bestand aus einem breitgelagerten rechteckigen Raum von 9,70 auf 18,70 Metern Ausdehnung, wohl einem offenen Hof mit Umgang, dessen Dach vier hölzerne Stützen trugen. Er war von der Breitseite aus zugänglich. Die Höhe der Wände des gedeckten Umganges läßt sich nach den allgemeinen Verhältnissen solcher Bauten auf etwa 6 Meter schätzen. Rechnet man davon einen hohen unbemalten Sockel von etwa einem Meter ab, so bleibt immer noch eine große Wandfläche, die Platz genug für die über 150 lebensgroßen Gestalten bot. Wie die Gemälde auf die Wände verteilt waren, wissen wir nicht genau. Aber aus dem Gang der Beschreibung des Pausanias geht hervor, daß sie den Beschauer auf allen Seiten umgaben, so daß er an ihnen entlang wandeln mußte, um sie ganz zu betrachten. Über die Verteilung der Figuren auf der Wandfläche geben die Beschreibungen wenigstens so weit Aufschluß, daß wir uns davon eine allgemeine Vorstellung machen können.

Die Darstellung von Troias Fall glich anscheinend im wesentlichen Polygnots Bild in Athen, das er wohl schon früher für die Stadthalle am Markt gemalt und der Stadt geschenkt hatte. Die Darstellung der Unterwelt mit den Helden und Sagengestalten der Vorzeit war in der griechischen Malerei ein neues Thema und allen Anhaltspunkten nach das jüngste, jedenfalls aber das eigenartigste Gemälde Polygnots. Für die Darstellung der Einnahme Troias gab es dagegen in der älteren griechischen Malerei bereits eine lange bildliche Überlieferung, und Polygnot erscheint hier eher als ihr Vollender. Hatten die älteren Maler mit Vorliebe den Frevel des Aias dargestellt, so wählte Polygnotos den Augenblick seiner Sühnung durch den Eid vor den versammelten Griechen. Das gab ihm Gelegenheit, alle überlebenden Großen des Troianischen Krieges darzustellen, während die vorher dort Gefallenen mit anderen Sagengestalten in seinem Unterweltsbild erschienen. Damit waren in den beiden thematisch verschiedenen Bildern alle Großen der Vorzeit vor Augen geführt, und darin ist wohl der tiefere Zusammenhang der beiden Darstellungen zu sehen. Das Unterweltsbild scheint als sein reifstes Werk das Neue deutlicher gezeigt zu haben, das der Künstler den Griechen zu sagen hatte. Doch gerade von diesem Werk sind keine bildlichen Nachwirkungen erhalten geblieben, ja es ist überhaupt fraglich, ob diese eigenste Schöpfung Polygnots eine Nachfolge in der Malerei finden konnte. So sind wir auch in diesem Falle mehr auf allgemeine Überlegungen angewiesen, wie sie aus den Beschreibungen des Pausanias und gelegentlichen Bemerkungen anderer antiker Schriftsteller sich ergeben.

Polygnotos war ein Schüler seines als Maler schon bekannten Vaters, stand also fest in der Überlieferung des Handwerks. Er war als Maler kein umstürzender Neuerer: Cicero lobt an seinen Bildern die Formen und die Zeichnung, während sie noch ganz in der einfachen Farbgebung der älteren griechischen Malerei gehalten seien, die sich nur weniger Grundfarben bediente und daher von den späteren Malern als „Vierfarbenmalerei" bezeichnet wurde. Die vier Grundfarben waren: Rot, Ocker, Weiß und Schwarz (Plinius NH. 35, 50). Das Lob der Zeichnung und der ausdrucksvollen Linie der polygnotischen Gemälde kehrt bei anderen antiken Schriftstellern wieder, sie müssen also ein auffallender Zug der polygnotischen Malerei gewesen sein. Ihr Vorherrschen mußte allerdings einer Zeit besonders auffallen, deren Maler mit unvergleichlich viel reicheren farbigen Mitteln arbeiteten.

Seine Gemälde waren demnach nicht auf der Farbe aufgebaut, sondern wie die Bilder Mikons noch ganz in der Art der älteren griechischen Malerei auf der Zeichnung, in der die Gestalten mit einem festen Kontur umrissen und die Ausführung aller Einzelheiten des Körperbaues, der Gesichtszüge und der Gewänder in Strichzeichnung ausgeführt waren. So rühmte Lukian, der kunstsinnige Schriftsteller des 1./2. Jahrhunderts n. Chr., an der Kassandra im Troiabild des Polygnotos gerade die schönen Augenbrauen und an seinen Gemälden überhaupt die feinen, sich dem Körper anschmiegenden oder frei wehenden Falten der Gewänder. Dies alles mußte bei einer zeichnerischen Ausführung besonders in die Augen fallen, auch gibt es in den attischen Gefäßbildern gerade hierfür zahlreiche Beispiele. Doch war sich Polygnotos des Wertes der Farbe wohl bewußt, wie aus der Beschreibung des Pausanias hervorgeht, aus der wir erkennen können, daß Polygnotos der Farbe sogar eine besondere Aufgabe zugewiesen und eine neue Bedeutung abgewonnen hatte. Freilich nicht in der Art der späteren Maler, die ihren Gestalten durch die Wiedergabe ihrer jeweiligen natürlichen Erscheinung im Farbenspiel von Licht und Schatten den Schein der Wirklichkeit zu geben trachteten, wie eine bloße Abschrift der Natur überhaupt nicht in der Absicht seiner Kunst gelegen haben kann. Seine Gestalten lebten in einer anderen Wirklichkeit, die im Geistigen gründete. Aristoteles sagt von ihnen, daß sie mächtiger und bedeutender als die wirklichen Menschen seien und sich durch ihr „Ethos" auszeichneten. Eine freie Größe muß ihnen eigen gewesen sein, die bis in alle Einzelheiten des Ausdrucks und der Auffassung hineinwirkte und auch die Form und den Inhalt der Bilder bestimmte. Ihr diente auch die Farbe, wenngleich sie Polygnotos nur in reinen Tönungen als Eigenfarbe verwendete, wie sie die Maler bisher schon auf ihren Tafelbildern angewandt hatten, nur gelegentlich durch neue Arten der Farbgewinnung und der Farbanwendung mit neuen Tönen bereichert. Diese Eigenfarben deckten als Lokalfarben in gleichmäßigem Auftrag Teile der Gewänder, Rüstungen, Waffen und dergleichen in der Weise des Penthesileabildes oder der Buntmalereien auf den weißgrundierten Gefäßwandungen, die uns eine allgemeine Vorstellung von dem farbigen Eindruck der polygnotischen Gemälde vermitteln können (Taf. 34). Die Eigenfarben gaben in den Gemälden Polygnots darüber hinaus gelegentlich wohl auch die Grundfarbe ab für einen Baum, ein Schiff oder ein Haus. Sie dienten also lediglich der Vergegenständlichung, nicht der Versinnlichung des Dargestellten. Auch die nackten Körperteile und Gliedmaßen müssen in einer bestimmten Grundfarbe getönt gewesen sein: braun bei den Männern und einer helleren Farbe bei den Frauen wie auf den älteren Tafelbildern und auf einigen Gefäßbildern auf weißem Grund. Denn wenn Lukian das feine Wangenrot der Kassandra rühmt, so setzt dies eine Grundfarbe voraus, auf die es aufgetragen war und überhaupt erst zur Wirkung kam. Außerdem werden von Pausanias noch die bunten Kopftücher der Frauen und die bunten figürlichen Gewandmuster hervorgehoben, wozu sonst noch viele bunte Einzelheiten kamen und gewiß nicht nur in den vier Grundfarben, so daß die Gemälde Polygnots einen leuchtend farbigen Eindruck gemacht haben müssen. Er war kein bloßer Zeichner, der „kolorierte Zeichnungen" machte, seine Kunst ist im vollen Sinne Malerei, denn die Farbe spielte über das schon Erwähnte hinaus noch eine wesentliche Rolle für das Ganze und für den Aufbau seiner Gemälde.

Die Farbe war für Polygnotos durchaus ein Mittel zur Differenzierung im malerischen Sinne, denn sie diente ihm mit Vorliebe zur Charakterisierung einzelner Gestalten. Er ging darin so weit, einzelnen Figuren durch eine besondere Grundfarbe, die von der Farbe der Gestalten ihrer Umgebung abwich, einen besonderen Charakter zu geben. So hatte die Gestalt des Aias von Lokris in dem Unterweltsbild die Farbe „wie sie ein Schiffbrüchiger bekommt, dem noch das Meersalz auf der Haut sitzt". Aias war nach der Sage bei der Rückfahrt von Troia zur Sühne für seinen Frevel an Kassandra von Athena mit seinem Schiff vor Kreta zum Scheitern gebracht worden und im Meer ertrunken. Die Farbe eines Unterweltdämons, dem nach Aischylos „die Verdammten zum Fraß wurden", lag „zwischen Dunkelblau und Schwarz wie die Farbe der Schmeißfliegen". Diese Bemerkung des Pausanias ist zugleich ein Zeugnis dafür, daß Polygnotos außer den genannten Grundfarben auch blaue und gewiß noch andere Farben verwendete. Die Fische in dem Unterweltsfluß Acheron waren „nur matt angedeutet, so daß sie mehr Schatten von Fischen glichen" — wohl doch weil es Fische im Schattenreich des Hades sein sollten.

In diesem allen ging Polygnotos über die bisherige farbige Behandlung der Bilder weit hinaus und legte damit den Grund zu einer neuen Farbigkeit der Malerei. Die griechischen Maler pflegten bisher die Gestalten und Dinge immer ungetrübt von den Einflüssen der Umgebung in ihrer unveränderlichen Eigenfarbe wiederzugeben; sie lehnten es von vornherein ab, sich durch das Auge täuschen zu lassen und von den Dingen nur das Scheinbild zu geben. Sie haben diesen Grundsatz auch für die menschliche Gestalt bis an das Ende des 5. Jahrhunderts beibehalten. Der Vorzug der griechischen Malerei war von Anfang an die Befreiung von dem „Schein", und noch Polygnotos vermied die Modellierung mit der Farbe, die Halbtöne und farbigen Schatten. Daher ist auch die Linie das einzige Ausdrucksmittel, zu der diese Maler unbedingtes Vertrauen haben, denn mit Strichen läßt sich alles klar und deutlich machen und den Körpern eine feste Begrenzung geben.

So gering die Anhaltspunkte in der nüchternen Beschreibung des Pausanias und den gelegentlichen lobenden Hinweisen anderer Schriftsteller auch sind, so läßt sich daraus für die Farbgebung der polygnotischen Gemälde doch auf eine neuartige Verwendung der Farbe bei einzelnen Gestalten schließen, die das malerische Können Polygnots in helles Licht setzt. Doch war die Farbe für ihn durchaus noch eine Dingbezeichnung, die auch seinen Gestalten als etwas Dauerhaftes und sie Charakterisierendes anhaftete. So diente auch sie dem Ethos seiner Kunst. Mit der Charakterisierung einzelner Gestalten durch eine besondere Farbe war jedoch der Wert der Farbe als „Kolorit" entdeckt. Diese Entdeckung mußte für die weitere Entwicklung der Malerei von entscheidender Bedeutung werden, sobald sie von einem anderen Maler aufgegriffen und zum aufbauenden Prinzip seiner Bilder gemacht wurde.

Wie sich in den Gemälden Polygnots alles in den Gestalten sammelte: die konzentrierte Zeichnung, die Farbe, der Aufbau des Bildes und der Sinn des Ganzen, so lebten diese Gestalten auch in einem Raum, den sie selbst um sich schufen. Sie lebten nicht in der Naturwirklichkeit unter freiem Himmel und es fehlte ihnen auch jeder gegenständliche Hintergrund: sie standen auf einem hellen Grund, auf dem ihre von Pausanias mitgeteilten Namen beigeschrieben waren, wie in den Tafelbildern und den Gefäßbildern auf weißem Grund, nicht anders als die Gestalten der Wandbilder romanischer Kirchen. Dem Fehlen des gegenständlichen Hintergrundes entspricht auch die Verwendung der Farbe als reine Lokalfarbe. Dem Fehlen des Himmels und jeglicher Athmosphäre entspricht das Fehlen einer einheitlichen Raumdarstellung. Eine Malerei, die nicht auf den Augenschein, sondern auf das Bedeutende ausgeht, hat andere Mittel, ihre Figuren an die richtige Stelle zu setzen. Die Ordnung der Figuren in einem perspektivischen Bildraum kommt schließlich erst in der Malerei der Renaissance auf.

Von Anfang an war es ein Grundprinzip der griechischen Malerei, die handelnden Gestalten allein darzustellen oder — wo dies zur Klärung der Bildsituation notwendig war — mit einer bloßen Andeutung der Örtlichkeit. Ihre Gestalten leben nur aus sich, und daher wird das Bildfeld von Anfang an ganz von den menschlichen Gestalten eingenommen, außer denen nichts „Raum hat". Das Grundmaß der Bildkonstruktion war daher von Anfang an die aufrecht stehende Gestalt, sie beherrscht das Bildfeld und bestimmt die Größe der Dinge, nicht umgekehrt. So kann es geschehen, daß ein Haus nicht höher ist als der Mensch, der daneben steht. Noch in Polygnots Unterweltbild war der „Hain der Persephone" nur durch einen Weidenbaum angedeutet, wo ein Maler wie Altdorfer einen ganzen Wald gemalt hätte. Im Troiabild war die große griechische Flotte durch ein Schiff, das Lager der Griechen durch zwei Feldhütten, die „volkreiche" Stadt Troia durch ein Haus angedeutet, immer gerade so viel, um die Situation und das Tun der Gestalten zu veranschaulichen. Das eine Schiff genügte, um die Heimführung der wiedergewonnenen Helena durch Menelaos anzudeuten, der Abbruch der beiden Feldhütten den bevorstehenden Abzug des gesamten Griechenheeres, und das Haus des Antenor in der Stadt diente zur Veranschaulichung seines Aufbruchs von „Haus und Hof". Wie die Bauten, so waren auch die Gegenstände nur dargestellt, um die einzelnen Handlungen zu erläutern: der Altar, an dem der Lokrer Aias vor den versammelten Heerführern der Griechen seinen Sühneid ablegte, und anderes dergleichen. Dies alles kennen wir auch von den attischen Gefäßbildern, die zwar die reichere farbige Behandlung der großen Bilder bei weitem nicht erreichen, aber doch das Wesentliche der Malerei jener Zeit wiedergeben: klar durchgezeichnete Gestalten in einem von ihnen belebten Raum.

In einer Hinsicht ging Polygnotos über die Art der älteren Bilder bedeutungsvoll hinaus. Er stellte seine Gestalten nicht mehr auf einer gemeinsamen Grundlinie einander gegenüber, sondern verteilte sie über die ganze Höhe der Malfläche in einer lockeren Komposition mit Hilfe von verschieden hohen Bodenlinien oder Geländestreifen. Besser als die besprochene Amazonenschlacht mit ihren mehr ornamentalen Geländelinien (Taf. 35) zeigen die Bilder eines anderen großen Gefäßes von einem attischen Maler der gleichen Zeit diese Art der Figurenkomposition über die ganze Fläche hinweg, die der Gefäßmaler der großen Malerei abgelesen haben muß (Taf. 38–39). Diese Art des Bildaufbaues ermöglichte den Malern, ein gewaltiges Geschehen in vielen Gruppen und Handlungen sich entfalten zu lassen. Damit sind reiche neue Möglichkeiten und eine bis dahin unbekannte Vielseitigkeit des Ausdrucks für die Gestalten gewonnen. Ihre tieferen Beziehungen zueinander konnten so auf eine neue Weise und in viel reicherem Maße entwickelt werden als auf die alte, an den Rahmen und die gleiche Ebene der Begegnung gebundene Art, sie diente also der Verlebendigung und Verinnerlichung der Gestalten. Zu dieser Steigerung der Darstellungsmittel wurde Polygnotos letzten Endes durch eine vertiefte Auffassung des Geschehens und durch die Größe des Vorwurfs geführt. Hierzu ist auch die Lebensgröße seiner Figuren zu rechnen, die durch einen antiken Schriftsteller bezeugt scheint.

Die das ganze Bild durchziehenden Bodenlinien verschafften den Gestalten ein imaginäres Gelände, auf dem sie sich bewegen konnten, und gaben ihnen so das neue Spielfeld, das sie brauchten. Diese Bodenlinien waren gewiß nicht ein Versuch, den „realen Raum" darzustellen, wie man vermeinte, denn dazu hatte Polygnotos keinen Anlaß. Auch dies ist immer noch ein Phantasieraum und nur Medium für das Auftreten der Gestalten. Das „Hügelgelände" tritt denn auch als Landschaft zurück vor seiner Bedeutung als Schicksalsraum, in dem sich die Gestalten bewegen.

82

Eine Vorstellung von dem allgemeinen Eindruck einer solchen polygnotischen Bildkomposition vermitteln uns die Bilder auf dem erwähnten Gefäß, in denen sich der sonst nicht bedeutende Gefäßmaler offenbar gerade um diesen Eindruck bemühte. Die Komposition der Bilder erschließt sich vollständig nur auf der Gefäßwandung selbst mit ihrer Verbreiterung nach oben und ihrer seitlich fliehenden Rundung, denn der Gefäßmaler hat die Kompositionsweise der großen Bilder der Bedingtheit der geschwungenen Wandung angepaßt. So betonte er die Mittelachse des Gefäßes auf jeder Seite durch eine Hauptfigur, die zugleich den lockeren Aufbau des Bildes auf der Schauseite zusammenhält: hier die überragende Gestalt des Apollon, dort die gesammelte Gestalt des Herakles. Beide sind bekränzt und auch dadurch vor den anderen Gestalten herausgehoben. Beiden ist eine zweite Hauptfigur beigegeben, die ihnen im Handeln und Einverständnis eng verbunden ist, aber im Blickfeld mehr zurücktritt. Überhaupt verwendet der Maler die Abstufung der Gestalten ganz im Sinne der polygnotischen Kunst als ein Mittel der Komposition. Apollon und Artemis sind die Hauptfiguren der einen, Herakles und Athena die der anderen Gefäßseite. In den beiden verschieden gewählten Bildsituationen spiegeln sich zugleich die beiden Arten der Darstellung wieder, die auch für die Bilder der großen Maler jener Zeit mit Sicherheit zu erschließen sind: dort eine Handlung, hier ein Zustand.

Nach der Sage brüstete sich die Titanentochter Niobe vor Leto, der Mutter des Apollon und der Artemis, mit ihrem größeren Kinderreichtum, den sie um dieser freventlichen Überhebung willen durch die rächenden Pfeile der beiden Letokinder mit einem Schlage verliert. Auf dem Gefäßbild (Taf. 38) stieben ihre Söhne und Töchter vor der Erscheinung der göttlichen Geschwister davon und fallen unter ihren Pfeilen, wo sie ihr Schicksal gerade ereilt. Einen jeden trifft dieses Schicksal anders; darin offenbart sich die neue Auffassung vom Leben und Schicksal des Menschen, die die Tragödie erschloß, der „neue Raum", in dem ihre Gestalten leben. Dieses Gefäßbild macht besser als Worte deutlich, daß der Bildaufbau Polygnots vor allem dazu dient, diesem neuen Menschentum seinen ihm eigentümlichen Spielraum zu geben. Der Baum scheint der Darstellung etwas von der Freiheit des Atmosphärischen zu geben, wie ja auch viel „Luftraum" um die Gestalten ist. Er wird aber nichts anderes besagen wollen, als daß sich der Tod der Niobiden auf der Erde und nicht in der Sphäre der Götter abspielt.

In dem Handlungsbild der Niobidentötung fällt vor allem die Gestalt des Apollon auf, die in der freien Regung der Glieder und in ihrer gesamten Auffassung sehr an den Theseus des Kentaurenkampfes erinnert (Taf. 37): beides sind Schöpfungen der großen Malerei oder doch zum mindesten in

ihrem Geist entworfen. Apollon erscheint hier in seiner neuen Gestalt, wie
ihn der Meister des Westgiebels des Zeustempels in Olympia im Anfang
der fünfziger Jahre bildete und wie er in den Tragödien des Aischylos und
anderer Dichter damals erschien: Verkünder und Wahrer göttlichen Rechts
und Anspruchs, Hüter aller Ordnungen der Götter und Menschen und der
strahlendste unter den olympischen Göttern, dessen Gestalt übermenschliche
Klarheit atmet und unerbittliche Hoheit ausstrahlt.

Das figurenreichere Bild auf der anderen Seite des Gefäßes (Taf. 39) zeigt
Herakles und Athena im Beisein von Helden in verschiedenen Stellungen
und in einer eigentümlich wartenden Haltung. Es ließ sich bisher nicht mit
Bestimmtheit deuten. Manche möchten darin eine Darstellung der Argo-
nauten sehen, wie sie Mikon in seinem Bild im Dioskurentempel vielleicht
gemalt hatte, so offensichtlich ist die Abhängigkeit gerade dieses Bildes von
der monumentalen Malerei. Doch hat der Maler wahrscheinlich garnicht
eine bestimmte Situation dieser oder einer anderen Sage im Auge gehabt,
sondern nur das ruhige Beisammensein von Helden — so sehr galt ihm schon
dies als ausreichendes Thema.

Räumlich aufgelockerte Gruppen oder einzelne säulenhaft nebeneinander
stehende Gestalten in einem merkwürdigen Zustand der Erwartung, die
zwischen den Gestalten hin- und hergeht wie auf dem Heroenbild, sind auch
sonst bei den Gefäßmalern dieses Jahrzehnts und noch später beliebt. Begabte Maler laden diese Gestalten mit einer fühlbaren Spannung, die auch
zum Träger einer mythologischen Handlung werden kann. Vor allem ist es
die Monumentalmalerei, die sich solche spannungsvollen Zustände zum
Thema wählt und neben den immer noch dargestellten großen Handlungen
die Vorklänge und Nachklänge entscheidender Taten als gleichwertige
Gegenstücke zur Darstellung bringt. So war in den Schlachtenbildern der
Bunten Halle das Toben des Kampfes bei Marathon durch vorbereitende
und ausklingende Szenen eingerahmt, die Schlacht gegen die Spartaner in
ihrer beginnenden Entwicklung, der Fall Troias von Polygnotos in seinem
Nachklingen geschildert. Das jüngste und fortgeschrittenste Werk Polygnots,
sein Unterweltsbild in Delphi, hatte einen Zustand schließlich zum eigentlichen Thema erhoben: die Dauer der Großen der Vergangenheit.

Ein neues Bewußtsein des Menschen von sich selbst kündigt sich in diesen
Bildern an, in denen die einzelnen Gestalten sich nun frei im neugewonne-
nen Feld ihrer Handlung aus den individuellen Kräften ihres neu gefaßten
Daseins entwickeln. Der bewegte Stand, der „Kontrapost", der den Rumpf
mit den ihm innewohnenden Kräften im Gleichgewicht hält, läßt die Gestalten mehr noch als früher aus sich selbst sein und handeln. Eine neue Beseelung beschwingt sie, die das Körpergewächs bis in die letzten Endigungen

durchdringt. Noch haftet manchen der Gestalten, die sich locker um Herakles und seine göttliche Freundin Athena gruppieren, die eckige und abweisende Geschlossenheit der älteren strengen Malweise an, doch besitzen sie bereits eine neue Biegsamkeit, die besonders an dem Gelagerten in die Augen fällt, der geradezu eine Vorstufe zu dem gelagerten Dionysos im Ostgiebel des Parthenon darstellt (Taf. 40). Diese Gestalten sind tiefer von innen her erfühlt und oft in einer innerlichen Versenkung dargestellt, die solche handlungsarmen Bilder überhaupt erst möglich macht. Die Gestalten des Herakles und der Athena führen schon nahe an die frühklassischen Götterbilder heran.

Götterbilder dieser Art stellt uns der Maler des Penthesileabildes in einem Werk aus den fünfziger Jahren vor Augen (Taf. 41). Es ist wiederum ein Schalen-Innenbild, erfüllt von großen Figuren, doch nicht mehr so gedrängt voll und auch nicht mehr in ganz so großem Maßstab wie in dem Penthesileabild (Taf. 36), auch mit der neuen Geschmeidigkeit der Kunst des jüngeren Jahrzehnts gemalt. Das Bild, das mehr der Kreisfläche des Schalenbodens angepaßt ist, stellt den Tod des Tityos dar. Tityos ist ein Sohn des Zeus und einer der Erdmutter verwandten Göttin, die Zeus vor Hera in der Erde verbarg, die dann seinen Sohn ans Licht brachte. So galt er auch als Sohn der Erde selbst gleich den Titanen und wie sie mit übergewaltigen Kräften ausgestattet, ein Widersacher der olympischen Götter. Als Leto eines Tages nach Delphi ging, so erzählt die Sage, wurde sie von dem Riesen überfallen und rief ihre Kinder Apollon und Artemis zu Hilfe, die ihn mit ihren Pfeilen erlegten. Auf dem Schalenbild erscheint nur Apollon als Rächer mit dem Schwert, als der „Fernhintreffer" kenntlich an Bogen und Pfeilen in seiner linken Hand. Leichtfüßig und „hochschreitend" im Glanz seiner nackten Göttlichkeit, voll federnder Kraft in den schlanken Gliedern, tritt er wie ein Blitz vor Tityos und seine Mutter. Fast bedarf es des zuschlagenden Schwertes nicht, das die Rechte mit müheloser Kraft führt, so sieghaft ist seine leuchtende Erscheinung, vor der der Riese in die Knie sinkt und zurückschwankt, vergeblich die Hand wie abwehrend erhebend. Selbst die große Mutter Ge flieht in schnell gewendetem Schritt vor dem Olympier und verbirgt ihr Haupt in ohnmächtigem Schrecken. An den Gestalten des Titanen und der Erdmutter ist noch viel Schweres, Beladenes und Eckiges. Es sind Formelemente der älteren Stilstufe, die der Maler hier zur Charakterisierung der „alten" Götter verwendete, während er alle neuen Formen mit ihrer Beschwingtheit und ihrem geläuterten Fluß dem jungen Gott gab.

Das Bild ist nicht so malerisch behandelt wie das Penthesileabild, stützt sich nur auf die zeichnerische Ausführung und hält sich mehr an die Mög-

lichkeiten und Grenzen der Gefäßbemalung; es scheint so der Monumentalmalerei ferner zu stehen. In den Wendungen und Drehungen der Körper
aber, der Staffelung der Gestalten, der neuen körperlichen Bewegtheit des
Apollon, dem schwingenden Rhythmus, der die Gestalten zueinander ordnet,
und vor allem in der Durchgeistigung des Vorgangs trägt es jedoch ganz den
Stempel der neuen Malerei. Die durchseelten Körper, die ruhige Größe, in
der das Sein der Gestalten verharrt trotz der dramatischen Handlung, und
die Veranschaulichung des Gegenspiels seelischer Kräfte erheben das Bild
über die Darstellung eines einmaligen Ereignisses in jene Sphäre des Gleich-
nishaften und Dauernden, die den Gemälden Polygnots in besonderem
Maße eigentümlich gewesen sein muß. Mit Recht aber erinnert gerade dieses
Bild an den Gott der „Eumeniden" des greisen Aischylos jener Jahre, „den
heilig-reinen, den Vollstrecker der Zeussprüche, den Rächer und wilden
Verhöhner der blinden Blutsmächte: der Kinder der Erde und der Kinder
der Nacht, der „alten Götter". Aischyleisch ist die unheimliche Spannung
des Apollonbildes, aischyleisch auch, daß der Triumph des siegenden Gottes
dem Menschen kein Frohlocken bringt. Denn Tityos ist nicht mehr der geile
Riese der älteren Kunst, der seine verdiente Strafe empfängt, sondern der
gewaltige Sohn der Erdgöttin, der gerade im tragischen Untergang groß
wird" (K. A. Pfeiff).

II. DAS SEIN DES MENSCHEN

Nach dem Glauben der Griechen stammten die Menschen von den Göttern ab, und viele griechische Familien führten ihren Stammbaum auf einen gottentsprossenen Heros zurück. Aus diesem reinen Ursprung formten sie sich das Bild des Menschen immer wieder neu im Fortgang des eigenen geschichtlichen Wandels, und so wandelte sich mit dem Bild des Menschen auch das Bild der Götter. Die Götter sind dem Menschen das Gegenbild, in dem er sich im Sein erkennt und reiner und klarer vernimmt. Der Gestaltwandel der Götter vollzieht sich so alle Male aus einer neuen Sicht auf das Sein, das auch den Menschen einbegreift.

Während in der Frühzeit, besonders in der Plastik, das Menschenbild fast in die Sphäre der Götter hineinragte und noch im Verlauf des 6. Jahrhunderts das Dasein des Menschen so stark empfunden wurde, daß nach ihm auch das Götterbild gestaltet werden konnte, erhebt sich nun über der neuen Menschenstufe ein Bild der Götter, das sich von allen früheren unterscheidet. Mit dem neuen Wissen um die Verfallenheit des Menschen an sein Schicksal, das die Tragödie verkündete, beginnt sich das Menschliche zum erstenmal als eine eigene Sphäre abzuheben. Damit erscheinen auch die dem Schicksal nicht unterworfenen Götter immer mehr in einer eigenen Welt in sich ruhender Vollkommenheit. Die Menschenform, die bisher ganz im Bann der übermenschlichen Gewalten stand und von ihnen getragen wurde, formt sich nun nach einem eigenen inneren Gesetz, und damit gewinnt der Mensch erst seine eigentliche Freiheit. Die Gestalten der Plastik und der Malerei bewegen sich in einer neuen Weise, indem sie ganz auf dieses innere Gesetz gestellt sind, bis in alle ihre Äußerungen und körperlichen Regungen von dem Ethos ihrer neuen freien Haltung bestimmt. Dieses neue Menschenbild entstand nicht zufällig im Mutterland, dem die Rettung des Griechentums in den Perserkriegen gelungen war, und Athen schuf durch seine Tragödien erst die geistige Luft, in der der neue Mensch atmen konnte. Dieses Menschenbild verändert sich mit dem Menschen, es ist einem leisen ständigen Wandel unterworfen, der ihm eigentümlich bleibt bis auf den heutigen Tag, dem europäischen Menschen vor allen anderen. Dieser ständige Wandel wirkt in der bildenden Kunst jener Zeit von Jahrzehnt zu Jahrzehnt bis in die einfachsten Werke hinein, in der Malerei bis in die Bilder der Tongefäße. So finden auch die Darstellungen aus der Götter-

und Heldensage immer wieder eine neue Auslegung aus der neuen Sicht, die selbst in den Alltag der Helden eindringt und auch den „Alltagsbildern" einen eigentümlichen Hintergrund gibt.

Ein Bild aus dem Alltag heldischer Gestalten ist die Darstellung des Odysseus-Sohnes Telemachos und seiner Mutter Penelope auf einem Trinkbecher der fünfziger Jahre aus Athen (Taf. 42). Dieses Bild ist in vieler Hinsicht bemerkenswert. Es spielt zum erstenmal vor einem gegenständlichen Hintergrund und erhält dadurch eine Geschlossenheit und Vollständigkeit, die uns besonders anspricht. Den Hintergrund bildet der Webstuhl mit dem Teppich, den Penelope tagsüber webt und nachts heimlich wieder auflöst, um die Freier bis zur erhofften Heimkehr des Odysseus hinzuhalten. Dieser Teppich ist aber nicht nur bildmäßig der Hintergrund für die Figuren, sondern deutet auch in tieferem Sinne den Hintergrund an, der die beiden Gestalten innerlich verbindet in jenem merkwürigen Zustand der Erwartung, der viele Bilder dieser Zeit erfüllt. Telemachos steht ganz für sich und nimmt nur mit einer Wendung seines Oberkörpers an der Trauer der Mutter teil, die in Sinnen verloren dasitzt. Das Gedenken in die Ferne, das die Gedichte der Sappho mehr als ein Jahrhundert früher zum erstenmal so ergreifend aussprachen, und das Lauschen auf die innere Stimme, das die Malerei erst in den beiden voraufliegenden Jahrzehnten darzustellen begonnen hatte, sind hier in einem Bild vereinigt, das aus der alten Sage eine neue menschliche Melodie aufklingen läßt. Solche sinnenden Gestalten gaben den Gemälden Polygnots ihren besonderen Gehalt an Stimmung, wie auch der nacheifernde Niobidenmaler in seinem Heldenbild eine solche Gestalt einfügte, die die Stimmung des Ganzen in sich sammelt (Taf. 40).

Die tiefe Stimmung, die nun die einzelne Gestalt ergreifen kann, führt das bezaubernde Bild eines sitzenden Mädchens aus der gleichen Zeit vor Augen, das den Tönen der Musik lauscht, dem Klang der Kithara in seiner Hand und der Leier auf seinem Schoß (Farbtaf. V). Auch dies ist ein Bild stiller Versunkenheit: der Hingabe an eine innere Offenbarung, wie sie die Musik schenkt. In solchen Bildern erschließt sich die Malerei einen neuen Bereich, in dem von nun an alle ihre Gestalten wesen, eine „Gegenwelt", die hier sichtbar wird in der Hingabe an sie. Damit steht das Bild schon auf der Schwelle zu einer neuen Zeit. Es ist mit bunten Farben auf den geweißten Grund einer flachen Trinkschale gemalt, die wohl als Weihgeschenk diente und daher in dieser für den Gebrauch kaum geeigneten Technik bemalt werden konnte. Diese von den Holztafelbildern auf Kreidegrund übernommene Technik wird seit dem dritten Jahrzehnt des 5. Jahrhunderts immer häufiger auf besonders kostbaren Gefäßen angewendet. So kann auch

dieses Bild eine Vorstellung vermitteln von der Art der verlorenen Weihebilder auf Holztafeln unmittelbar nach der großen Wende, die die griechische
Malerei seit den sechziger Jahren durch das Auftreten der großen Maler
erfuhr.

Für den Gehalt und die Stimmung der polygnotischen Gemälde müssen
von ähnlicher Bedeutung wie die tief gestimmten Einzelgestalten auch die

Gruppen menschlicher Gestalten gewesen sein, wenn sich von ihnen auch in den Gefäßbildern keine unmittelbaren Nachklänge finden lassen. Die Gruppe zweier Mädchen, die einer Leierspielerin lauschen, auf einem großen Mischgefäß der vierziger Jahre, steht ganz in der Tradition der Gefäßmalerei, wirkt aber wie ein Nachhall der Stimmungsbilder Polygnots (Taf. 43). In dem Gefäßbild ist wieder die Musik das Element, das beide Gestalten verschmilzt, doch ist jedes der Mädchen der Musik auf ihre Art hingegeben. Es ist eine der ergreifendsten Darstellungen menschlichen Einklangs, weist aber darüber hinaus noch in tiefere Gründe. In den drei voraufliegenden Jahrzehnten hatten die Maler die Wirkung der Musik auf die Seele entdeckt. Mit entscheidender Bedeutung tritt diese Seelenwelt aber in dem Jahrzehnt nach der Mitte des 5. Jahrhunderts auf. Immer wieder erscheinen in den Gefäßbildern musizierende und der Musik hingegeben lauschende Menschen, durch die mit aller Deutlichkeit eine Wurzel der neuen „klassischen" Gestimmtheit sichtbar wird (Abb. S. 89). Häufig sind es Bilder der Musen auf dem Helikon und im Innern Ihres Hauses dort, doch ist oft schwer zu erkennen, ob hier Musen oder irdische Mädchen dargestellt sind. So auch in dem Bild der beiden Lauschenden: es sind menschengleiche Wesen im Reich der Musen, in dem die Harmonie die Geschöpfe verbindet.

Die Musik scheint nur e i n e Art des Gestimmtseins oder Verbundenseins, das allen Gestalten in den beiden großen Jahrzehnten nach der Jahrhundertmitte eigen ist und von einem neuen Aufbrechen inneren Lebens zeugt. Sie leben in den Bildern alle in einem höheren Dasein, das in der neuen Gestalt der Götter am unmittelbarsten sichtbar wird, wie sie uns in der aufsteigenden Persephone auf einem attischen Mischgefäß vor Augen tritt (Taf. 48). Persephone steigt hier wie jedes Frühjahr mit dem Sprießen der Pflanzen aus der Unterwelt zu neuem Leben herauf und nimmt das Wunder der mit ihr neu aufblühenden Welt staunend wahr. In dem Bild ist das starke erschütternde Geschehnis des alten Mythos vom Menschlichen her gedeutet, wie auch in den Tragödien dieser Zeit aus den phantastischen Geschehnissen der mythischen Vorzeit immer mehr Ewig-Menschliches sich entfaltet. In dem prachtvollen Auge und in der Gebärde des Frühlingsmädchens scheint der Maler ihr etwas mitgegeben zu haben von dem Erwachen zu dem Wunder der neuen Götter- und Menschenwelt, die in diesem Jahrzehnt der Parthenonkunst unter dem gereiften feurigen Geist des Pheidias sich formte.

Der abgeklärten und zugleich leidenschaftlich gesteigerten Form dieses größten Bildhauers der Antike konnte sich keiner der zeitgenössischen Künstler entziehen, und auch die großen Maler müssen in seinen Bann geraten sein. Von ihren Werken ist uns nichts erhalten, aber ein vielfaches

90

Echo fanden sie in der Gefäßmalerei, die sich in dieser Zeit zu ihrer schönsten Blüte entfaltete. Der Abschied eines Kriegers von seinem Vater auf einem Vorratsgefäß wirkt wie ein Tafelbild für eine Weihegabe, so groß sind die Gestalten gesehen und so würdig ist der Vortrag des Ganzen (Taf. 44). Das Bild spricht in der freien Haltung des jugendlichen Kriegers, den schlichten Gebärden der Beteiligten, dem lockeren Aufbau, der Sparsamkeit der Mittel und der verhaltenen Kraft der Aussage von dieser neuen künstlerischen Form mit besonderer Eindringlichkeit. Wie die Klassik im Drama des Sophokles eine eigene Art und Weise der Beseelung der Handlung und des Wortes findet, so auch die Maler in der Handlung und Gebärde der Gestalten ihrer Bilder, die verhalten und abgedämpft sind aus innerem Erfülltsein und sparsam in den Gebärden aus innerem Reichtum.

Auf die Höhe der großen Kunst führt die Gestalt des Achilleus auf einem bauchigen Vorratsgefäß derselben Zeit (Taf. 45). Dieses Bild eines gewappneten jugendlichen Mannes mit mächtigem Körper und mächtiger Seele, die sich frei in ihr regt und aus seinen wachen Augen strahlt, ist das menschliche Gegenbild zu der Göttergestalt der Persephone, der sich viele andere bis zu den „neuen Göttern" des Ostfrieses am Parthenon anreihen. Die ganze Formenwelt der griechischen Kunst wandelt sich in diesen Jahren zur Gestaltung der inneren Mächte, die die Menschen bewegen. Auch die Darstellungen der großen Gefäße schildern mehr denn je diese stille Welt. Die kurz vorher noch so beliebten Schlachtenbilder finden wohl noch ihre Nachfolger, und auch bewegte Szenen der Sage werden dargestellt, aber sie verlieren alle ihre altertümliche Derbheit und Wucht und werden durch einen abgedämpften Bildvortrag in dieselbe stille Sphäre gehoben (Abb.). Zahlreicher und bedeutender sind die ruhigen Daseinsbilder, besonders auf den weißgrundigen Ölkrügen für den Totenkult: die Zusammenführung von Mann und Weib, Bruder und Schwester, Mutter und Kind, Frau und Dienerin, in

denen leise Gebärden, tiefe Blicke und eine kaum faßbare Bedeutung das Bild bis an die Grenze des Darstellbaren füllen (Taf. 46–47).

Die Gestalten tragen keine Züge, die das Schicksal oder die Zeit furchte, sie sind von allen Schlacken ihrer persönlichen Lebenserfahrung befreit und über alles Situationsmäßige in eine überzeitliche Seinswelt gerückt. Sie wesen in einem zeitlosen Dasein, das uns traumhaft erscheint, so gelöst ist es. Nur was an ihm teil hat, kommt in das Blickfeld der Maler und Bildhauer, rührt die Menschen an und verklärt ihr Dasein mit diesem einmaligen Glanz. Selbst die Welt der Dämonen, der göttlichen Mächte niederen Ranges, unterliegt ausnahmslos und in allen ihren Wesen dieser Verwandlung. Die Gebärde des Totenfährmannes, des ehemals so finsteren Charon, mit der er die Toten zu sich winkt, ist sanft und gütig, die Menschen begegnen ihm ohne Furcht und fügen sich frei dem Gesetz des Notwendigen. Eine zunehmende Befreundung und Aussöhnung mit dem Tod geht durch die Bilder wie in den Dramen des alternden Sophokles. Auch die härteste Notwendigkeit scheint ihren Schrecken verloren zu haben in dem erhöhten Dasein, an dem alle diese Gestalten teilhaben.

Diese Höhe des klassischen Menschenbildes wächst aus einer bestimmten Art Mensch zu sein, die immer möglich ist, aber nur in dieser einen unwiederbringlichen Stunde in der Geschichte der europäischen Menschheit in zeitlos gültigen Bilder Gestalt gewann. Sie ist mehr als vollendete Form, ist Erfüllung aus einem gelebten Menschentum und wächst unversehens aus der Verbindung der Menschen untereinander, dem Füreinandersein, dem Geben und Nehmen, dem Gleichklang der Blicke und Seelen, der in diesen klaren und tiefen Bildern zum Ausdruck kommt. Sie ist die Frucht jener Lebensführung, die Perikles im Winter des Jahres 431 in seiner Rede auf die Gefallenen des ersten Kriegsjahres mit Sparta preist:

„Die Lebensführung jedoch, die Form unseres staatlichen Daseins sowie die uns eigene Wesensart, die Wurzeln unserer Größe wurden, dies will ich schildern und alsdann zum Lobe dieser Toten schreiten ...

Wir leben in einer Staatsform, die die Einrichtungen anderer nicht nachahmt, eher sind wir für etliche ein Vorbild, als daß wir andere uns zum Muster nähmen. Mit Namen wird sie, weil wir uns nicht auf eine Minderheit, sondern auf die Mehrheit im Volk stützen, Volksherrschaft genannt ... Ein freier Geist herrscht in unserem Staatsleben und wirkt auch im täglichen Leben und Treiben aller gegenseitigen Beargwöhnung entgegen. So nehmen wir es unserem Mitmenschen auch nicht übel, wenn er sich einiges zu seinem Vergnügen leistet, und legen uns keine engherzigen Beschränkungen auf, die zwar kein Schaden, aber doch ein unerquicklicher Anblick sind. Und wie wir im persönlichen Umgang unbeschwert miteinander verkehren, so meiden

92

wir im öffentlichen Leben schon aus Pflichtgefühl Verstöße gegen Recht und Sitte, der jeweiligen Führung gehorsam wie auch den Gesetzen und unter ihnen zumal denjenigen, die zum Schutz der Verfolgten gegeben sind, sowie den ungeschriebenen, deren Bruch in aller Augen Schande bringt. Auch für mancherlei Erholungen des Geistes von allen Anstrengungen ist bei uns gesorgt, teils durch Pflege von Kampfspielen und Festen während des ganzen Jahres, teils durch schöne, jedem einzelnen offenstehende Anlagen, deren täglicher Genuß den Mißmut verbannt. Zudem kommt bei der Größe unserer Stadt aus allen Teilen der Erde alles herein, und ebenso wie unsere heimischen Güter können wir die Erzeugnisse der ganzen Welt im eigenen Haus genießen ...

Wir lieben das Schöne in Schlichtheit, lieben Wissen und Bildung, aber frei von Weichlichkeit. Reichtum ist bei uns zum Gebrauch in der rechten Weise, nicht zum Geprahl mit Worten da. Armut einzugestehen bringt keine Schande, sondern nicht tätig aus ihr fortzustreben, ist schlimmere Schande. In derselben Männer Hand ruht die Sorge für ihre häuslichen wie auch die öffentlichen Angelegenheiten, und selbst wer völlig seiner Arbeit lebt, dem fehlt es doch nicht am Blick für die politischen Dinge ...

Mit einem Wort also sage ich: unsere Stadt ist im Ganzen die hohe Schule Griechenlands, im Einzelnen aber will mir scheinen, daß jeder bei uns sich gleichzeitig auf den verschiedensten Gebieten anmutig und mit vollendeter Sicherheit als ganzer, auf sich selbst gestellter Mann erweist. Daß dieses aber nicht nur ein gelegentliches Wortgepränge, sondern der Dinge wahres Abbild sei, dafür gibt die Macht der Stadt, die wir aus diesem Geist uns errungen haben, selber den Beweis. Sie allein unter den heutigen Städten tritt mit einer Macht, wie die Geschichte sie noch nicht kennt, zur Probe an. Sie allein gibt keinem andringenden Feind Grund zum Murren, von was für Menschen er geschlagen wird, und keinem Unterworfenen Anlaß zu Beschwerde, daß Unwürdige über ihn gebieten. In gewaltigen Denkmalen und wahrlich nicht unbezeugt haben wir unsere Macht den heutigen wie den kommenden Geschlechtern zur Bewunderung dargetan. Wir brauchen keinen Homer zum Lobredner, noch wer da sonst mit Versen dem Ergötzen des Tages dient und mit seiner Darstellung von den Ereignissen dann doch an der Wahrheit zuschande wird. Wir haben alles Land und Meer gezwungen, unserem Wagemut Wege zu bereiten, und allerorten, wo immer wir uns niederließen, setzten wir unvergängliche Male unserer Opfer wie auch unserer Siege." (Aus dem Geschichtswerk des Thukydides verdeutscht von W. Schadewaldt).

III. DER SCHÖNE SCHEIN

Perikles starb achtzehn Monate nach seiner Rede auf die Gefallenen. Er fand keinen ebenbürtigen Nachfolger, und Athens Sturz aus der Höhe war jäh. Das politische Leben der Stadt und in ganz Hellas verfiel im zweiten Jahrzehnt des immer maßloser geführten Krieges in einer erschreckenden Weise, die uns in der Schilderung des Thukydides mit seiner Lehre vom geschichtlichen Verfall heute besonders erschüttert. Nur die Kunst schien von diesen Vorgängen unberührt, sie hatte sich ein eigenes Reich der Formen geschaffen und folgte ihrem inneren Gesetz, das ihr ein eigenes Leben jenseits des Zeitgeschehens gewährte. Einige Maler sind damals aus Athen abgewandert und malten in anderen Städten weiter, vor allem in Unteritalien (Abb. S. 109), ohne an dem Zeitgeschehen teilzunehmen. Aber auch die Bilder der in Athen gebliebenen Gefäßmaler, zumal ihre Götterbilder, wahren ihre neugewonnene Hoheit und Schönheit, wie die Gestalten des Apollon und der Artemis auf einem Mischgefäß der zwanziger Jahre zeigen (Taf. 49). Doch fehlt ihrer Erscheinung etwas von der Überzeugungskraft der älteren Bilder, durch ihre unverbindliche Haltung und ihr lässiges Tun wird ihr Dasein fast schon zum losen Spiel.

In der Form ist ein Äußerstes erreicht, die Bewegungen schwingen in feinster Rhythmik bis ins Letzte aus und erfüllen die Gestalten mit höchstem Adel, führen sie aber auch bis an die Grenze, über die hinaus keine Steigerung mehr möglich ist. Auch die Strichführung hat sich bis aufs äußerste verfeinert und mischt sich mit den Elementen einer mehr malerischen Art wie den verstreuten Kreuzchen und den fließenden Rändern am Mantel des Apollon. Ähnliches gilt auch für die „farbig" gesehene Komposition, die zwar noch an der plastisch gesehenen Figurenreihe der älteren Bilder festhält, tatsächlich aber schon etwas von einem bunten Gewebe bekommt. Eine zarte Verflüchtigung der klassischen Figur bereitet sich vor, die dann schließlich zu dem „reichen Stil" der zwei letzten Jahrzehnte des 5. Jahrhunderts führt.

Dieser reiche Stil hat seine Vorboten im Gewoge der Falten und Locken, in den überschwänglichen Gebärden und der bewegten Form der Gefäßbilder, für die die tanzenden Mainaden auf einem Mischgefäß aus den letzten zwanziger Jahren besonders bezeichnend sind (Taf. 50). Die alte Kraft der Linien beherrscht auch hier noch den Kontur und die Falten der Gewänder,

95

doch sind die Linien nun selbst ins Strömen geraten, laufen zu mehreren nebeneinander her, bilden Windungen und Stauungen oder wirbelartige Unruhen, so daß alles in Bewegung gerät (Abb. S. 95). Die Gestalten werden so von dem Strom des Lebens neu erfaßt und der Verfestigung in der klassischen Form entzogen. Waren die vergeistigten Gestalten der Parthenonzeit von der apollinischen Musik durchdrungen und erhoben, so werden diese kräftigen Naturwesen von der strömenden Bewegung des dionysischen Lebens fortgerissen. Am festlich geschmückten Pfeiler hängt die Maske des unfaßbaren Gottes, der die Mainaden am Fest des Weinausschankes berauscht und zum kreisenden Tanz treibt. In dieser Zeit entstehen die vollendetsten Bilder ekstatischen Tanzes, auf die spätere Künstler, zumal in den römischen Jahrhunderten, immer wieder zurückgreifen. Sie geben diesen Formenschatz auf kaiserzeitlichen Sarkophagreliefs an die Künstler der Renaissance weiter, denen sie zum Vorwurf für die verschiedensten bewegten Gestalten dienen, um schließlich in Boticellis Frühlingsreigen eine wunderliche Auferstehung zu feiern.

Rauschende Bewegung und prächtige Erscheinung vereinigen sich in einem Gefäßbild der geichen Zeit zu einem grandiosen Bild der Wettfahrt des Pelops um die Braut Hippodameia (Taf. 51). In sausender Fahrt entführt Pelops die umworbene Tochter des Oinomaos über das baumbestandene hügelige Festland auf die Wellen des Meeres, über das die Pferde des Poseidon mühelos hinwegsprengen, mit denen er die Wettfahrt gewinnt. Pelops schaut sich nach seinem Verfolger Oinomaos um, es geht um sein Leben, während die Königstochter das Wunder der Meerfahrt bestaunt mit einer Gebärde, die an die staunende Gebärde der Persephone erinnert. Mit der Wettfahrt gewinnt Pelops nicht nur die Braut, sondern auch die Herrschaft über das Land ihres Vaters Oinomaos, das seitdem Peloponnesos heißt, Insel des Pelops. Große und reiche Formen beherrschen das Bild. Mag auch die bunte Tracht wie auf manchen anderen Gefäßbildern dieser Zeit durch die bunte Kleiderpracht der Bühne angeregt sein, so steht doch hinter dem ganzen Bild mehr die große Malerei der neuartigen Tafelbilder des Parrhasios, Apollodoros und Zeuxis in Athen, die eine eigentümliche Wandlung der griechischen Kunst von weittragender Bedeutung herbeiführten.

Die geschlossene Formenwelt der klassischen Kunst öffnet sich wieder, und alles gerät in neue strömende Verhältnisse. Die umgrenzte Gestalt, die auf der Höhe der klassischen Kunst im Widerschein der göttlichen Vollkommenheit in hellster Klarheit aufleuchtete, verliert ihre feste Greifbarkeit, wird umspült und durchflutet von Strömungen draußen und drinnen. Sie lebt fortan in einem flüssigen Element, im Licht und in der Farbe, die ein vielfältigeres, wärmeres, zärteres Leben in ihr wecken. Das Alte wird

V. *Kitharaspielerin beim Spielen oder Stimmen ihrer Instrumente. Innenbild vom „Hesiodmaler" einer attischen Trinkschale. Paris*

so in neue Zusammenhänge überführt, die menschliche Gestalt vor einer unlebendigen Verfestigung in der klassischen Form bewahrt, und dem Fortgang des Lebens in einem neuen Zusammenhang von Mensch und Welt neue Wege bereitet. Sie erscheinen in dem Streben nach neuer Erkenntnis in der Philosophie, in der Dichtung als seelenkündendes Drama und in der Malerei als „Scheinmalerei", in der die Menschen und Dinge in der Art, wie sie dem Auge erscheinen, Bedeutung gewinnen. Wo Festes sich auflöst, Bestehendes in anderem Licht erscheint, das alte Gefüge sich lockert und selbst der Weiseste sich mühen muß, Sein vom Schein zu unterscheiden, da sieht das richtende Auge des Geschichtsschreibers Thukydides, eines Edlen aus altem Stamm, und des Komödiendichters Aristophanes nur Verfall, während unter der zerfallenden Oberfläche schon allenthalben das Neue heranwächst.

Apollodoros von Athen

Von den genannten Malern galt Apollodoros von Athen den antiken Schriftstellern als Begründer der Malerei, so wie Giotto den Späteren der „Vater der Malerei" war. Apollodoros habe als erster „dem Pinsel Ruhm verschafft", lautet das übereinstimmende Urteil der antiken Schriftsteller, und das sei auch die Meinung des Apollodoros selbst gewesen. Sein Schüler war Zeuxis aus Herakleia, wahrscheinlich der griechischen Koloniestadt im süditalischen Lukanien (S. 146 zu Abb. S. 109), der „in das von Apollodoros geöffnete Tor der Kunst schritt" und „ihm die Kunst entrissen und für sich mitgenommen hat". So soll Apollodoros gesagt haben, als Zeuxis ihm den Ruhm entwand, der nach seiner Meinung ihm selbst gebührte. Ihnen tritt im Urteil der antiken Schriftsteller Parrhasios von Ephesos zur Seite, wie Polygnotos von Thasos ein Ehrenbürger der Stadt Athen, der die Malerei „durch besondere Feinheiten bereicherte". Worin diese besonderen Feinheiten bestanden, erfahren wir aus weiteren Nachrichten der antiken Schriftsteller, denn von den Gemälden der drei Maler blieb keines erhalten, weder im Original noch in einer Kopie. Für die Bedeutung dieser Maler spricht schließlich das einhellige Lob, das die späteren Maler und Kunstkenner ihren Bildern zollten, und vor allem ihre große malerische Nachfolge beredt genug. Sie eröffneten eine lange Epoche der malerischen Kultur, die in Rom eine begeisterte Aufnahme und Wiederbelebung fand und dort bis an das Ende der Antike, in den Ländern des oströmischen Reiches bis in die Neuzeit währte.

Die Malerei hatte mit Polygnotos um die Mitte des 5. Jahrhunderts neue Bahnen beschritten. Ein Jahrhundert später rühmt Aristoteles das Ethos seiner Kunst, das er in den Bildern des Zeuxis bereits vermißt. Diese Bilder müssen also von einer ganz anderen Art gewesen sein, die in Künstlerkreisen als „Schattenmalerei" bezeichnet wurde, weil sie zum ersten Mal ihre Gestalten mit Farbenschatten modellierte. Schon seit Polygnotos waren Schatten durch dunklere Farbtöne oder farbige Schraffierung an Gewändern, Gegenständen und Tierliebern angewandt worden, während der menschliche Körper und sein Antlitz davon frei blieben. Die Gestalten überzeugten offenbar gerade durch ihre fleckenlose Helligkeit von ihrer höheren Wirklichkeit, wie die Griechen von jeher dem Menschen ein höheres Sein als den Tieren oder gar den Dingen zusprachen. Die helle Gestalt konnte wohl einen Schlagschatten auf leblose Dinge werfen, um sich so als Lebendiges von ihnen abzuheben. Eines der frühesten Beispiele dafür ist der Schatten vom Kopf des Telemachos auf den Teppich am Webstuhl der Penelope in dem Gefäßbild der fünfziger Jahre des 5. Jahrhunderts (Taf. 42). Die menschliche Gestalt selbst aber tauchte an keiner Stelle in das Dunkel und behielt ihre reine Farbe und ihr volles Dasein im Licht. Doch hatte Polygnotos zur Charakterisierung einzelner Gestalten schon besondere Farbtönungen verwendet und damit den Wert der Farbe als „Kolorit" entdeckt.

In der neuen Malweise kam die Farbe als Kolorit nun voll zur Geltung. Das bedeutet die endgültige Aufgabe der alten Flächenmalerei, an deren Stelle eine neue Kunst der Farbe tritt. Erst diese Art der Malerei, die mit einem Wort Leonardos der „natürlichen" Erscheinung gilt, ist übertragbar, überall anwendbar und nachahmbar, und erst damit gibt es in Europa eine Malerei im neuzeitlichen Sinne. So treten für die Maler von nun an auch die gleichen Probleme in den Vordergrund, die die Künstler der abendländischen Malerei seit der Renaissance beschäftigten: das Motiv, die Erfindung, das Malen nach dem Modell, die Form und die Ausführung. Die Fragen der Technik und des Könnens erhalten damit eine große Bedeutung und nehmen in den Erörterungen der Maler den ersten Rang ein. Das läßt sich an der Beurteilung der Kunst des Parrhasios klar erkennen.

„Parrhasios aus Ephesos trug gleichfalls Vieles zum Fortschritt bei: er führte zuerst die Lehre von den richtigen Proportionen in die Malerei ein, verlieh dem Gesicht Feinheit des Ausdrucks, dem Haupthaar Eleganz, dem Mund einen sanften Reiz und trug nach dem Urteil der Künstler in den Konturen die Palme davon. Denn darin beruht die höchste Feinheit der Malerei, da die Körper zu malen und was innerhalb ihres Konturs liegt zwar auch etwas Großes ist, doch auch viele andere sich darin ruhmvoll hervorgetan haben. Aber die Konturen der Körper zu malen und das Dargestellte richtig zu umreißen, das erreichen selbst begabte Maler selten. Denn die Körper und die Glieder müssen rund erscheinen und so umrissen

98

sein, daß sie den Beschauer auf die ihm unsichtbaren Teile weisen und das an ihnen nicht Dargestellte erraten lassen" (Plinius, NH. 35, 67).

Die Maler wetteifern miteinander in der Virtuosität, woraus die bekannte Künstleranekdote entstand, Zeuxis habe Trauben von solcher Naturtreue gemalt, daß die Vögel darauf zugeflogen seien, während Apollodoros einen Vorhang darüber gemalt habe, den selbst Zeuxis für einen wirklichen Vorhang gehalten habe, so daß er diesen noch übertraf. Diese Anekdote ist gewiß nicht wörtlich zu nehmen, doch spiegelt sich in ihr das Streben der Maler wieder, eine neue Malweise zu vervollkommnen und darin miteinander zu wetteifern. Vielleicht lehrt diese Anekdote uns aber noch mehr. Wenn nach ihr Zeuxis und Apollodoros „die Dinge selber" gemalt haben sollen, so spricht daraus eine Auffassung, die das Kunstwerk in einer ganz anderen Weise als wesentlich empfindet als jene, die in ihm nur ein ästhetisches Phänomen sieht. In der Zeit des Zeuxis und Apollodoros war das Gefühl für die Wirkung der Lebenskraft, die von einem Kunstwerk ausgeht, sicherlich noch stark. So konnte man wohl das Leben, das von ihnen ausstrahlte, wie das der Natur selbst empfinden. Um so mehr, wenn von diesen Malern Natur und Leben auf eine für ihre Zeitgenossen neue und sehr intensive Weise gesehen wurden.

Zeuxis von Herakleia

Auch die Bildsituation ändert sich von Grund auf. Sie beruht nicht mehr auf der Fuge großer Themen, sondern auf der subjektiven Auswahl ungewöhnlicher und oft sehr überraschender Situationen und ausgeklügelter Umstände, die dem Dargestellten eine neue Seite abzugewinnen trachteten. Lukian drückt dies mit den Worten eines kunstsinnigen Betrachters so aus: „Jener Zeuxis, einer der hervorragendsten Maler, mochte die herkömmlichen und bekannten Themen wie Helden, Götter oder Schlachtenbilder gar nicht oder nur selten malen, dagegen suchte er immer etwas Neues zu erfinden und sann auf Ungewöhnliches und Fremdartiges, um daran seine Kunst in höchster Vollendung zu zeigen". Zeuxis machte es dabei nicht anders als sein älterer Zeitgenosse Euripides, der in den überlieferten Mythenthemen, die er dramatisierte, bestimmten Zusammenhängen auf den Grund zu kommen sucht und darum unter Umständen für seine Dramen neue Situationen erfindet, um diese Zusammenhänge darzustellen.

Wie solche Bilder aussahen, beschreibt Lukian in seiner Schilderung eines Kentaurenbildes von Zeuxis, von dem er eine Kopie im Haus eines Malers in Athen sah. Das Original war mit einer Schiffsladung von Kunstwerken

untergegangen, die der römische Feldherr Sulla um 86 v. Chr. als Kriegsbeute auf den Weg nach Rom geschickt hatte. Die Beschreibung lautet:
„Auf grünendem Rasen ist eine Kentaurin dargestellt, in ihrer ganzen Roß-
gestalt am Boden liegend. Die Hinterbeine sind ausgestreckt. Der weibliche
Oberkörper ist leicht erhoben und ruht auf den Ellbogen. Die Vorderbeine
sind nicht ganz ausgestreckt, wie es der Fall wäre, wenn sie auf der Seite
läge, sondern das eine ist eingeschlagen mit eingezogenem Huf und scheint
wie im Niederlassen eingeknickt. Das andere aber erhebt sich und ist gegen
den Boden gestemmt wie bei den Pferden, wenn sie aufzuspringen versuchen. Von den Jungen hält sie eins in den Armen und nährt es auf menschliche Weise, ihm die weibliche Brust darbietend. Das andere aber säugt sie
am Euter wie eine Stute ihr Füllen. Auf dem Bild oben neigt sich ein Roß-
kentaur vor wie von einer Warte herüber, offenbar der Mann derjenigen,
welche die Kinder in dieser zweifachen Weise nährt. Er ist nicht ganz sichtbar, sondern nur bis zur Mitte des Roßkörpers und hält das Junge eines
Löwen mit der Rechten hoch über sich empor, um im Scherz den Kleinen
Furcht zu machen. – Was nun die Malerei sonst anlangt, soweit sie uns
Laien nicht in allem klar sein mag und doch das ganze Können des Künstlers
offenbart, wie die schärfste Korrektheit der Umrisse, die sorgfältige Verteilung der Farben, ihr wohlberechneter Auftrag, die richtige Schattengebung, die Berechnung der Größenmaße, das richtige und harmonische
Verhältnis der Teile zum Ganzen: das mögen die zünftigen Maler loben, die
dergleichen verstehen müssen. Mir aber scheint an dem Bild des Zeuxis vor
allem lobenswert, daß er an einem und demselben Gegenstand die Vorzüge
seiner Kunst in den mannigfaltigsten Richtungen zu zeigen verstand. So gab
er dem Mann ein erschreckendes und ganz wildes Aussehen mit mächtig
flatterndem Haupthaar, fast ganz behaart nicht nur am Roßkörper, sondern
auch an dem menschlich gebildeten Teil seines Leibes, mit hochgehobenen
Schultern und, obgleich er lacht, einem Blick, der wild und ungezähmt ist
wie der Blick eines Waldmenschen. Im Gegensatz zu dieser Auffassung zeigt
er an dem Roßkörper der Kentaurin die schönste Bildung, wie sie sich
namentlich bei den thessalischen, noch ungebändigten und unberittenen
Rossen findet. Ebenso ist ihre obere Hälfte, das eigentliche Weib, durchaus
schön bis auf die Ohren. Diese allein sind satyrartig gebildet. Die Vereini-
gung und Verschmelzung der Leiber an der Stelle, wo der Roßkörper mit
dem weiblichen Menschenkörper zusammenhängt und vereinigt ist, vollzieht
sich in sanftem, keineswegs schroffem Übergang, und durch die allmähliche
Umwandlung beider wird das Auge ganz unvermerkt von dem einen zum
anderen geführt. Die junge Brut aber erscheint bei allem Kindlichen im
Ausdruck gleichwohl wild und trotz ihrer Zartheit schon unbändig. Nicht

weniger bewundernswert ist, wie sie ganz nach Kindesart zu dem jungen Löwen emporblicken, während ein jedes sich an die Mutterbrust hält und eng an seine Mutter sich anschmiegt."

Dieses Bild muß für die Kunst des Zeuxis besonders bezeichnend gewesen sein, da Lukian gerade dieses aus allen anderen auswählte, die er kannte. Nun verstehen wir aber auch das Urteil des Aristoteles, daß den Bildern des Zeuxis das Ethos fehlte, das die Gemälde des Polygnotos auszeichnete. Denn das Thema des Bildes ist nicht ein Motiv im Sinne der großen Kunst, wie es Goethe in „Maximen und Reflexionen" erklärt: „Was man Motiv nennt, sind eigentlich Phänomene des Menschengeistes, die sich wiederholt haben und wiederholen werden und die der Dichter nur als historische nachweist" – und die attischen Tragödiendichter und die Polygnotische Malerei in den Gestalten und Begebenheiten des Mythos als stets wiederkehrende Phänomene nachwiesen. So wies Aischylos am Schicksal des Orest nach, was eine Tat ist, vor der sich der Mensch darauf zu besinnen hat, was Recht und was Unrecht sei. Er tat dies, indem er den alten Mythos diesen Sinn gab. In dieser immer wieder neuen Sinngebung und Deutung der alten Mythen hatte sich die Selbstbesinnung des griechischen Menschen bis in die klassische Blütezeit hinein vollzogen. Daher behielten die Mythen in ihrer überlieferten Form für die Künstler ihre Bedeutung bis in die klassische Zeit. In dem Bilde des Zeuxis aber fehlt den mythischen Figuren jede Bedeutung, die sich auf die Sinnwelt der Mythen bezieht. Das gleiche gilt von der Handlung: sie ist frei erfunden für dieses eine Bild, um eine Situation zu schaffen, an einem und demselben Gegenstand „die höchste künstlerische Vollendung in den verschiedensten Richtungen zu zeigen", wie Lukian sich ausdrückt. Was er damit meint, schildert er klar genug, um uns eine hinlängliche Vorstellung von dieser neuartigen Malerei zu ermöglichen.

Doch können wir aus seinen Worten noch mehr herauslesen, als er ausdrücklich sagt, wenn wir nur genau auf das achten, was er schildert. Denn die Bedeutung dieses und ähnlicher Bilder liegt letzten Endes nicht in ihrer künstlerischen Vollendung, unter der jede Malergeneration etwas anderes versteht. Sie ist aus dem abzulesen, was Lukian an der Ausführung besonders hervorhebt: der Behaarung des Roßmenschen und dem sanften Übergang von dem Pferde- zu dem Menschenleib der Kentaurin, also der äußerlich sichtbaren Verbindung beider im Übergang des Felles zur Haut. Dem Zwiewesen des Tiermenschen in der menschlichen Regung des Lachens, das sich in den Zügen seines Gesichts zeigte, und der Wildheit und Ungezähmtheit seiner tierischen Natur, die sich im Blick seines Auges zu erkennen gab, das also von einer besonderen Bildung gewesen sein muß. Der Schönheit des weiblichen Körpers in seiner menschlichen und in seiner tierischen Er-

scheinung. Dem Kindhaften der jungen, obgleich unbändigen Brut. Darin
verrät sich ein genaues Hinsehen des Malers auf die „natürliche Erscheinung", das Beobachten und Wiedergeben ihrer Oberfläche, die der Maler für
sich erlebt und in der er den Ausdruck der Erscheinung sucht, und schließlich auch das Empfinden für die verschiedene Körperlichkeit und Seelenlage
von Mensch und Tier. Darüber hinaus aber auch ein ganz neues Verständnis
für die Welt der Erscheinungen und ein Naturerleben neuer Art mit einem
neuen Sinn für das treibende Leben selbst, wie es sich in den Geschöpfen
der Natur offenbart. Das geht so weit, daß Zeuxis hier die Kentauren, die
ja auch für ihn keine Naturgeschöpfe sind, aus den Erfahrungen der natürlichen Wahrnehmungswelt deutet, in der zu jedem männlichen Tier auch ein
weibliches Tier gehört und so auch die Jungtiere. Zu diesem Zweck e r f i n -
d e t er die Kentaurin, die es vor ihm gar nicht gegeben hat, und dazu die
Kentaurenjungen. Diese mythischen Wesen werden so zwar auf eine neue,
seine Zeitgenossen überraschende Weise vergegenwärtigt, zugleich aber ihrer
ursprünglichen Sphäre entrückt. Es sind keine mythischen Gestalten mehr
der alten Art, die ja nicht der sinnlichen Erfahrungswelt sondern einer
Sinnwelt angehören. Aus dieser Sinnwelt sind sie nun entrückt in den ganz
anderen Bereich einer bloß vorgestellten Wirklichkeit: den Bereich der
dichtenden Phantasie. Sie werden zu einem dichterischen Gegenbild der
Wirklichkeit, so wie auch die Mythen in der Tragödie dieser Zeit, vor allem
des Euripides, zu einem solchen Gegenbild werden. Und wie die Gestalten
des Dramas nur auf der Bühne, so haben die Kentauren des Zeuxis nur im
Kunstwerk Existenz. Sie sind nur noch mythologische Figuren.

Höchst bezeichnend ist in dem Bild aber auch die Art des Vortrags. In
einer Art malerischer Dialektik werden die Eigenschaften der Lebewesen
in ihren verschiedenen natürlichen Erscheinungsformen einander gegenüber-
gestellt: der Tierkörper dem Menschenkörper, das Männliche dem Weiblichen, das Alte dem Jungen. Der Maler sichtet sie aus in ihrer vollkommen-
sten Gestalt: den Pferdeleib der Kentaurin „in schönster Bildung, wie sie
sich namentlich bei den thessalischen Rossen findet", das eigentliche Weib
„durchaus schön", und so fort. Einer solchen Wahrnehmung liegt eine neue
schöpferische Fähigkeit zugrunde: die Erkenntnis des Phänomens als sol-
chem. Diese Malerei wendet sich der Wahrnehmungswelt zu in einer neuen
Art des registrierenden Sehens und vernünftigen Begreifens. Sie hat ihre
Entsprechung in den systematischen Gesprächen des Sokrates, die ebenfalls
von den Erfahrungen der unmittelbar gegebenen Natur- und Menschenwelt
ausgehen und in denen in der gleichen Weise durch Abhebung des Gegensätzlichen argumentiert wird wie in dem Bild des Zeuxis. Durch die Darstellung der natürlichen Erscheinungsformen der Lebewesen werden ihre

102

gattungsmäßigen Verschiedenheiten und ihre typischen Lebensstufen voneinander abgehoben und so gekennzeichnet. Darin ist ein energischer Er-
kenntnisdrang ersichtlich, der durch Beobachtung das Gesetz der Art zu
erfahren sucht. Er führt auf anderem Gebiet zu dem anschaulichen Natur-
forschen und Naturwissen der Griechen, das gerade damals neue Impulse
erfährt, und zu der ganzen Systematik ihres logischen Denkens, zu dem sich
der systematische Aufbau des Kentaurenbildes von Zeuxis als Entsprechung
auf dem künstlerischen Gebiet erkennen läßt. Zeuxis erweist sich so für den
neuen Geist aufgeschlossen, und wie zur Bestätigung dieser Einsicht erfahren
wir, daß er und Apollodoros und Parrhasios mit Sokrates verkehrten, also
gewiß auch an den Gesprächen des Sokrates teilnahmen. So bringt denn
auch der Sokratesschüler Xenophon den Parrhasios mit Sokrates in einem
fiktiven Gespräch zusammen, in dem sie sich über die Malerei unterhalten.

Parrhasios von Ephesos

Dieses sokratische Gespräch ist für die Art und Bedeutung der neuen
Malerei, wie sie sich zur Zeit Xenophons und Platons im 4. Jahrhundert
herausgebildet hatte, besonders aufschlußreich. Es wirft auch ein erhellendes
Licht auf die Begründer dieser Malerei in den Jahrzehnten davor. Sokrates
erklärt darin die Malerei zunächst als Wiedergabe der sichtbaren Eigenschaften der Dinge, dadurch daß sie Erhebungen und Senkungen, Dunkles
und Helles, Hartes und Weiches, Rauhes und Glattes, Junges und Altes an
den Körpern durch Farbe wiedergebe, also ihre Oberfläche in Licht und
Schatten und deren Beschaffenheit. Das entspricht der Erkenntnis des Phänomens durch Wahrnehmung seiner äußeren Erscheinung, wie wir sie für
die Malerei des Zeuxis erschlossen haben. „Wie aber", fährt Sokrates fort,
„verhält es sich mit der Darstellung des Ethos der Seele, des Einnehmenden,
Freundlichen, Liebenswürdigen, Sehnsüchtigen, Bezaubernden? Oder läßt
sich dies nicht darstellen?" Parrhasios antwortet zuerst, es habe ja keine
von jenen körperlichen Eigenschaften, sei nichts Meßbares, habe keine Farbe
und sei überhaupt nichts Sichtbares. Darauf bringt Sokrates das Gespräch
auf die Bildung der Augen, denn darauf beruhe ja zum Beispiel der Ausdruck freundlicher oder gehässiger Gesinnung (wir erinnern uns dabei der
besonderen Bildung der Augen des Kentauren von Zeuxis). Sokrates führt
damit Parrhasios zum Bewußtsein dessen, was er als Maler schon unbewußt
darstellte, denn Parrhasios gibt zu, daß, wem etwas Gutes begegne, dessen
Ausdruck freundlich, wem etwas Böses, trübe und finster sei, und das sei
darstellbar. Worauf Sokrates erwidert: „Aber auch edler Sinn und hohe

Gesinnung, Gemeinheit und Niedertracht, Zucht und Besonnenheit, Vermessenheit und Unbändigkeit, auch das leuchtet hervor aus dem Gesicht, der Haltung, der Gebärde und dem Betragen der Menschen". Parrhasios muß darauf zugeben, daß auch diese Eigenschaften künstlerisch darstellbar seien. So wie auch Zeuxis die Kentaurenjungen „bei allem Kindischen im Ausdruck gleichwohl wild und trotz ihrer Zartheit schon unbändig" dargestellt hatte.

Es ist also das „Ethos" der Gestalten, eine neu entdeckte Tiefe der seelischen Dimension, die Parrhasios durch das Gespräch mit Sokrates bewußt wird, der ihn dadurch auf die höheren Aufgaben der Malerei hinweist. Diese höheren Aufgaben und die Darstellung des Ethos scheinen für die Kunst des Parrhasios besonders bezeichnend gewesen zu sein.

Sokrates spricht hier von den Erfahrungen der Menschenwelt und nicht von den Gestalten des Mythos. So wird es schon aus diesem kurzen Gespräch ersichtlich, daß im griechischen Denken an die Stelle des mythischen Begreifens der Welt nun das Begreifen der wahrgenommenen Dinge der Welt getreten ist. Dieses Blicken auf die unmittelbar gegebene Menschen- und Naturwelt kennzeichnet gerade auch die Malerei des Zeuxis. Beide, der Philosoph und der Maler, suchen den Zusammenhang der Dinge neu zu erkennen: der Philosoph durch die begreifende Vernunft und der Maler durch die Erfassung des Phänomens in seiner natürlichen Erscheinung. So faßt Zeuxis die Kentaurengestalten als Phänomene auf, die er mit Hilfe seiner gesammelten Augenerfahrungen und seiner Naturbeobachtung möglichst getreu der wahrgenommenen Naturwirklichkeit, das heißt: als natürliche Erscheinungen darstellt. Er vertritt damit eine ganz neue Richtung in der Malerei, der er die Darstellung der unermeßlichen Naturwelt erschloß und damit neue unabsehbare Gestaltungsmöglichkeiten eröffnete. Diese Welt der natürlichen Erscheinungen steht nun dem Menschen in ihrem selbständigen Dasein gegenüber und gibt auch ihm selbst ein neues Bewußtsein von sich. Denn indem er die Welt sich gegenüber sieht, erlebt er auch sich selbst auf eine neue Weise. In dem Maße jedoch, in dem ihm die Welt zum „Gegenstand" wird, den er begreifen kann, löst er sich auch von der mythischen Grundhaltung, in der ihn die Welt ohne den Umweg über die verstehende Vernunft anblickte und ansprach. Diese Loslösung geht aber nicht so weit, daß ihm der Sinn für den Seinszusammenhang verloren geht, und so bleibt ihm das Bewußtsein der Geborgenheit im Sein stets bewahrt.

Mythische Gestalten sind nicht durch bloße Naturbeobachtung zu erfassen, nicht allein mit den Augen zu erfahren und nicht nur mit der verstehenden Vernunft zu begreifen. Die Gestalten des griechischen Mythos sind große Beispiele für das, was dem Menschen widerfahren kann, selbst scharf umrissene Personen mit festem Namen und bestimmten Begebenheiten, die nicht nur das Tatsächliche, sondern zugleich den Sinn und die Bedeutung des berichteten Geschehens geben. Was die mythischen Zeiten in ihnen sahen, erscheint nur den Zeitaltern der Aufklärung als Ergebnis der menschlichen Deutung, während es jenen Zeiten als gültig und in einem höheren Sinn wirklich aus ihnen selbst hervorging. So haben noch die Tragödiendichter die alten Sagen verstanden. Doch wenn schon für die älteren Dichter das Göttliche nur in besonderen Fällen dem Menschen nahe war oder sich ihm offenbarte, so deutete bereits Euripides die handelnden Personen seiner Tragödien ganz vom Menschlichen her. Er suchte überall die inneren Mächte zu erkennen, denen sie folgten, und erschloß damit der dramatischen Kunst den Bereich der Leidenschaften und der Seele. Hatte sich schon bei Sophokles das Göttliche vom Menschlichen immer deutlicher geschieden, so liegt der Maßstab für die Gestalten des Euripides nur noch im Menschlichen. „Bei Euripides liegen die Spannungen im Seelischen, wenn nicht im Psychologischen, sei es als Kampf der Seelenkräfte oder Seelenmächte miteinander, sei es im Verhältnis eines überwallenden Gemüts zu der Macht der Umstände . . . Mit Euripides entstand erstmals die Art von Tragik, die nicht mehr im Kult und im Glauben, nicht mehr in den Bindungen des Blutes oder in der Scheu vor dem Urbereich ihre Wurzel hat. Die Tragödie des Euripides war übertragbar, nachahmbar, sie stand späteren Zeiten offen, hier konnte der Römer Römer bleiben, wenn er sie las, und nicht anders der Sohn des 16. und 17. Jahrhunderts" (K. Reinhardt). Auch das bedeutet die Ablösung des mythischen Denkens, an dessen Stelle in der Tragödie schließlich die Charakterschilderung und psychologische Motivierung treten. Diese Richtung scheint in der Malerei Parrhasios vertreten zu haben, und darauf spielt auch das Gespräch mit Sokrates bei Xenophon an, der den Maler und seine Bilder gekannt haben muß.

Von den Gemälden des Parrhasios sind uns keine Beschreibungen erhalten wie von dem Bild des Zeuxis. Doch kennzeichnet es seine Kunst hinreichend, wenn von einem Bild des Demos von Athen, also einer Personifizierung des attischen Volkes, berichtet wird, daß die späteren Maler es als Gipfel der Charakterisierungskunst priesen. Hier liegen die Wurzeln des gemalten Porträts, freilich nicht mehr, denn Parrhasios war kein Porträtmaler. Es wird ausdrücklich von ihm überliefert, „er habe allem eine so überlegene Form gegeben, daß er der Gesetzgeber genannt werde, weil die späteren Maler seiner Darstellung der Götter und Heroen wie mit Notwendigkeit folgten". Das kann kaum anderes besagen, als daß er ähnlich wie Euripides die Gestalten des Mythos in „große Charaktere" umdeutete und damit allerdings den kommenden Malern den unendlichen Reichtum der charakterisierenden

Menschendarstellung erschloß. Seine charakterisierenden Darstellungen der Götter und Heroen wurden hinfort wohl sogar maßgebend für das Verständnis der griechischen Mythologie überhaupt, denn alle späteren Darstellungen und vor allem auch die römischen Wandgemälde zeigen diese Umdeutung der mythischen Personen in große Charaktere. Diese Sehweise bestimmte noch Plutarch im 2. Jahrhundert n. Chr. bei der Abfassung seiner „Heldenleben", wo er es selbst ausspricht, daß er seine Helden schildern wolle, „wie sie die großen Maler dargestellt haben". Die großen Maler aber waren für Plutarch die griechischen Maler des 4. Jahrhunderts v. Chr.

Den tiefgreifenden Wandel, den das Menschenbild auf diese Weise erfuhr, veranschaulicht die Gestalt eines Jünglings auf einem großen attischen Ölkrug aus dem letzten Jahrzehnt des 5. Jahrhunderts v. Chr. (Taf. 52). Er ist in der Temperatechnik auf weißem Grund dieser Gefäßgattung von einem bedeutenden Maler ausgeführt, der auf der Höhe der Kunst seiner Zeit stand, wenn sich sein Gefäßbild auch gewiß nicht mit den anspruchsvolleren Tafelbildern seiner Zunftgenossen messen konnte. Durch die Lagerung des Gefäßes in der Erde sind die wenigen tonigen Farben, die große Flächen vor allem am Gewand abdeckten, leider ganz verloren gegangen. Doch wird die ganze Gestalt durch die reichliche Verwendung andeutender Striche hinreichend deutlich. Aber gerade dieser skizzenhafte Strich macht den ganzen Unterschied zu der älteren Konturmalerei besonders auffällig und eindringlich, auch den Unterschied zu den gleichzeitigen, technisch an den durchgezogenen Strich und den durchgeführten Kontur gebundenen Gefäßbildern auf schwarzem Grund. Auch die Haltung der Gestalt ist eine andere. Ihr Sitzen gleicht mehr einem Hinsinken, dem sich der ganze Körper überläßt, der in sich selbst keinen Halt mehr sucht. Ihm gleicht sich die lockere und aufgelöste Strichführung an, die nur Akzente setzt in einer ganz malerischen Weise, die mit dem reichlichen Farbauftrag den Eindruck des Bildes weitgehend bestimmt haben muß. Dazu kommt die Neigung des Kopfes, die durch die absinkende rechte Schulter verstärkt wird, und die Hochstemmung der unterstützten linken Schulter, zu der das Haupt herabsinkt, von Gedanken und Träumen schwer. Der äußeren Bewegung entspricht die innere. Die Augen haben kein festes Ziel, ihr Blick ist zurückgenommen, sie sehen nicht auf ein Außen, sondern schauen eine innere Welt. Diese neue seelische Dimension der Gestalt tritt nach außen in ihrer neuen räumlichen Tiefe in Erscheinung, in den gegensätzlichen Bewegungen und gegenseitigen Verschränkungen ihrer Glieder, die ihr eine ganz neue Körperräumlichkeit geben. Der Jüngling sitzt auf den Stufen seines Grabmals, das hier wie auf allen diesen Bildern besagt: „der Jüngling, der hier lebend dargestellt ist, ist nun tot". Die Gestalt ist also nicht das Bild eines Abgeschiedenen oder

Entrückten, und doch scheint sie von einer seelischen Erfahrung ergriffen, die jenseits von ihr liegt. Aber auch Bruder und Schwester, die zu beiden Seiten herantreten, haben an dieser im tiefsten Grund aufgerührten Welt teil. Hier ist die neue Form gefunden für ein neu erlebtes Menschenbild.

Wie die farbigen Tafelbilder dieser Zeit etwa ausgesehen haben, veranschaulicht die Darstellung einer Totenklage auf einem großen attischen Ölkrug der gleichen Zeit (Farbtaf. VI). Zu dem aufgebahrten Sohn beugen sich Mutter und Vater klagend herab. Links tritt ein Mädchen hinzu, das die Grabspenden in einem flachen Korb herbeiträgt und kompositionell ein Gegengewicht zu dem Vater rechts bildet. Die einst so figurenreiche Darstellung der Totenklage, dieses ältesten Motivs der griechischen Malerei, ist damit auf ein Mindestmaß von Figuren beschränkt und damit auf ihren dichtesten menschlichen Gehalt gebracht. Die Konturen der Figuren sind mit dem Pinsel auf den gelblichweißen Grund in rotbrauner Farbe aufgetragen. Die Körperfarbe der Frauen ist weiß und ohne irgendwelche Modellierung wiedergegeben wie auf allen diesen bunten Gefäßbildern. Weiß war die Körperfarbe der Frauen nicht nur in der Gefäßmalerei, sondern auch in der großen Malerei bis zu Polygnotos. Erst dieser scheint eine andere helle Grundfarbe verwendet zu haben, um die helle Haut der Frauen wiederzugeben, wie aus Lukians Lob des Wangenrots der Kassandra in Delphi zu schließen ist. Eine jahrhundertealte Tradition der griechischen Malerei wirkt hier fort, die die Frauengestalten stets heller als die Männergestalten malte. Sie wirkt bis in die römische Wandmalerei hinein, die eine helle Körperfarbe für die Frauen und eine dunkle für die Männer verwendet. Eine eigentliche Körperfarbe scheint bereits Zeuxis gekannt zu haben, denn nur mit den verschiedenen Tönen einer solchen war seine Kentaurin in „ihrer oberen Hälfte, das eigentliche Weib" in der Weise zu modellieren, daß sie „durchaus schön" erschien. Lukian lobt an dem Kentaurenbild als Ganzes „den wohlabgewogenen Auftrag der Farben" und „die richtige Schattengebung", die sich durch Abstufung der verschiedenen Töne der Körperfarbe auch auf den weiblichen Körper der Kentaurin erstreckt haben muß. Dagegen sahen sich die Gefäßmaler auch weiterhin auf die keramische weiße Farbe angewiesen, um den hellen Schimmer der weiblichen Haut wiederzugeben. Diese weiße Hautfarbe der Gefäßbilder zeigt bis weit in das 4. Jahrhundert hinein keinerlei Modellierung, wohl weil die Maler sich scheuten, die hellen Flächen durch dunklere Farbtöne oder schraffierende Striche, etwa in brauner Farbe, zu trüben.

Die Mutter in dem Lekythenbild trägt ein Untergewand von dunkelgrauer Farbe mit aufgesetzten braunen Faltenschatten, darüber einen rotbraunen Mantel mit Faltenrücken in hellerem Rot und dunkleren Schatten in Rotbraun. Ähnlich sind auch die Gewänder des Vaters und des Mädchens behandelt. Der Greis trägt einen dunkelpurpurnen Mantel mit dunkleren Faltenschatten in der gleichen Purpurfarbe, das Mädchen ein braungelbes Untergewand mit braunen Schatten in den Faltenbahnen. Die Bahrtücher sind weiß und haben oben und unten einen breiten dunkelpurpurnen Streifen, der obere mit einem Zinnenmuster. Das Gesicht des toten Knaben ist von rötlich brauner Hautfarbe, sein Haar dunkelbraun. Sein Haupt ruht auf einem gelblichen Kissen. Der Körper des Greises hat eine kräftigbraune Hautfarbe und ist durch schraffierende Striche in dunklerer brauner Farbe reichlich schattiert, wodurch die Brust, der rechte Arm, die rechte Hand, die Beine und die Füße modelliert sind. Die Iris des Auges ist weiß aufgesetzt, das Haupthaar grau, dessen Farbe am Oberkopf verlorengegangen ist. Er stützt sich auf einen gelb gemalten Stock.

Es ist keine Frage, daß wir hier ein Beispiel der neuen Malweise vor uns haben, die als „Schattenmalerei" bezeichnet wurde. Diese Art der Farbgebung muß auf den Tafelbildern noch stärker hervorgetreten sein als auf dem Gefäßbild. Sie muß den Tafelbildern eine ganz neue Tonigkeit gegeben haben, denn indem die Lokalfarben so die Hell- und Dunkelschattierung in sich aufnahmen, ließ sich erst ein farbig abgestuftes Gleichgewicht für das ganze Bild herstellen. Die Verdichtung der Farbe innerhalb der begrenzten Lokalfarbe ermöglichte erst einen tonigen Zusammenschluß der Figuren im Bild. Dadurch wurde eine Gesamtfarbigkeit erreicht, die dem Erfinder dieser Malweise Apollodoros bei den Späteren mit einem gewissen Recht den Ruhm des „Begründers der Malerei" einbrachte, denn erst in dieser Art von Malerei tritt die Farbe als gleichwertiges Element neben die Zeichnung und wird für den Gesamteindruck bestimmend.

Einen Eindruck von der äußeren Erscheinung solcher Gestalten der Tafelmalerei vermittelt uns die Wiedergabe einer leierspielenden Muse auf einem pompejanischen Wandbild aus der Zeit des Augustus (Taf. 53). Durch ihre einfache Farbgebung wie auch durch ihre Schlichtheit und Innigkeit unterscheidet sie sich merklich von allen anderen Gestalten der pompejanischen Wandbilder. Der Maler muß hier einem griechischen Vorbild auf einem Tafelgemälde etwa der zwanziger Jahre oder des vorletzten Jahrzehnts des 5. Jahrhunderts gefolgt sein. Dahin weist auch die Form der Lyra, die weder vorher noch nachher zu belegen ist. Mag auch der pompejanische Maler die Figur durch das große Motiv der von der Schulter herabfallenden doppelten Mantelfalte und die Betonung der Zickzackfalten des Mantelüberwurfs im Rücken in klassizistischer Weise linear verhärtet haben, so bewahrt sie doch so viel von solchen Gestalten der Tafelmalerei des Apollodoros und seiner Zeitgenossen, um uns eine gewisse Vorstellung von ihnen zu vermitteln. Sie läßt uns aber auch ahnen, was uns mit den Gemälden dieser großen Maler um die Wende vom 5. zum 4. Jahrhundert verlorengegangen ist. Denn erst durch diese gibt es eine Farbenmalerei im eigentlichen Sinn, die dann während der ganzen Dauer der Antike herrscht und noch in dem Sinn für die Schönheit der Farbe in den Wandmalereien und Mosaiken der byzantinischen Kirchen weiterlebt.

IV. DIE BILDUNGSWELT

Durch die neue geistige Entwicklung hatte sich überall in Griechenland der Sinn des Daseins gewandelt. In einer bereits wankenden Welt, in der der Einzelne nicht mehr gewillt und nicht einmal mehr fähig war, sich in jenen Zusammenhängen zu sehen und in sie einzufügen, von denen der Mythos redete, wendet sich der Grieche als religiöser Mensch der Seele und der Sorge für ihr Schicksal zu – und der Welt des Geistes mit seiner Fähigkeit, zu erfassen was die Dinge der Welt sind. Damit hebt ein neues Zeitalter in der Geschichte der europäischen Menschheit an aus den Trümmern des alten, das Zeitalter der „Kultur". Ihr Kennzeichen ist die geistige Freiheit von den alten Bindungen des Blutes, des Kultes und des Glaubens, und ihr inneres Merkmal eine seelische und geistige Durchdringung des menschlichen Lebens von einer vorher unbekannten Intensität.

Das Leben der Gemeinschaften lockerte sich in dem Maße, in dem sich gerade für die Begabtesten der Schwerpunkt des Daseins vom unmittelbaren Tun in das Geistige verlagerte und selbstgesetzliche Beschäftigungen wie Philosophie, Wissenschaft und Rhetorik an die Stelle der täglichen Bewährung in der Gemeinschaft traten. Damit bereitete sich langsam die Absonderung des geistigen Menschen von dem „nicht wissenden" Volk vor, und aus den „Tüchtigen" wurden die „Gebildeten". Einige der Besten wandten sich damals vom Staat ab und erstrebten im Hain des Heros Akademos, der „Akademie" Platons, Vollkommenheit in einer neuen, in Bildung und persönlicher Initiative verwurzelten Lebenstüchtigkeit aus geistiger Verantwortung. Das menschliche Dasein findet nun nicht mehr seine Deutung in den Gestalten und Geschehnissen der Tragödie, sondern in den Gesprächen Platons und seiner Jünger. Auch die einzige noch volkstümliche Dichtung, die Komödie, lebt nicht mehr vom gemeinschaftsbildenden Mythos, sondern schildert die Freuden, Mißgeschicke und Machenschaften der Bürger, die sich vom rauhen Tagesgeschehen in einen verfeinerten Lebensgenuß zurückgezogen haben. In der alten Komödie hatte sich dem Gesamtvolk der Athener der religiöse Sinn des Alltags erschlossen, das Wesen der Dinge seiner Umgebung und die Kräfte, die in seinem Leben wirkten. Nun wird die Bühne zu den „Brettern, die die Welt bedeuten", und diese Welt war durchaus profan.

110

Die Götter des 4. Jahrhunderts umgeben den Menschen nicht mehr wie in der alten Tragödie, sprechen nicht mehr unmittelbar zu ihm und haben sich vollends aus dem Menschengetriebe zurückgezogen. Sie rücken den Menschen immer ferner und werden schließlich zu Geist, philosophischen Begriffen oder „Trägern einer besonderen ethischen Idee", als welche sie noch dem neueren deutschen Humanismus galten. Nur durch Entsagung und Mühe gelangt der Mensch noch zur Anschauung des Göttlichen. Die Hinfälligkeit der nur im Menschlichen gegründeten Existenz verlangte ihren Zoll, aber zugleich erschien das menschliche Dasein auch in einem neuen Zusammenhang und einer neuen Rang- und Stufenordnung.

Damit mußten sich auch die Voraussetzungen des künstlerischen Schaffens von Grund auf ändern. Die Gestalten der klassischen Blütezeit waren noch in sich ruhendes Dasein ohne allen Bezug auf etwas außerhalb ihrer selbst. Nun leben sie von vornherein in einer ganz anderen Sphäre der Empfindung, eine Art Selbstverwandlung scheint sich in ihnen darzustellen, die das innere Schwergewicht des Menschen verlagert. Dies äußert sich in der Verlagerung des äußeren Schwergewichts: der Kontrapost der Figuren wird aufgegeben und mit ihm das harmonische Gleichgewicht des klassischen Körpers, der sich selbst trägt und sich selbst genug ist. Sie haben nicht mehr den gleichen Grad von körperlichem Dasein, drängen oft über sich hinaus und werden von dem strömenden Leben wieder leidenschaftlicher erfaßt. Die ganze griechische Plastik unterliegt diesem tiefgreifenden Wandel. Ihre Form ruht immer weniger im Kern der Gestalt, und in dem Maße, in dem der Mensch als Betrachter in den Mittelpunkt der Dinge rückt, erscheint auch seine Gestalt „in neuem Licht". Sie wird von dem Zusammenhang der weiteren Dinge ergriffen, von Licht und Schatten modelliert und bedingt, vom Stoff des Gewandes überströmt und überspült. In den tiefliegenden Faltenmulden des Gewandes, seinen Faltenbauschen und Faltentälern, in den Leeren zwischen den weit ausholenden Bewegungen nistet sich an den Gestalten ein außer ihnen Waltendes fest, das in Hell und Dunkel und wechselnder Farbentiefe an sie herantritt. Waren die Werke der älteren griechischen Kunst entstanden nur um da zu sein, so rechnen nun die Bildwerke stets mit dem Beschauer, sind auf ihn hin geschaffen und leben von seinen Augen. Am deutlichsten ist dieser Vorgang in der Wandlung, die die Malerei erfährt.

Diese neue Malerei ist nur e i n Ausdruck des neuen Zeitalters unter anderen, wohl aber ihr bezeichnendster. Was wir von der Kunst der bedeutendsten Maler des 4. Jahrhunderts noch fassen können, zeigt den Menschen in einer Welt neuer Zusammenhänge, in die ihn die Ideenschau des Platon und das philosophische Weltbild des Aristoteles im Reich der

Gedanken hineinstellten. Was uns von der griechischen Malerei dieses Jahrhunderts erhalten blieb: attische und unteritalische Gefäße, die in der alten Weise mit ausgesparten Figuren geschmückt werden, Reste hervorragender attischer Malereien auf Elfenbein (Taf. 57) und Gravierarbeiten auf Bronzespiegeln, kann uns den Verlust der großen Bilder nicht ersetzen, denn es gibt uns keine Vorstellung von dem unabsehbaren Reichtum und der Vielseitigkeit der Malerei dieses Jahrhunderts.

Mit der neuen Farbenmalerei hat sich der Weg der großen Maler endgültig von den Gefäßmalern getrennt, die jetzt erst mit „angewandter Kunst" arbeiten, deren Bilder daher mehr denn je in dem enggesteckten Rahmen des dienenden Gewerbes und seiner dekorativen Aufgaben befangen bleiben. Aber auch die freie Malerei hat ihr Wesen geändert und wird nicht selten eine Beute der schweifenden Phantasie, da sie nun nicht mehr dem alle verpflichtenden Mythos dient, sondern einer Bildungswelt und ihrem poetischen Gehalt. Daß die berühmtesten Gemälde des 4. Jahrhunderts ausschließlich Tafelbilder waren und nur gelegentlich auch von Wandmalereien berichtet wird, wie den Gemälden des Euphranor in der Staatshalle des Zeus Eleutherios in Athen, ist für diese Zeit gewiß bezeichnend. Echte Wandgemälde beruhen auf der monumentalen Form, die in der frühen Antike nicht weniger als im Mittelalter Dienst am verehrenden Werk war. In beiden Zeiten war das künstlerische Schaffen daher ein dem Heiligen geweihtes Handwerk, während es jetzt immer mehr zu einer selbstgesetzlichen Betätigung wird, oft nur mit dem Ziel der Virtuosität. Echte Wandmalerei ist der Ausdruck der höheren, alle umfassenden Einheit wie das Bauwerk, dem sie eingegliedert ist. Wie dieses umfängt sie den Beschauer als ein Teil des Raumes, in dem er selbst steht. Anders das im Atelier auf der Staffelei gemalte Tafelbild, das dem Beschauer gegenübersteht als eine Scheinwelt, die ihn zwingt, den ihn umgebenden Raum zu vergessen, und dies um so mehr, je malerisch tiefer das Bild und je durchsichtiger die Bildebene ist. Diese durchsichtige Tiefe ist lediglich die Tiefe der Augenphantasie und entrückt den Beschauer gerade der Tiefe des wirklichen Raumes. Die Maße der wirklichen Welt gelten nicht mehr, sie wird mit dem Ausdruck des Platon zum Phantasma, denn alle anderen Arten der Wahrnehmung werden aufgegeben zugunsten des einen Augensinnes. Den Raum, in dem der Mensch lebt, und die Greifbarkeit, die sein eigener Körper besitzt, „begreift" er nun „im Bilde" als höhere Wirklichkeit, wie er sie auch im Reich der Gedanken zu begreifen versucht.

Diese Tafelbilder sind immer noch Weihebilder, die in die Heiligtümer gestiftet werden, und sie stellen immer noch göttliche oder heroische Gestalten dar. Die klassische Grundhaltung erhält sich in vielen unverändert bis

VI. Totenklage von Vater und Mutter um den aufgebahrten Sohn auf einer Lekythos. Farbige Kopie. Berlin

an die Schwelle zum 4. Jahrhundert, wie sie eine nach Eleusis geweihte Tontafel zeigt (Taf. 54). Auf ihr sind die großen eleusinischen Gottheiten mit der alten Kraft des Glaubens in ihrer ungeschwächten Hoheit und Gegenwärtigkeit dargestellt, die in der fortdauernden Stärke des eleusinischen Mysterienkultes begründet ist. Aber ihre Darstellung erfolgt schon ganz in dem flüssigen Zeichenstil, wie er in dem „reichen Stil" vieler attischer Gefäßbilder auftritt und in seiner Steigerung zu einer allmählichen Auflösung der klassischen Figur führt. Aus ihm entstehen in den ersten Jahrzehnten des 4. Jahrhunderts Bilder von einem fast märchenhaften Glanz, deren übersteigerte Gestalten erfüllt sind von einem für die griechische Kunst ganz neuen Pathos, mit dem sie nun gleichsam als ihre eigene Darsteller vor den Beschauer treten. Besonders auffallend ist dies in einem Bild eines großen attischen Mischgefäßes, das die Einführung des Herakles durch Athena in den Himmel des Zeus schildert (Taf. 55). Vor diesem und ähnlichen Gefäßbildern dieser Zeit könnte man auf den Gedanken kommen, der Goethes Anschauung von den griechischen Göttern zugrunde liegt: daß sie Gestalten der poetischen Phantasie seien. Eine gewollte Entrückung in das Poetische ist in den Bildern nicht zu verkennen, und der Kundige mag darin mit Recht die Wirkung der Tragödie sehen, wie sie in den letzten Werken des Euripides und vielleicht mehr noch des Agathon auf die attische Bühne kam. Die Pracht der Gewänder und Requisiten, das Gehabe der Personen und der vielfach gebrochene Gesamtrhythmus, der sich an den einzelnen Gestalten wiederholt, besonders an der Athena, erinnern an das neue Seelendrama der Bühne. Der Reichtum der Linien, die erhöhte Pracht der Erscheinung, die auf den Gefäßen oft durch aufgesetztes Weiß oder Gold verstärkt wird, die Steigerung des Kleiderprunks unter der Einwirkung der gesteigerten Kleiderpracht der Bühne führen in der Malerei schließlich zu einem prunkenden Stil, in dem der „schöne Schein" mehr als alles andere gilt.

Die faktische Wirklichkeit, die dem Mythos für die ältere Zeit innewohnt, verwandelt sich in den Bildern immer mehr in eine poetische Wirklichkeit, und in dieser Form erhält sich die mythische Welt noch bis in das Ende des 4. Jahrhunderts. So werden nun auch die großen Göttermythen zu einem bildlichen Gleichnis der neuen Erkenntnisse. Der alte Kampf der Götter gegen die aufrührerischen Giganten wird zu einem bildlichen Gleichnis des Widerstreits der ordnenden und der chaotischen Naturmächte. Besonders großartige und figurenreiche Darstellungen dieses Kampfes erscheinen in den ersten Jahrzehnten des 4. Jahrhunderts auf einer Reihe von großen attischen Tongefäßen, die in einzelnen Figuren so genau und in der Gesamtauffassung so auffallend übereinstimmen, daß daraus mit Gewißheit auf ein großes Gemälde als gemeinsames Vorbild zu schließen ist (Taf. 56). Merkwürdigerweise gehört dieses Vorbild aber nicht der gleichen Zeit an, sondern der Parthenonkunst. Es ist das große Gemälde der Gigantenschlacht im Innern des Schildes der Athena des Pheidias, des 438 eingeweihten Kultbildes im Parthenon. Den Gefäßmalern scheinen die Entwurfszeichnungen zu diesem Gemälde vorgelegen zu haben, das wahrscheinlich von keinem geringeren als dem Bruder des Pheidias, von Panainos gemalt worden war. Auch von Parrhasios gab es noch bis in die Zeit der Römerherrschaft solche Entwürfe auf Holztafeln und Pergamenten, die von den Malern eifrig studiert und abgezeichnet wurden, wie Plinius überliefert. Diese Rückwendung zur klassischen Haltung durch den Rückgriff auf ein Werk der klassischen Kunst ist für die Zeit der Gigantenkampfbilder auf den Gefäßen sehr bezeichnend und auch in anderen Werken der bildenden Kunst festzustellen. Er wiederholt sich in den folgenden Jahrhunderten immer wieder, wo dem Einbruch neuer gestaltender Kräfte immer wieder eine Selbstberuhigung in einer neuen Klassizität folgt, und dieser Vorgang erneuert sich bis zum Untergang der antiken Kultur.

Auch das große Thema des Parthenonschildes wird auf den Gefäßbildern in den Stil der neuen Zeit umgesetzt, wenn auch wohl einzelne Figuren oder ganze Gruppen der Gigantomachie des Panainos nachgezeichnet sind. So ist auch die Gruppe des kämpfenden Zeus von einem dieser Gefäßbilder keine bloße Nachzeichnung, sondern eine Erfindung des Gefäßmalers im Sinne seiner Zeit (Taf. 56). Sie kann uns daher sehr wohl eine Vorstellung von der Art der zeitgenössischen Malerei vermitteln. Obgleich es dem Maler nicht gelungen ist, den Gegensatz zwischen der dekorativ erforderlichen Flächenbindung des Gefäßbildes und der neuartigen Tiefenstaffelung der Figuren auszugleichen, gibt es sich doch in den fliehenden Umrissen, den Drehungen und Wendungen der Gestalten und ihrer tänzerischen Haltung als ein echtes Kind seiner Zeit zu erkennen, der eine neue Art von Natur aufgeht, ein strömender dionysisch durchwalteter Kosmos, dem Götter und Giganten gleichermaßen angehören. Im ewigen Kampf der Ordnungsmächte der Natur gegen ihre anarchischen Kräfte steht hier das untere Reich der ungebändigten Söhne der Erde mit Fellen und Feuerbränden gegen das obere auf.

Der Geist des Jahrhunderts konnte sich in solchen Gefäßbildern freilich nicht frei und ungehemmt aussprechen. Die nun für jeden atmenden Körper erforderliche Räumlichkeit, der Einklang von innerer und äußerer Welt, die Verflüssigung des begrenzenden Konturs fanden an der Technik der Gefäßmalerei ihre Grenze. Sie konnte ihre Gestalten nicht in Licht und Luft stellen wie die große Malerei in ihren tonig angelegten Bildern, denen die neue Farbigkeit größere Möglichkeiten bot als die angewandte Kunst der

114

Konturmalerei (Abb.). Ihr standen auf dem beengenden Grund der schwarz glasierten Gefäße nur die wenigen keramischen Farben zur Verfügung, die sie durch reichliche Verwendung der weißen Deckfarbe nicht gerade zum Vorteil der farblichen Einheit bunter zu gestalten suchte. Selbst wo einige große Maler, wie aus den antiken Schriften hervorgeht, der neuen sich verströmenden Bewegung durch einen bewußt gepflegten, konservativen Linearstil Schranken setzten, müssen ihre Gemälde durch ihre Gesamtfarbigkeit doch weit über die Bilder auf den Gefäßen hinausgegangen sein.

Die Glanzzeit der Gefäßmalerei, deren Stärke in dem durchgezogenen Strich liegt, ist vorbei, wenn sie auch gegen die Mitte des Jahrhunderts sich noch einmal zu einer neuen kurzen Blüte entfaltete. Der Anstoß hierzu kam wohl aus jener Richtung der großen Malerei, die im Anschluß an die klassische Blütezeit seit dem zweiten Viertel des 4. Jahrhunderts einen neuen verfeinerten Linearstil pflegte. Beispiele dieser verfeinerten Kunst sind uns in Malereien auf Elfenbein erhalten, die in einem skythischen Fürstengrab bei Kertsch in Südrußland gefunden wurden und von einem Elfenbeinkästchen stammen, das der bestattete Fürst aus einer attischen Werkstatt bezogen hatte (Taf. 57). Sie gehören zu dem Besten und Kostbarsten, das uns von der griechischen Malerei erhalten blieb, und sind von einem hervorragenden attischen Maler etwa in dem Jahrzehnt vor der Mitte des Jahrhunderts bemalt worden. Auf den stark zerstörten Elfenbeinplatten sind allerdings nur die Einritzungen der vollkommen durchgezeichneten Figuren erhalten, die mit einem reichen feinen Farbauftrag versehen waren, der stellenweise Verfärbungen in der Oberfläche zurückgelassen hat. Da der Maler die Figuren in dem verfeinerten Linearstil durchzeichnete, blieb jedoch das Wesentliche von ihnen erhalten. In der Feinheit der Ausführung stehen sie über den besten gleichzeitigen Gefäßbildern.

In vielen Bildern der Gefäßmalerei findet eine andere Richtung der großen Malerei mit ihren reiferen Formen ihren Widerschein in einer neuen, skizzierenden Art der Strichführung, womit die Gefäßmaler die Farbigkeit und das Helldunkel der großen Malerei mit zeichnerischen Mitteln wiederzugeben trachten (Abb.). Die Strichführung ist von einer sehr starken, rundenden, voll modellierenden Kraft. Die Haltung der Göttin ist von einem großgebärdigen Wesen, das sich auch in anderen gleichzeitigen Gefäßbildern ausbreitet und ein Jahrzehnt später in der Alexanderzeit schließlich zu einem „rühmenden" Stil steigert.

Man kann es wagen, neben diese Gefäßzeichnung ein wiedergewonnenes Tafelbild zu stellen, das aus einem kleinen Stuckgemälde von Herculaneum aus der Zeit des Kaisers Augustus zu erschließen ist (Taf. 58). Die Szene ist wohl von dem römischen Wandmaler einem griechischen Weihebild entnommen, denn ähnliche Gestalten finden sich auch auf den erhaltenen griechischen Grabreliefs des 4. Jahrhunderts, die den Toten geweiht waren. Ein Mädchen wird von einem anderen zum Priesteramt geschmückt. Der feierlichen Handlung wohnt die Mutter bei, die vielleicht zugleich die Oberpriesterin ist, denn solche Priesterämter waren in den vornehmen Familien erblich. So thront sie denn auch im Festkleid auf einem reich gedrechselten Stuhl. Das feierliche Thronen, die Ruhe der großen Gebärden, der wesenhafte Ausdruck der Gesichter, die Plastik der einzelnen Gestalten, die raumschaffend in leichter Schrägstellung gegeneinander gestellt sind, deren Blicke aneinander vorbeigehen und den Bildraum nach den verschiedensten Richtungen erschließen, die Beschlossenheit der Gestalten in sich, die jede in einer eigenen Sphäre leben, kennen wir auch von den griechischen Gefäßbildern und Grabreliefs der dreißiger und zwanziger Jahre des 4. Jahrhunderts. Auch der voll auf den Beschauer gerichtete Blick des Mädchens, der den Betrachter zu dem Bild in unmittelbare Beziehung setzt, ist ein für diese Zeit bezeichnendes Motiv. Mutter und Tochter präsentieren sich wie die sehr ähnlichen Gestalten auf attischen Grabreliefs dieser Jahrzehnte,

116

so daß kein Zweifel über die Zeit und die attische Herkunft des Originalbildes bestehen kann. Es war wohl ein Weihebild von der Hand eines be-
rühmten Malers, das von einer vornehmen Familie der Göttin gestiftet
wurde, deren Priesteramt das Mädchen ausübte. Auch von dem attischen
Maler Nikias dieser Zeit wird uns ein berühmtes Grabgemälde genannt.

Überraschend ist der Ernst, der aus der Haltung der Gestalten spricht und
ihnen ein überpersönliches Leben über die dargestellte Situation hinaus
verleiht. Es ist ein groß angelegtes Bild von großer Würde und Geschlossenheit, in dem die Menschen ein gleichsam statuarisches Leben haben, inner-

117

lich ganz in sich geborgen und eigentümlich wissend. Auch ihr Handeln ist selbstbewußt wie der Blick der jungen Priesterin aus dem Bild heraus. Der Strenge des Bildes entspricht die Farbtönung, so licht auch ihre Töne sind; darin folgte der Maler des Stuckbildes wohl ebenfalls dem Original. Die Thronende trägt ein weißes Untergewand, durch das am Oberkörper die helle Hautfarbe und die Formen der Brüste durchscheinen. Darüber liegt ein weißer Mantel mit einem hellblauen Rand und violett gehaltener Innenseite. Die junge Priesterin trägt ein hellviolettes Untergewand mit fast weißen Ärmeln und einer hohen, in dunklerem Violett gehaltenen Borte unten, auf der Stickereimuster in Weiß flüchtig angedeutet sind. Ihren Mantel in Grau und Dunkelgrau hat sie über die linke Schulter geworfen und um die rechte Hüfte gezogen, von wo sie ihn mit der (verlorenen) rechten Hand herüberzieht, ein bei Grabreliefs sehr beliebtes Motiv. Die Schmückende ist einen Kopf größer als das Mädchen, dem sie die Haare ordnet. Ihre Kleidung besteht aus einem weißen bis grauen Untergewand mit Ärmeln und einem hellblauen Mantel. Von blauen, grauen, braunen und violetten Faltenschatten ist reichlich Gebrauch gemacht. Der Hintergrund ist violett bis violettgrau, nach rechts hin leicht aufgehellt entsprechend dem Lichteinfall von links. Die Gestalten werfen jedoch keinen Schlagschatten, wie sie auch nicht im Bild, sondern auf einer einheitlichen Grundlinie stehen. „Es entsteht eine wohlklingende Musik zarter klarer Farben vor dem Dunkel des Hintergrundes. Das Bild enthält nichts, keine Zutat, keine Bewegung, keinen Affekt, der nicht sachlich in dem dargestellten Vorgang begründet ist. Es ist erfüllt von der natürlichen Weihe der Einfachheit wie jedes griechische Werk des großen Jahrhunderts" (Ludwig Curtius).

*

Im Verlauf eines langen Menschenlebens, vom zweiten Viertel des 4. Jahrhunderts bis zu seinem Ende, traten in allen Teilen Griechenlands, auch in den griechischen Koloniestädten in Unteritalien und in Ägypten, viele bedeutende Maler auf, die in drei aufeinanderfolgenden Generationen zur Blüte ihres Schaffens gelangten und den Ruhm der griechischen Malerei für alle späteren Zeiten begründeten. Viele ihrer Bilder wurden von den siegreichen Feldherrn Roms seit dem 2. Jahrhundert v. Chr. als Kriegsbeute in die neue Hauptstadt der alten Welt gebracht, in der sich die gebildeten Römer bald eine gute Kenntnis und begründete Wertschätzung der griechischen Malerei erwarben. Römischen Schriftstellern ist es daher zu verdanken, daß wir zahlreiche Nachrichten über diese Malerei und ihre Werke besitzen, von deren Bilder keines erhalten blieb. Diese Nachrichten über die griechischen Maler, ihre Malkunst und ihre Bilder, meist in Sammelwerken antiker Schriftsteller verstreut, die ganz anderen Zwecken dienten, sind jedoch zu spärlich und zu wortkarg, um auch nur eine hinlängliche Vorstellung von den Originalen dieser Maler zu vermitteln. Einige Maler des vierten Jahrhunderts und gerade die bedeutendsten unter ihnen haben zwar selbst Schriften verfaßt, die grundsätzliche Fragen der Malerei und Maltechnik behandelten, doch ist auch von diesen Schriften nichts auf uns gekommen außer gelegentlich ihren sehr allgemein gehaltenen Titeln über die Proportionen, die Gegenstände oder die Aufgaben der Malerei. Sie bezeugen jedenfalls eine sehr bewußte Kunstübung und gehen wohl durchweg auf Ateliergespräche der Maler selbst zurück, stellen Lehrmeinungen der verschiedensten Schulen dar, die zunächst wohl nur für die Maler und Künstler niedergeschrieben wurden. Doch müssen die Fragen der Malerei auch die übrigen Zeitgenossen stark beschäftigt haben, wie aus den erhaltenen Schriften des Platon, Xenophon und Aristoteles hervorgeht, denen die Malerei fraglos als die führende Kunst ihrer Zeit galt. Aus den Schriften der Maler entstand schließlich im 3. Jahrhundert v. Chr. eine ganze Kunsttheorie, die für das Kunsturteil der von Haus aus unkünstlerischen Römer maßgebend wurde. So führt der ältere Plinius in seinem Sammelwerk im 1. Jahrhundert n. Chr. aus einer großen Anzahl von Malern des 4. Jahrhunderts v. Chr. allein sieben mit Namen an, die den Gebildeten seiner Zeit als die bedeutendsten Maler der alten Welt galten.

Schließlich kennzeichnet es die Bedeutung, die der Malerei im 4. Jahrhundert v. Chr. in Griechenland zukam, daß damals die Unterweisung im Zeichnen in den Unterricht für die Knaben der freien griechischen Bürger aufgenommen wurde; so wichtig erschien den Griechen damals die Ausbildung und Pflege des Augensinnes. Wie stark sich die Malerei nun als ein eigener Kunstzweig entwickelte, bezeugt die Nachricht, daß bereits zu Beginn des zweiten Jahrhundertviertels eine bedeutende Malerakademie in Sikyon bei Korinth entstand. Ihr Begründer Pamphilos, auf dessen Betreiben auch der Zeichenunterricht für die Knaben eingeführt wurde, hatte sich nach der Überlieferung mit der Mathematik und der Geometrie eingehend befaßt, also wohl das Körper- und Zahlenverhältnis in der Malerei theoretisch zu begründen versucht und seine Lehre darauf gebaut. Dies ist bezeichnend für die neue Malerei, die in dem neuen Begreifen der anschaulichen Welt mit den wissenschaftlichen Bestrebungen des Jahrhunderts eng verbunden ist. Die Malerakademie des Pamphilos zeichnete sich durch „Ernst und Strenge" aus, so daß noch Plutarch im 2. Jahrhundert n. Chr. behaupten konnte, daß sie „allein das Schöne unverdorben bewahrte". Doch muß auch sie die neue „Richtigkeit" des Dargestellten erstrebt haben, die Pamphilos mit Hilfe der neuen Wissenschaften festzulegen suchte. Ihm stand in der attischen Schule eine andere Richtung der Malerei gegenüber, in der sich allem Anschein nach der beweglichere und neuerungssüchtige Stammescharakter der Ioner gegenüber der mehr bewahrenden Art der Dorier stärker geltend machte. Von beiden Schulen sind uns die Namen der Meister- und Schülergenerationen, unter denen sich die berühmtesten Maler befinden, bis in das nächste Jahrhundert hinein erhalten. Aber auch außerhalb dieser Schulen wirkten viele Maler, ganz abgesehen von den gewiß zahlreichen, uns unbekannt gebliebenen Künstlern, von deren Bildern Vieles dann in die römischen Wandgemälde eingegangen ist. Von dem Reichtum an genialen Begabungen, echten Talenten, wirklichen Könnern und hervorragenden Handwerkern der Malerei des 4. Jahrhunderts machen wir uns kaum eine hinreichende Vorstellung, schöpften doch aus ihm alle späteren Maler und viele Bildhauer bis in die Spätantike – und noch die Maler der Renaissance.

Es ist bezeichnend für die Kunst aller dieser Maler des 4. Jahrhunderts, daß ihre Bilder sich nicht mehr auf den Kult oder die mythologische Überlieferung bestimmter Heiligtümer beziehen, und die Maler den Gegenstand ihrer Bilder meist selbst wählen. Sie malten ihre Bilder nach eigener Eingebung im Atelier, und so entstanden die ersten Staffeleibilder der europäischen Kunst, die sie oft zu einem sehr hohen Preis an reiche Privatleute, Fürsten und Könige verkauften, die dann die Bilder einem Heiligtum ihrer Heimatstadt stifteten oder später auch zur Ausschmückung ihrer Paläste verwendeten. Der Glaube an die persönlichen Götter war in den Schichten der Gebildeten ohnehin längst erloschen, und in der bald vorherrschenden stoischen Philosophie verblaßten sie vollends zu Personifizierungen abstrakter Begriffe. Die griechischen Mythen aber lebten noch weiter in den Werken der bildenden Kunst, vor allem der Maler, denen sie einen großen Reichtum an künstlerischen Motiven boten, waren sie doch die einzige Gestaltenwelt, die die Griechen geschaffen hatten. Dadurch gewannen ihre Bilder einen poetischen Gehalt, den spätere Maler in Europa kaum mehr erreichten. Mit ihnen erhielt sich auch die große Auffassung lebendig, die durch die Überlieferung mit den mythischen Gestalten verbunden war. Dafür ist ein Ausspruch des Malers Nikias von Athen, der zu den bedeutendsten Malern der zweiten Hälfte des 4. Jahrhunderts gehört, sehr bezeichnend: „Auch das sei kein kleiner Teil der Malkunst, daß man sich einen bedeutenden Gegenstand zum Malen aussuche und nicht seine Kunst an Kleinigkeiten wie Vögeln oder Blumen verschwende. Denn er vertrat die Meinung, daß der Gegenstand selbst ein Teil der Malkunst ausmache wie bei dem Dichter die Mythen". Nebenbei erfahren wir daraus auch, daß es zu seiner Zeit Maler gab, die sich der Welt des Kleinen zuwandten, also „Stilleben" malten.

*

In dem Bild vom Thetisraub, das sich über die gewölbte Fläche eines bauchigen attischen Tonkruges der dreißiger Jahre ausbreitet, hat ein alter Mythos noch einmal eine lebendige Darstellung gefunden (Taf. 60). Sein dramatisch-tragischer Charakter hat sich hier zwar schon stark verflüchtigt, doch wird die Darstellung noch von der klassischen Grundhaltung getragen, die sich in den nächsten beiden Jahrzehnten schnell verliert. In dieser Darstellung vom Raub der Meerjungfrau Thetis durch Peleus, vor dem die Schwestern der Thetis in die Tiefe des Bildes flüchten, spielt der seitliche Zusammenhang der Figuren schon keine Rolle mehr. Sie ziehen nicht mehr in der Art der älteren Gefäßbilder als Figurenfries an dem Beschauer vorbei, und eine neue Geltung der Einzelgestalt macht sich hier bereits bemerkbar. Ein reicher bewegtes, dynamischer gesehenes Leben entfaltet sich, indem sich die Anordnung der Figuren zum Beschauer öffnet, der dadurch in das Gestalten-Leben des Bildes mit einbezogen wird. Es genügt dem Maler auch nicht mehr, den Vorgang selbst darzustellen, er will zugleich auch seine Wirkung zeigen in den fliehenden und zuschauenden Gestalten um die Hauptgruppe, in der allein sich das eigentliche Geschehen konzentriert. Der Mythos ist vollends in das Menschliche umgedeutet, die große Meergöttin ist nur noch ein sich fürchtendes Mädchen gleich einer Sterblichen und so auch ihre Schwestern. Sie ist nicht mehr die schwer zu Fassende, die sich in die verschiedensten Tiergestalten verwandelt, um dem Griff des Mannes zu entgehen, wie sie in den älteren Bildern stets dargestellt wurde. Das bewegte Geschehen kommt in der Gestaltung der einzelnen Figuren ganz besonders zum Ausdruck, so daß die nackt aus dem Meeresbad Fliehende zu einem prachtvoll gesehenen „Akt" wird. Die alte Einheit von Figur und Bild beginnt sich hier schon aufzulösen in ein Nebeneinander und Voreinander der Figuren, und bald bekommen die Bilder den Charakter einer vielgliedrigen Unbestimmtheit, in der neue Motive oft überraschend in den Vordergrund treten. Dies ist das Ende des gebundenen Flächenstils mit seinem zeitlosen Hintergrund. Mit ihm verliert die griechische Malerei viel von ihrem Rang einer für jede Zeit gültigen Darstellung der Menschenwelt, gewinnt aber viel an Zauber und Glanz der weltlichen Dinge und Begebenheiten, wird intim und gesellschaftlich.

Die Meister des neuen reifen Stils seit der Mitte des 4. Jahrhunderts sind im vollen Besitz der Mittel körperräumlicher Darstellung der Gestalten.

So vermögen sie einer jeden ihre eigene Sphäre zu geben, wie sie auf einem attischen Gefäßbild aus den späteren dreißiger Jahren an der prachtvollen Gestalt einer Athenerin vielleicht am schönsten zum Ausdruck kommt (Taf. 59). Jede Gestalt ist nun als ein Wesen von eigenem Ethos begriffen, wie es Sokrates in dem Gespräch mit Parrhasios forderte. An der Athenerin wird es auch deutlich, wie sehr die Erregung der Oberfläche, das Spiel der Falten und das Gewicht der Stoffmassen zu ihrer Erscheinung in diesem Sinne beiträgt. Durch ihr Ethos und ihr reicheres räumliches Leben vereinigen sich die Gestalten auf den Bildern miteinander zu einem verbindenden geselligen Dasein, einem Abbild der feinen Geselligkeit Athens und seiner Bildung. Der Kern dieser Bildung ist die griechische Mythenwelt, aber nun nicht mehr als sinnträchtige Gestaltenwelt, sondern als eine poetische Gegenwelt zum Alltag des Lebens. So tritt auch in den Bildern der Gefäße der Gehalt des einzelnen Mythos mit seinem bestimmten Geschehen zurück gegenüber den Zustandsbildern und den nur hinweisenden oder aufzeigenden Darstellungen. Die Mythenwelt wird zu einer unverpflichtenden Bilderwelt, die nur noch im Kunstwerk angeschaut werden kann.

Nikias von Athen

Ein berühmtes Bild dieser Art ist uns in drei Kopien in pompejanischen Wandgemälden erhalten. Die bedeutendste und getreueste dieser Kopien ist rund 1 m hoch und läßt auf ein großes Tafelbild des Nikias schließen. Es stellte die Befreiung der Andromeda durch Perseus dar (Taf. 61). Nach der Sage hatte sich die Mutter der Andromeda der größeren Schönheit ihrer Tochter vor den Nymphen gerühmt, die sich darüber bei ihrem göttlichen Vater beschwerten. Poseidon schickt zur Strafe für diese Überheblichkeit Überschwemmungen über das Land und einen gefräßigen Meerdrachen, der alles verwüstet. Ein Orakel versprach dem König Befreiung von dieser Landplage, wenn er Andromeda dem Ungeheuer opfere, und so läßt er sie als Beute für das Meerungeheuer an einen Felsen der Küste festschmieden. In der höchsten Not erscheint der beflügelte Perseus als Retter der Königstochter, tötet den Meerdrachen und befreit Andromeda, die er dann zur Frau nimmt; beide werden zu den Ahnen des ruhmvollen Geschlechts von Mykene.

Dies alles sind alte Sagenmotive vieler Völker, die auch in Griechenland noch heute im Volksmärchen weiterleben. Auch dem Maler Nikias kam es nur auf das märchenhafte Motiv an: die Befreiung einer schönen Jungfrau durch einen prächtigen Helden. Nikias stellt nicht den Kampf gegen das

122

Ungeheuer dar wie die älteren griechischen Maler und wieder Delacroix in seiner Skizze von 1854 im Louvre, noch die Not der Königstochter, welche die tragischen Dichter zum Kern des Mythos gemacht und andere Maler unter ihrem Einfluß dargestellt hatten. Er wählt wie Rubens in seinem Bild in Berlin den Augenblick, in dem der Kampf vorbei, das Schwerste getan und Andromeda von ihren Fesseln befreit ist. Sie macht eben den ersten Schritt in die neu geschenkte Freiheit, von dem bescheiden niederblickenden Helden artig unterstützt, dem man nichts mehr von dem furchtbaren Kampf anmerkt. Hier ist der mythische Gehalt der Sage ganz geschwunden, deren Gestalten nun aus der intimen gesellschaftlichen Sphäre gedeutet werden, die so vielen Gefäßbildern dieser Zeit ihren besonderen Reiz gibt. In dem Bild ist nichts Furchtbares mehr und nicht einmal etwas menschlich Erhebendes; durch den Bruch mit der traditionellen Darstellung ist ihm jede mythische Kraft verloren gegangen. Von dem Mythos sind nur die „stummen" Bildelemente geblieben: der Kopf des verröchelnden Drachen links in der Bildecke, auf den niemand achtet außer dem Betrachter des Bildes, die kleinen Flügelschuhe des Perseus, das Sichelschwert und das wahrlich nicht mehr schreckhafte Medusenhaupt in seiner Hand, die wie zusammengeraffte merkwürdige Schmuckstücke wirken und lediglich als Erkennungsmarken für den Betrachter dienen, sowie der Rest der Fessel am linken Handgelenk der Andromeda. Sie allein lassen erkennen, um was es sich eigentlich handelt, so wenig ist der Vortrag des Ganzen von dem mythischen Inhalt bestimmt. Der statuarische Charakter der Gestalten ist zwar noch beibehalten, aber auch er ist mehr eine Art des Vortrages als ein Ausdruck ihres Lebens wie auf dem wenig älteren Weihebild der Priesterin. Wie auf diesem durchkreuzen die Blicke das Bild in verschiedenen Richtungen, aber sie sind ohne Strahlkraft, auch wenn der Ausdruck der Gesichter durch den Kopisten viel verloren haben mag; sie begegnen sich nicht und sind ohne Spannung. Das Bild ist so arm an menschlichem Gehalt und so ohne jede Dramatik, daß Haltung und Gebärde der Personen in der Kopie zur bloßen Pose erstarrten. Der mythologische Gegenstand ist also lediglich ein Motiv für den Maler.

Welche künstlerischen Absichten verfolgte der Maler mit diesem Motiv? Darauf gibt wohl die farbige Behandlung eine Antwort, die alle drei Kopisten als einen so wesentlichen Bestandteil des Bildes betrachten, daß sie sie in der gleichen Weise und demnach wohl nach dem Original wiedergeben. Die helle Gestalt der Andromeda mit der hellen Haut ihres entblößten Oberkörpers und ihrem schimmernden Seidenkleid in hellen rötlichen Goldtönen, das von Glanzlichtern überspielt wird, hebt sich als farbige Erscheinung im Licht kräftig von dem dunkleren Hintergrund des bräunlich getönten Felsens ab. Perseus dagegen mit seinem gebräunten Körper, dessen dunkelkupferne Farbe durch die Folie des dunkelroten Mantels mit dunkel blaugrauer Borte verstärkt wird, steht vor dem hellen Hintergrund des Felsentores und dem hellblauen Meer, das mit seiner hohen Horizontlinie und dem kalkweiß gelassenen „Himmel" darüber den Bildgrund für seine Gestalt abgibt. Auch wenn dieser Durchblick erst von dem pompejanischen Maler in das Bild eingefügt ist, die Felswand hinter Perseus also ursprünglich in dem Bild des Nikias ebenso geschlossen war wie hinter der Andromeda, kann eigentlich kein Zweifel darüber bestehen, daß Felsen und Meer nur hintergründige Farbwerte für die Figuren des Bildes abgeben. Hier ist keine „Landschaft" gemalt und weitet sich nicht der „Blick in die Ferne", wie manche Erklärer meinen. Im Gegenteil wird die Flächenbindung der Figuren sogar noch verstärkt durch ihre aufdringliche Bezogenheit auf die unterschiedlichen Farbwerte des Hintergrundes. Zwischen Figuren und Hintergrund besteht nicht ein räumliches, sondern ein farbiges Wechselspiel. Sie erscheinen weniger als frei bewegliche Lebewesen vor einem festen landschaftlichen Hintergrund, sondern sind eher Erscheinungen, die in wunderbarer Weise aus dem Dunklen oder Hellen hervortreten, das heißt aber: aus der malerischen Tiefe des Bildes hervorgehen. Gerade das aber rühmten die antiken Schriftsteller an den Gemälden des Nikias: „Er beachtete das Licht und den Schatten und legte große Sorgfalt auf das körperliche Hervortreten seiner Gestalten".

Es war wohl diese durchgängig farbige Qualität seiner Bilder, die Nikias seinen Ruhm einbrachten. Sie beruht auf dem neuen malerischen Sehen mit dem einseitigen Augensinn, das der Malerei ganz neue Wege öffnete. Die neue Tonigkeit, in der die Maler schon um die Wende vom 5. zum 4. Jahrhundert ihre Gemälde angelegt hatten, mußte in der Folgezeit zur reinen Farbigkeit führen, zu einem „Kolorismus", der nicht mehr auf dem Einklang der Eigenfarben beruhte, sondern auf dem Farbenspiel des Lichts. Der neu erwachte Augensinn entdeckte bald auch, das Schatten und Reflexe nichts Trübes sind, sondern klare Farben, daß Licht und Schatten nicht nur Helligkeitsgrade bezeichnen, sondern auch Farbwerte sind. Das Auftreffen des Lichts auf die Körper und Stoffe, wie es das Andromedabild zeigt, der „Licht-Stil", wurde schließlich zum besonderen Anliegen der Maler. Damit hatten sie das Medium gefunden, das alles Körperhafte in einem neuen Zusammenhang zeigt und ihm geistige Durchsichtigkeit gibt. Dieser neue Zusammenhang, der sich nur schwer in Worte fassen läßt, ist der Ausdruck einer neuen Stellung des Menschen in der Welt. Sie findet in der Malerei ihren Ausdruck in dem neuen farbigen Zusammenhang der Bilder und in ihrer neuen malerisch durchsichtigen Tiefe. Platon (Staat 10, 2) drückt dies mit den Worten aus, daß die Malerei nicht das Sein wiedergebe, wie es sich verhält (τὸ ὂν ὡς ἔχει) , sondern das Phänomen, wie es erscheint (τὸ φαινόμενον ὡς φαίνεται).   Ebenso richtig können wir aber auch übersetzen, daß die Malerei „das offenbar Gewordene wiedergebe, wie es sich zeigt". Damit ist zugleich ausgesagt, daß es sich in dieser Malerei um eine neue Art, die Welt zu sehen, und um ein neues Weltverständnis handelt. So läßt denn auch Aristoteles die bildende Kunst als eine besondere Weise des Offenbarmachens von Seiendem gelten.

Nach dem Gesagten erübrigt es sich fast, auf überlieferte Einzelheiten der neuen Malerei einzugehen, doch bestätigen sie das Vorgebrachte auf vielfache Weise. So wird von Nikias berichtet, daß er vor allem enkaustisch malte, wobei Wachsfarben verwendet wurden, die man auf die geweißte Holztafel oder wie bei der Grabstele des Lyseas auf die geglättete Marmorplatte heiß auftrug in einem Verfahren, das der Ölmalerei entspricht und den Farben eine größere Leuchtkraft und Tiefe gab.

Apelles von Kolophon

Sanfte Übergänge von den beleuchteten zu den beschatteten Stellen, Glanzlichter, Lasuren zur Vertiefung der Farben, eine höchst durchgebildete Zeichen- und Maltechnik werden unter anderem auch von Apelles überliefert, dem berühmtesten Maler des Altertums. „Er allein hat die Malerei mehr gefördert als alle anderen, obwohl in seiner Zeit die bedeutendsten Maler lebten", sagt Plinius von ihm. Apelles stammte aus dem griechischen Kolophon an der kleinasiatischen Küste, war Ehrenbürger von Ephesos, besuchte zur Vervollkommnung seiner Maltechnik die Akademie in Sikyon und weilte lange am makedonischen Königshof, wo er mehrere Bilder von König Philipp malte. Mit Philipps Sohn, Alexander dem Großen, stand er auf vertrautem Fuß, der ihm die authentische Gestaltung seiner Bildnisse anvertraute. Sein berühmtestes Gemälde stellte die schaumgeborene Aphrodite dar, die dem Meer entstieg. Die hohe Einschätzung dieses Tafelbildes, das ein unbekannter Stifter in das Asklepiosheiligtum der Insel Kos (eine der südlichen Sporaden in der Ägäis) geweiht hatte, geht daraus hervor, daß es der Kaiser Augustus nach Rom bringen ließ und der Venus, der göttlichen Ahnin seines Geschlechts, im Tempel des Caesar weihte. An dieses Bild knüpfte sich die Anekdote, daß die Athenerin Phryne, die als die schönste Hetäre des Altertums galt, dem Apelles den Vorwurf für sein Bild eingegeben habe, als sie beim Demeterfest in Eleusis vor allem Volk nackt das Kultbad im Meer nahm.

Diese Anekdote wäre unverständlich, wenn die Aphrodite des Apelles mehr den Eindruck göttlicher Erhabenheit gemacht hätte als den einer großen leiblichen Schönheit, die freilich der Liebesgöttin wohl zukam. So wird auch die Schönheit und der Schmelz ihrer Gestalt, das Durchschimmern ihres Leibes durch das Meerwasser, das sie bis zu den Brüsten bedeckte, die Wiedergabe des Meeresschaumes und der Feuchtigkeit in ihrem Haar, der ganze Zauber ihrer leuchtenden Erscheinung gerühmt. Dies alles war nur mit den neuen malerischen Mitteln wiederzugeben. Weniger der Glaube an die Person der Göttin schuf dieses Bild, sondern das künstlerische Motiv eines Frauenleibes von aphrodisischer Schönheit. Die Maler der Renaissance haben dieses Motiv wieder aufgenommen, angeregt von den begeisterten Schilderungen der antiken Schriftsteller und Dichter.

Apelles malte auch „Donner, Blitzleuchten und Blitzschleuderung" in einem Bild für sich, also Personifikationen von Naturerscheinungen (die damals als solche bereits erkannt waren), wo die älteren Maler den blitz-schleudernden Zeus dargestellt hätten. Schließlich fehlte es auch nicht an rein allegorischen Darstellungen, zu denen es von diesen Personifizierungen nur ein Schritt ist: der Verbildlichung moralischer Begriffe in seinem be-rühmten Bild der „Verleumdung", die mit „Unwissenheit" und „Argwohn" gepaart war. Sie war nach der Beschreibung Lukians „ein prächtig schönes Weib, etwas hitzig und erregt, wie um Leidenschaft und Eifer anzudeuten. In der Linken trägt sie eine brennende Fackel, mit der Rechten schleppt sie einen Jüngling an den Haaren herbei, der die Hände zum Himmel erhebt und die Götter zu Zeugen anruft, geführt von dem Neid in Gestalt eines bleichen und verwachsenen Mannes mit stechendem Blick und wie von Krank-heit abgezehrtem Körper. List und Täuschung folgten als Geleiterinnen der Verleumdung. Ihnen zieht eine traurige schwarze Gestalt nach, die Reue, die weinend und voll Scham auf die sich nahende Wahrheit blickt". Den Gestalten waren wohl auch ihre Namen beigeschrieben, es sind die Namen der neuen Wahrheiten, die die Philosophen des ausgehenden 4. Jahrhunderts entdeck-ten, denen sie Wesenheiten bedeuteten, die daher auch wie die Gestalten des alten Mythos körperliche Erscheinung annehmen konnten. Sie begründeten die allegorischen Darstellungen des Abendlandes, die durch die Vermittlung der römischen Kunst und die Beschreibungen der römischen Schriftsteller in die Kunst der Renaissance und des Barock Eingang fanden. Bekannt ist das Bild der „Verleumdung" in den Uffizien in Florenz, das Boticelli nach der Beschreibung Lukians gemalt hat.

Eine Erscheinung mythenhaften Ranges erblickten die Zeitgenossen des Apelles in Alexander dem Großen, die über alle ihre Maße der Wirklichkeit hinausging. Aus dieser Vorstellung heraus malte Apelles den Alexander mit dem Blitz in der Hand, dem allegorischen Zeichen der Weltherrschaft. Darin zeigt sich der Verfall der mythisch begründeten Kraft auch dieser uralten göttlichen Zeichen, der den Untergang der alten Götter als wirkende Mächte begleitete.

Wesentlich für unser geschichtliches Verständnis dieser Wandlung des künstlerischen Gestaltens ist jedoch die Kraft des neuen Sehens, dem sich in den gegebenen Erscheinungen der Natur- und Menschenwelt das Lebensgeheimnis offenbart, das gerade durch das Spiel mit dem Schein in dieser „Scheinmalerei", wie Platon sie nennt, auf eine neue eindringliche Weise in das Blickfeld der Menschen rückte. In den Bildern der großen Maler fand es vor allem seinen Ausdruck in der neu entdeckten Dimension der Farbe. Ihre Palette übernehmen die römischen Wandgemälde, die eine sehr eigenartige und unvergleichliche Farbenzusammenstellung zeigen, von einer besonderen Helligkeit, die sich bis zu einem perlmutterartigen überirdischen Glanz steigern kann, ähnlich den in überirdischer Nacktheit erscheinenden Helden- und Göttergestalten.

Das Bild des Jünglings in seinem hellen Glanz, wie ihn die griechische Kunst in einzigartiger Weise immer wieder darstellte, erscheint noch einmal in den Gestalten eines pompejanischen Wandbildes, die ein bedeutendes griechisches Gemälde vom Ende des 4. Jahrhunderts zum Vorbild haben, dessen Meister wir nicht kennen: Orestes und Pylades in Tauris (Taf. 62–63). Orest, der Sohn des Agamemnon, und sein geliebter Pflegebruder Pylades wurden nach der Sage mit dem Schiff nach Tauris an der Küste des Schwarzen Meeres verschlagen. Dorthin war auch ihre totgeglaubte Schwester Iphigeneia von Artemis entrückt worden und wirkte unter dem Landeskönig Thoas als Priesterin in dem Heiligtum der Göttin. Von ihm sagte Euripides in seiner Tragödie „Iphigeneia in Tauris":

> Ein jeder Fremde, der sich diesem Lande naht,
> Fällt nach uraltem Brauch von Priesters Hand.

So sind auch Orestes und Pylades der Göttin als Opfer verfallen und erscheinen in dem Gemälde mit gefesselten Händen und von einem lanzentragenden Soldaten bewacht. Ihnen gegenüber auf der rechten Seite des Bildes sitzt König Thoas als scheinbarer Herr der Situation in lässiger, aber würdiger Haltung, die Hände leicht auf den Herrscherstab vor sich gestützt, das Schwert als Zeichen seiner Gewalt über Leben und Tod quer über die Beine gelegt und bereit, den Bericht der beiden anzuhören. Hinter ihm steht sein Leibwächter mit Lanze und Schild. In der Bildmitte im Hintergrund erhebt sich zwischen diesen beiden Gruppen eine Freitreppe, die zu der Vorhalle des verhängten Artemistempels führt. Vor dem Vorhang steht von allen unbemerkt Iphigenie mit dem kleinen Kultbild der Artemis im Arm, um es angeblich im Meer an der Küste zu baden, in Wirklichkeit aber, um mit den beiden Griechenjünglingen zu fliehen. Die einhundert Jahre vor dem griechischen Originalbild gedichtete Tragödie des Euripides enthält keine Szene, die diesem Bild entspricht. Es stellt so, wie es der pompejanische Maler an die Wand gemalt hat, überhaupt keine bestimmte Situation der oft umgedichteten Sage dar, sondern führt nur in einer Art „lebendem Bild" die Hauptgestalten der Sage vor. Er hat das Original also erweitert, nicht nur durch den Altar und die Geräte vorn zwischen den beiden Männergruppen, sondern auch durch die Iphigenie und die Freitreppe mit dem Tempel. Sie bringen ein räumliches Element in das Bild, das dem Original des 4. Jahrhunderts fremd war, denn die eigentlichen Bildträger sind die beiden einander gegenüberstehenden Gruppen der gefangenen Jünglinge und des Königs mit seinem Leibwächter. Sie geben dem Bild die dramatische Spannung und das innere Leben, die der ursprünglichen Fassung angemessen erscheint.

Orestes blickt in stumm gewordener Verzweiflung und traurig ergeben vor sich hin, in Gestalt und bekränztem edlem Haupt von leuchtender Schönheit. Pylades erglüht in der ungebrochenen Jugendkraft, dem Barbarenkönig in trotziger Auflehnung feindliche Blicke sendend. Der König mustert, ungerührt von so viel Schönheit, aber voll Aufmerksamkeit, die beiden Opfer. Die weiche Art, in der die Köpfe des jungen Heldenpaares modelliert sind durch lauter kleine Striche, mit denen das hohe Relief der Lichter herausgearbeitet ist, führt erst auf den eigentlichen malerischen Gehalt der Bildschöpfung: das Leuchtende der Jünglinge, das kräftige Braun der Körper, das durch den roten Mantel im Rücken des Orest vertieft und durch das aufbegehrende Gelb des Mantels des Pylades kontrastiert wird, das Zurücktreten der Nebenpersonen, die in hellerem Farbauftrag ausgeführt sind. Auch der König ist durch einen tiefroten kurzen Mantel als Vordergrundfigur gekennzeichnet und in seiner Würde gehoben. Am prächtigsten aber sind Haltung und Ausdruck des Freundespaares, ohne Pose und ganz von innen bewegt. Das Pathos des Pylades erinnert an Marmorköpfe des Bildhauers Skopas, eines älteren Zeitgenossen des Nikias. Der Kopf des Orestes aber kommt der schönsten griechischen Erzstatue des 4. Jahrhunderts sehr nahe, dem „Knaben aus dem Meer" aus den vierziger Jahren, der einen jugendlichen Hermes darstellt, wohl von der Hand des großen Praxiteles selbst. In den Gestalten des Orest und Pylades ist somit Wesentliches des Originalbildes und der Kunst seiner Zeit bewahrt. Sie gehören zu den letzten jener leuchtenden Reihe von Jünglingsbildern, die die griechische Kunst schuf.

Die heute allgemein bekannteste malerische Schöpfung der Antike ist das Alexandermosaik von Pompeji (Taf. 64). Seit seiner Aufdeckung in der verschütteten Vesuvstadt im Jahre 1831, die Goethe noch erlebte, der die Bedeutung dieses Bildes aus einer zugesandten Zeichnung sogleich erkannte, hat sich sein Ruhm nicht gemindert. Es ist die Kopie eines Gemäldes vom Ende des 4. Jahrhunderts v. Chr., dessen Maler wir mit größter Wahrscheinlichkeit bestimmen können. Neuere Untersuchungen haben die alte Vermutung fast bis zur Gewißheit erhoben, daß das Original von dem Maler Philoxenos von Eretria auf Euböa gemalt wurde. Er malte das Bild wahrscheinlich im Auftrag des Königs Kassandros, der als einer der nächsten Nachfolger Alexanders des Großen von 317–297 in Makedonien regierte. In diesen beiden Jahrzehnten wird demnach das Original entstanden sein. Es gilt noch heute als „grandioseste Komposition eines Gemäldes, die es überhaupt gibt", dessen Schöpfer „dem Geschlecht der Michelangelo, Raffael und Rubens angehörte". Das Mosaik war durch einen geschickten Mosaizisten in den Fußboden des Hauptraumes der Casa del Fauno in Pompeji verlegt worden, erlitt aber durch das Erdbeben des Jahres 62 und durch Abnützung viele Beschädigungen, die bei der endgültigen Verschüttung durch den Vesuvausbruch des Jahres 79 noch nicht alle behoben waren. Außerdem ist die Kopie an vielen Stellen ungenau und lückenhaft, bewahrt aber dennoch so viel von dem verschollenen Original, daß es noch eine vollständige Vorstellung von ihm vermitteln kann. Das Originalbild war berühmt und den römischen Schriftstellern bekannt. Es befand sich damals wahrscheinlich schon in Rom, wo es von dem Mosaizisten auf Kartons aufgenommen werden konnte, die ihm beim Verlegen der etwa 1½ Millionen Steinchen kleinsten Formats als Vorlage dienten. Das Originalbild wird von den antiken Schriftstellern als Tafelgemälde bezeichnet, und in der Tat füllt die Komposition die große Bildfläche des Mosaiks von $5 \times 2,70$ m voll aus, obwohl die Figuren nur etwa halbe Lebensgröße haben. Die großen Ausmaße entsprechen vielleicht dem Original, sie sind zwar für ein Tafelbild aus Holz ungewöhnlich, aber für ein großes Gemälde auf mehreren aneinandergefügten Holzplatten nicht unmöglich und im Hinblick auf den Auftraggeber und den Gegenstand nicht unwahrscheinlich.

Dargestellt ist eine Schlacht zwischen Alexander dem Großen und dem Perserkönig Dareios, die einzelne bezeichnende Episoden aller drei großen Perserschlachten Alexanders in einem bedeutenden Gesamtbild der „Taten des großen Königs" vereinigt. Es ist also kein eigentliches Historienbild. Die Schlacht selbst ist schon entschieden, denn der Sieg Alexanders vollendet sich eben durch den Vorstoß seiner berühmten makedonischen Reiterei. An ihrer Spitze dringt Alexander bis zum Perserkönig selbst vor, der schon in

Gefahr gerät, umzingelt zu werden. Im letzten Augenblick hat sich zwischen beide ein vornehmer Perser geworfen, der auf seinem gestürzten Pferd von Alexander mit der Lanze durchbohrt wird. Diese grausam realistische Episode bedeutet kompositionell das hinhaltende Moment in der aufs höchste gesteigerten Dramatik des Bildes. Dem Dareios bleibt als einziger Ausweg nur noch die Flucht mit seinem Wagen rechts aus dem Bild heraus, und heftig saust die Peitsche seines Wagenlenkers auf das galoppierende Pferdegespann (Taf. 66). Der Perserkönig hat darauf und auf sich selbst nicht acht, sondern starrt erschreckt und versört auf seinen stürmischen Gegner, dessen gewaltiger Blick über den Durchbohrten hinweg sein hohes Ziel sucht und findet. Alexander dagegen ist ganz Drang und Vorwärtsstürmen, ein griechischer Held des alten Schlags, und daher auch mit einmaligen unverkennbaren Zügen gebildet, wie sie die griechische Kunst nur dem großen Individuum zugestand (Taf. 65). Es sind die gleichen Züge, die auch sein Bild in der Literatur festgehalten hat: das mähnengleiche Haar und der strahlende Blick der großen glänzenden Augen, die den König so löwenhaft und männlich erscheinen ließen.

Bewegungsrichtungen und Blickrichtungen spielen in dem Bildaufbau eine wesentliche Rolle, sie führen den Beschauer von einer Hauptgruppe zur anderen und machen dadurch die inneren Bezüge der Gestalten sinnfällig. Die aus dem Getümmel herausragende Gestalt des Dareios aber regiert das Bild mit einer weiten wehklagenden Gebärde von großer Eindringlichkeit. Malerisch die größte Figur des Bildes ist der Perser mit dem unwillig gewordenen sattelfertigen Pferd vor dem Wagen des Dareios in dem Momentanen der Übergangsbewegungen beider, in dem Nebeneinander von Menschen- und Pferdekopf und in der Mischung von Zögern und Handeln, Empfinden und Tun des Pferdehalters (Taf. 67). Es ist eines der neuen Motive, die in dem Vor- und Hintereinander der Gestalten sich nun oft überraschend in den Vordergrund drängen und den Bildern einen vollkommen neuen kompositionellen Aufbau geben. „Die Pferde sind nicht weniger prächtig als die Menschen", und „nur die großen Schlachtenbilder der Renaissance von der Konstantinsschlacht Raffaels bis zu der Amazonenschlacht des Rubens, sind zum Vergleich heranzuziehen. Aber an Konzentration, Dichtigkeit der Motive, Größe der Erfindung im einzelnen gemessen, halten sie alle den Vergleich nicht aus. Hier ist nichts bloß Füllsel und Schmuck, nichts Kompromiß und zufällige Episode" (L. Curtius).

Die Komposition der Alexanderschlacht entspricht den Grundsätzen, die Aristoteles für das Kunstwerk aufstellte: daß das geschilderte Geschehnis Anfang, Mitte und Ende habe und sein Ablauf in seiner ganzen Entwicklung und Mannigfaltigkeit innerhalb der Darstellung deutlich erkennbar sein müsse. Der dramatisch gedrängte Aufbau des Bildes vermählt sich mit einem freien Blick im unbefangenen Anschauen und Beobachten der Menschen- und Tierwelt, der zur Zeit des Philoxenos schon durch drei Generationen von Malern geschärft und verfeinert war. Der Gegenstand der Darstellung sind die Taten Alexanders, und auch hierin befindet sie sich in Übereinstimmung mit der Auffassung der Zeit, denn nach Aristoteles formen die Taten das Bild des großen Menschen und charakterisieren sein „Ethos". Um das Ethos geht es offenbar auch Philoxenos, der sich damit in die beste griechische Tradition einreiht. Das zeigt sich auch in der Strenge des Aufbaues und in der Ausführung.

Die Farbgebung ist auf vier Grundfarben aufgebaut, den austeri colori Gelb, Rot, Weiß und Schwarz, vermeidet also möglichst blaue und grüne Töne, die nur gelegentlich und gebrochen an Kleinigkeiten auftreten. Das Gesamtbild erhält dadurch eine feierlich-ernste farbige Haltung. „Mit seinem in den Mischtönen überaus reichen, durch das Schwarz zu großer Einheitlichkeit gebundenem und ernst gestimmtem Kolorit gibt das Mosaik einen vollen Eindruck davon, in wie hoher künstlerischer Vollendung es diese in fester Tradition an einfachen Mitteln festhaltende Malerei gebracht hat. Auf eine ähnlich farbige Wirkung, wie sie hier in der griechischen Kunst als das Ergebnis einer langen geschlossenen Entwicklung erreicht ist, sind große Meister der neueren Kunst, Velazquez, Rembrandt, Frans Hals, aus spontan künstlerischen Absichten ausgegangen" (F. Winter). Von Schatten aller Art und Glanzlichtern ist ausführlich Gebrauch gemacht, wie überhaupt die Körper, Stoffe und Gegenstände durch die reiche Abstufung der Farbenplastik stark modelliert sind. Und doch gewinnt der Betrachter nicht den Eindruck, daß sich alles im Sonnenlicht unter freiem Himmel abspielt, trotz der Schlagschatten auf dem sandig-gelben Grund mit gelegentlichen Felsstücken im Vordergrund, dem verdorrten Baum links im Hintergrund über Alexander und einer kleinen Staude rechts vorn. Dies sind die einzigen Angaben für das Gelände, in dem sich die Schlacht abspielt. Der „Himmel" ist eine einheitlich blaßgelb gehaltene Fläche, die einen neutralen Hintergrund für das Menschen- und Pferdegewimmel bildet, das sich in einem bühnenartig begrenzten Bildraum vor dem Beschauer in äußerst gesteigerter Dramatik und in einer höheren künstlerischen Wirklichkeit abspielt.

V. GÖTTERDÄMMERUNG

Schüler der großen Maler des 4. Jahrhunderts, die noch im 3. Jahrhundert wirkten, sind uns aus der schriftlichen Überlieferung bekannt, doch haben wir keine Vorstellung von ihren Gemälden. Von den Gefäßen verschwinden die figürlichen Darstellungen bis auf geringe Reste, und die wenigen oft nicht einmal vollständig erhaltenen bemalten Grabsteine, vor allem aus Thessalien, erheben sich nicht über das schlichte Handwerkliche, so interessant sie auch in mancher Hinsicht für den Archäologen sind. Nur so viel ist gewiß, daß die griechische Malerei ihren eingeschlagenen Weg nicht weitergegangen ist, der zur Auflösung der körperlichen Erscheinung in Licht und Farbe hätte führen können. Die antike Malerei hat überhaupt nie eine Stufe erreicht, die dem Impressionismus des ausgehenden 19. Jahrhunderts zu vergleichen wäre, dazu war das klassische Erbe in ihr zu stark. Auch wo sich in der griechischen Malerei die plastisch feste, mit dem Auge abtastbare Körperlichkeit der klassischen Gestalten in eine optische Schaubarkeit verwandelt, bleiben die Figuren doch gleichsam noch Spiegelbilder solcher körperlich ertastbaren Gestalten, in denen die klassische Grundhaltung noch nachwirkt. In die Augen springt dies an einer Frauengestalt auf einem pompejanischen Wandgemälde aus der Zeit des Augustus, die wohl eine Figur der griechischen Malerei aus dem frühen 3. Jahrhundert v. Chr. zum Vorbild hat (Taf. 68).

Eine Eigentümlichkeit dieser römischen Wandbilder ist es, daß sich die Figur ungemein stark von dem Hintergrund abhebt, der in blasseren Farbtönen gehalten ist. Um so stärker spricht ihr kräftiger Kontur und der aufdringliche Faltenstil mit den aufgesetzten Lichtern auf den Faltenrücken. Er erinnert an ähnlich scharf modellierte Gewandfiguren der Renaissance-Maler in Italien, etwa in den Fresken Mantegnas in Padua. Aber ein näherer Vergleich mit den Gestalten dort macht es sofort deutlich, daß sie ein ganz anderes räumliches Leben besitzen, wogegen die pompejanische Figur merkwürdig flach wirkt. Die lebhafte Licht- und Schattengebung im Gewand mit der harten linearen Führung seiner Falten belebt nur die Oberfläche der Gestalt, die wie eingespannt in ihren Kontur wirkt. Ähnliches ist auch an griechischen Gewandstatuen von Priesterinnen aus der ersten Hälfte des 3. Jahrhunderts zu beobachten. Der herausmodellierte nackte rechte Arm wirkt unverhältnismäßig plastisch gegen den betonten zusammenhaltenden

132

Kontur, der mit der scharfen Profilstellung des Kopfes die ganze Figur in ein strenges Flächenbild zwingt, sie in eine optische Schaubarkeit verwandelt. Die Binnenfläche der Figur ist dagegen von einem reichen farbigen Leben, das aber nicht über sie hinausgreift und die Gestalt vor dem Hintergrund stark isoliert.

Die Figur des pompejanischen Gemäldes stellt eine Göttin dar, wahrscheinlich Peitho, doch ist dieser hohe Rang nicht mehr aus ihr selbst ersichtlich, sondern nur aus dem Zusammenhang, in dem sie erscheint: mit einem kleinen Flügelknaben, dem für eine Missetat bestraften Eros, vor Aphrodite, die rechts im Bild thront. Das Wandbild ist wahrscheinlich erst von dem Wandmaler nach verschiedenen Vorlagen zusammengestellt und zu einem neuen Bild vereinigt worden. Die Figur der Peitho geht wohl letzten Endes auf Gestalten wie etwa die Athenerin auf dem attischen Hochzeitsgefäß (Taf. 59) zurück, der sie in Haltung und Gebärde gleicht. Der weltliche Charakter dieser Gestalten haftet ihr auch noch in dem göttlichen Zusammenhang unverkennbar an, in den sie der Maler versetzte. Die Kraft des alten Glaubens ist erloschen und selbst die Göttlichkeit ist nur noch ein poetisch-künstlerisches Motiv. Das zeigt sich auch an der farbig anders angelegten Aphrodite, die von einer besonderen Lieblichkeit ist (Taf. 69). In einer menschlich aufgefaßten Situation und einer ganz menschlichen Haltung kommt die Charis der Göttin, ihr Charme, zum Ausdruck. Ihr von zartem kastanienbraunem Haar umspieltes Antlitz mit den großen dunkelbraunen Augen voller Milde, die rosig blühende Hautfarbe, die kaum verhüllten vollen Brüste, deren Formen durch modellierende Pinselstriche herausgearbeitet sind, der verklärende farbige Schimmer der Gestalt zwischen dem leuchtenden Ockergelb und dem tiefen Purpurrot des Gewandes sind wohl ein Nachklang der Aphroditebilder, wie sie etwa Apelles malte.

Das großartigste Beispiel einer Selbstvollendung, zu der die griechische Malerei in der Form einer Wiederaufnahme älterer Gestaltungsmittel zurückfand, sind die Kopien großer hellenistischer Wandbilder mit lebensgroßen Figuren auf den Wänden eines römischen Wohnhauses bei Boscoreale unweit Pompeji (Taf. 70–76). Es sind Gruppen und Einzelgestalten, die frei und mächtig auf die ausgesparten Wandflächen der dekorativen Architekturmalerei gesetzt sind (Abb. S. 134). „Diese Art von Gemälden sind Kopien um ihrer selbst willen, sie besetzen die ihnen gewährte Wand, aber sie leben in ihrem eigenen Reich der Heldenwelt und erscheinen wie aus der Unterwelt gerufene große Ahnen der Vorzeit. Da wir die griechischen Originale dieser Bilder oder auch nur etwas Ähnliches nicht kennen, ist der Abstand zwischen beiden nicht nachzuweisen. Kopien bleiben sie immer. Aber das große Glück, das ihr Fund bedeutet, besteht in ihrem Maßstab

annähernder Lebensgröße und in ihrer Farbgebung, die offenbar dem Original folgt. Vor allem darin, daß sie freie Kopien sind, die der Wandmaler nicht dem Architekturstil seiner Wände anglich. In diesem Sinne stehen sie an Rang dem Mosaik mit der Alexanderschlacht gleich" (L. Curtius). Wahrscheinlich gehen sie auf Wandgemälde in dem Palast eines Königshauses des mittleren 2. Jahrhunderts zurück.

Da ist zunächst eine vornehm gekleidete Frau auf einem prächtigen hölzernen Lehnstuhl, die eine Kithara stimmt und mit einem abgelenkten Blick an dem Beschauer vorbei schräg aus dem Bild schaut (Taf. 70). Lehnstuhl und Beine sind in starker Schrägstellung, Oberkörper und Kopf fast in Vorderansicht gegeben und daher von besonderer Eindringlichkeit. Hinter dem Lehnstuhl steht ein kleines Mädchen, ebenfalls in vornehmer Kleidung, mit einem Ring am Finger und sorgfältig aufgemachtem Haar wie ihre Herrin oder Mutter. Sie blickt den Beschauer geradenwegs an mit jenem blanken Blick aus Kinderaugen, der den Angeschauten unmittelbar trifft. Dadurch wird die andere Art des Blicks der Kitharaspielerin im Kontrast hervorgehoben, der Maler hat die Wirkung des Bildes auf den Beschauer also berechnet. Seit dem Bild der Alexanderschlacht haben die Blickrichtungen und ihr Verhältnis zueinander ja eine besondere Bedeutung für das Ablesen des Bildes durch den Betrachter. So ist denn auch das eigentümlich Lauschende in dem Blick der Kitharaspielerin schon dem ersten Herausgeber dieser Bilder aufgefallen. Doch lauscht sie kaum „auf den Schritt des nahenden Geliebten", sondern eher auf den Schritt der nahenden Muse. Sie ist wohl eine Dichterin, die sich anschickt, ihre Psalmodie zu intonieren. Das Lauschen auf die innere Musik, der Augenblick der göttlichen Eingebung war damals schon ein altes Thema der griechischen Malerei. Es zeugt hier von der Aufnahme echter griechischer Tradition, die uns auch sonst vielfach für diese Zeit bezeugt ist.

Diese Tradition ist auch in zwei anderen Gestalten der Wandbilder unverkennbar (Abb. S. 134): einem Mann, der in betonter Schrägstellung auf einem breiten Lehnstuhl sitzt, die Hände wie König Thaos auf einen Stab gestützt, dem Zeichen der Vornehmen und Edlen, in der Art der Götter und Heroen nur mit einem kleinen Mantel bekleidet, der über seinem rechten Oberschenkel liegt, sonst aber ganz nackt. Seine mächtigen Körperformen, die leider in den Farben stark erloschen sind, gehen überein mit Skulpturen aus der Mitte des 2. Jahrhunderts, wie sie z. B. in Pergamon gefunden wurden, die ein neues Pathos der Form und der Haltung zeigen. Neben ihm sitzt auf dem Doppelstuhl eine reich bekleidete Frau in stark verkürzter Vorderansicht, den Kopf in die Hand des linken aufgestemmten Armes gestützt und mit tiefsinnendem Blick den Mann betrachtend (Taf. 71). Es ist ein königliches Paar, so scheint es, das ein besonderes Schicksal verbindet. Neben dieser Gruppe steht rechts im Nachbarfeld eine jüngere weibliche Gestalt, die einen ovalen ehernen Schild in der Hand trägt und eben im Wegschreiten ihren Blick aufwirft in einer pathetischen Haltung und Gebärde, die kaum zu deuten ist (Taf. 72).

Die angeführten Gestalten bleiben für uns noch ohne Namen und ohne nähere Erklärung. Das gilt auch von den beiden entsprechenden Gestalten auf dem zweiten Hauptbild und im Wandfeld daneben, da sich die bisherige Erklärung durch neuere Untersuchungen als nicht stichhaltig erwies, ohne daß die neu vorgebrachte Erklärung befriedigt. In dem Hauptbild (Taf. 76) sitzt auf einer niedrigen Bodenerhebung im rechten Vordergrund eine breite Frauengestalt, die den Kopf in die eingebogene rechte Hand stützt. Sie schaut zu der zweiten Gestalt des Bildes auf mit jener Heftigkeit des Blicks, die auch an dem unerklärten Mädchen mit dem Schild auffällt (Taf. 75). Diese zweite Frauengestalt, die nach ihrer hellen Hautfarbe und der Angabe der Brust in den Gewandfalten ihres Oberkörpers ebenfalls eine Frau ist, sitzt etwas im Hintergrund in leichter Schrägstellung auf einem etwas erhöhten Felsensitz (Taf. 74). Sie hält einen langen Stab wie ein Paradestück in den Händen und trägt eine eigentümliche Kopfbedeckung. Ihre Beine verdeckend steht ein runder Schild wie ein Emblem zwischen den beiden Frauen. Das Zusammensein der beiden und der Blick der Frau rechts geben der menschlichen Verbindung der beiden eine besondere Note, deren Bedeutung wir aber nicht mehr ergründen können. Vielleicht scheint dieser Blick aber nur in unseren Augen von besonderer Bedeutung, denn die Übersteigerung des Ausdrucks beschränkt sich nicht nur auf ihn, sondern wiederholt sich in der Massigkeit der menschlichen Körper und vor allem in der barocken Wucht der Falten. Dieser wahrhaft monumentale Faltenwurf ist nirgends so auffallend und so großartig wie an der Gestalt des Philosophen, der im Nachbarfeld links in scharfer Profilstellung und zu dem Hauptbild gewandt steht (Taf. 76). Hier ist noch einmal ein Stil von großer monumentaler Form gefunden, den die griechische Malerei seit Polygnotos nicht mehr kannte (Taf. 73).

Die monumentale Form dieser Bilder ist nicht durch Erweiterung der Darstellungsmittel oder durch Schaffung neuer Raumverhältnisse gewonnen, sondern allein aus den Gestalten entwickelt. Die Figuren sind freilich ganz und gar malerisch behandelt und aus dem Helldunkel modelliert, sie entwickeln sich eigentlich erst aus den Schattenpartien unter dem gleichmäßig einheitlichen Lichteinfall rechts vom Beschauer. Aber sie stehen alle vor einem gleichmäßig zinnoberroten Hintergrund, dessen unteres Drittel dunkler gehalten ist, und auf einem gleichmäßig breiten braunen Bodenstreifen wie auf einem Podium, doch ohne Schlagschatten zu werfen. Der Maler verzichtet also ausdrücklich auf neue räumliche Elemente und beschränkt die Räumlichkeit nur auf die Gestalten, die in einer wenig tiefen Raumbühne zu stehen scheinen, die als solche jedoch nicht räumlich dargestellt ist und sich nur aus dem Bewegungsraum der Gestalten ergibt. Damit steht er ganz in der alten griechischen Tradition. Lediglich das Bild mit den beiden sitzenden Frauen verwendet Geländeangaben, doch ist es ohne weiteres deutlich, daß sie auch hier nur ein Mittel sind, die beiden Gestalten miteinander in Beziehung zu setzen, nicht anders wie sie auch die ältere griechische Malerei verwendete. Der Felssitz der Frau im Hintergrund ist auf seiner Sitzfläche grünlich hellgrau, stellenweise grünlichweiß aufgehellt, die Seiten satt dunkelgrün, die darunter vorragenden Felsstufen sind in verschiedenen

Tönungen gehalten von gedecktem Gelb bis Cremegelb, mit etwas Grün und Dunkelblau dazwischen. Der Boden darunter ist rotviolett und geht nach vorn in bräunliches Grau über, der Felssitz rechts hellblau in verschiedenen gebrochenen Tönen. Über dem Fuß der rechts Sitzenden erhebt sich ein kleines staudenartiges Gebilde in blassem Hellgrün. Diese Farben erscheinen in vielen Variationen und oft mit blauen, violetten und braunen Tönen untermischt. Es ist eine sehr reiche Farbenskala, die auch an den Gewändern wiederkehrt, hier allerdings in einem kühnen malerischen Vortrag, der durch die souveräne Farbgebung die Formen hervorzaubert.

Das Untergewand der Frau des nebeneinandersitzenden Paares auf dem Lehnstuhl ist hellviolett, ihr Mantel weiß mit violetten Streifen, der nackte Körper des Mannes einst kräftig dunkelbraun. Die Stehende mit dem ehernen Schild, der in rötlich-gelber Farbe mit aufgesetzten Lichtern gehalten ist, trägt ein weißes Untergewand mit breiter blauer Borte und darüber ein grauviolettes Obergewand. In dem Bild der beiden Frauen ist das Ärmelgewand der im Hintergrund Sitzenden hellgrau mit bläulichen und gelblichen Reflexen und Schattentönen, ihr kurzes Obergewand rötlich violett. Die Sitzende vor ihr trägt unter dem weißen Mantel ein grauviolettes ärmelloses Gewand, ihr sonderbar zusammengelegtes Kopftuch ist gelb bis braun. Der Philosoph trägt einen dicken Wollmantel, den die Kyniker bevorzugten, der hellviolett ist mit breit eingesetzten Faltenschatten in reichen dunkleren Abtönungen bis zu dunklem Purpur und mit Weiß aufgehellten Lichtern. Der goldene Ring mit rotem Stein und die vornehmen Sandalen mit weißen Riemen stehen in merkwürdigem Gegensatz zu dem derben Knotenstock und der stämmigen Gestalt mit den kräftigen Armen und der gebräunten Haut. Die Farben des Gewandes der thronenden königlichen Frau wiederholen sich an dem Gewand der Musikantin, wie überhaupt alle Figuren dieselbe Palette zeigen, die durch kleine Einzelheiten bereichert wird: das hellblaue Kissen mit seinen goldgelben Streifen, das Goldgelb der Kithara und anderes.

In allem verrät sich eine außerordentlich reiche und verfeinerte Farbgebung aus einer hochentwickelten Tradition, die bis zu dem Wandmaler der augusteischen Zeit reicht. Von diesem stammt der zinnoberrote Hintergrund der Gestalten, denn diese sind nicht auf ihn abgestimmt. Die rote Wandfarbe war zu seiner Zeit sehr beliebt und gab den Räumen ein besonders prächtiges Aussehen, ein kostspieliger Prunk, den die griechischen Häuser nicht kannten. Aber auch für die Originalbilder müssen wir einen ebenso einheitlich gehaltenen, farbig aber gewiß neutraleren Bildgrund annehmen. Die scharfe Profilstellung einiger Gestalten wirkt deutlich auf eine einheitliche Bildfläche hin, wie sie für das originale Wandbild angebracht war, ebenso die starke Betonung des Konturs der Gestalten. Diese Einbindung der Figuren in die Fläche sind ausgesprochen klassizistische Züge. Dabei sind die Dargestellten weit entfernt von jeder klassischen Schönheit und haben eine besondere, eher häßliche Eigenart, gerade auch in den Gesichtszügen. Doch sind auch sie noch individuell gestaltete Bilder heroischer Menschen der Vorzeit im Sinne der alten griechischen Kunst. Die Gestalten als Ganzes sind denn auch zu einer neuen Großartigkeit gesteigert, die die volle Sprache der griechischen Kunst mit einem neuen Pathos verkündet. Den hohen Personen hat der Maler den Philosophen in selbstsicherer Würde beigesellt als ein eindrucksvolles Bild des geistigen Menschen, wie ihn das letzte große Jahrhundert der griechischen Kunst sah. Die Körperfarbe entspricht an allen Frauengestalten gleichmäßig der hellen weiblichen Hautfarbe; sie ist am Philosophen dunkler sonnengebräunt. Seit dem „umherwandelnden Frager" Sokrates sind die Philosophen die beweglichsten Menschen der griechischen Welt und das Salz ihrer Erde, Führer auf dem rechten Weg durch das Leben, das schwieriger, rätselhafter und unheimlicher geworden ist, seitdem es für den „aufgeklärten" geistigen Menschen nicht mehr von göttlichen Mächten getragen und bestimmt wird.

In die Bilder ist viel von diesem Menschentum seiner Zeit eingegangen, und seit ihrer Auffindung hat ihr menschlicher Gehalt viele Betrachter bewegt. Die Stimmung des Ganzen ist wohl am treffendsten von Rainer Maria Rilke empfunden worden, der die Bilder in Paris sah, als sie zum Verkauf dort ausgestellt waren. Er schreibt in einem Brief von dem sitzenden Paar: „Ich werde immer wissen, in welcher Art dieses große einfache Bild mich ergriff, welches so sehr Malerei war, weil es nur zwei Gestalten enthielt, und so bedeutend war, weil diese beiden Gestalten erfüllt waren mit sich selbst, schwer von sich selbst und zusammengefügt von einer Notwendigkeit ohnegleichen".

*

Homer hatte den Griechen den Blick auf den Menschen gerichtet, indem er ihnen einfache starke Heldengestalten zeigte, die menschliches Erleben in schicksalsvollen Ereignissen der Vorzeit vor Augen führten. Diese Welt der alten Herrschergeschlechter aber war für die Griechen „kein Märchenland, kein Sagenland, sondern lebendige Vorzeit, wie viele dieser Heroen im 2. Jahrtausend auch tatsächlich gelebt hatten, und zwar weit überwiegend in zwei aufeinanderfolgenden Generationen: der Heraklesgeneration und der Achilleusgeneration . . . die Herrscherhäuser des 13. und 12. Jahrhunderts können als der eigentliche Gegenstand der griechischen Heroendichtung gelten" (E. Buschor). Mit den Epen Homers waren in der Sage wieder die menschlichen Gestalten sichtbar geworden, nicht nur das Geschehen, wie es die ältesten bildlichen Darstellungen der Griechen allein wiedergeben. Erst nachdem die menschlichen Gestalten der Sagen durch die Epen Homers sichtbar geworden waren, wandte sich die Bildkunst der Griechen ihrer Darstellung zu in einem monumentalen Figurenstil, der seit der Wende zum 7. Jahrhundert zuerst in der Malerei ausgebildet wurde, ehe er auch in einer monumentalen Plastik die gemäße Form fand. In der Ausgestaltung der Sagen blieb in der bildenden Kunst die Malerei auch weiterhin führend, geleitet von den Werken der Dichter und oft selbst an ihnen weiterdichtend. Denn „im Gegensatz zur Heilsgeschichte der starren Spätantike ist die altgriechische Götter- und Heroengeschichte nicht an geoffenbarten Wortlaut gebunden, nicht von Chronisten oder Evangelisten aufgezeichnet, sondern von Dichtern im Dienst der Musen gesungen. Der Bericht der Sage wird von den geistigen Führern des Volkes immer wieder neu gedeutet, zu sprossendem Leben erweckt. – Heroenwelt und Götterwelt sind inniger miteinander verbunden als sonst die Gläubigen mit den Himmlischen. Zeitlebens oder doch in entscheidenden Stadien ihres Lebens haben die Heroen mit den Göttern verkehrt, waren sie durch Erscheinung und Gespräch, durch Orakel und Sehersprüche, durch göttliche Weisung und göttliches Eingreifen mit den Unsterblichen verbunden. Ihre Stammbäume leiten sich oft genug von den Göttern her." Nach ihrem Tode gehen sie „in ein höheres, wirkungsreicheres Dasein ein als andere Sterbliche, werden ihre Gräber weit über deren Maß hinaus geehrt. So erhält auch das Tun und Leiden dieser Fürsten ein besonderes Gewicht, der Bericht (Mythos) über ihr Leben eine höhere Notwendigkeit und geistige Nährkraft, er wird zusammen mit den Göttern feierlich in Wort und Bild verkündet" (E. Buschor). – An alles dies war noch einmal zu erinnern, denn es steht noch hinter den Bildern aus Boscoreale wie hinter der ganzen griechischen Malerei.

Die Landschaft wurde den Griechen nie zum „Bild". Die Weite des Meeres, den Glanz des Himmels, das Wachstum der Bäume, die Kühle ihres Schattens, den Gesang der Vögel, das Leben der murmelnden Quellen und die Frische ihres Wassers empfand er wohl und pries sie in seinen Dichtungen. Aber erst in der Ichwerdung des abendländischen Menschen wurde dies alles zur „Natur", und erst die deutschen Maler des 16. Jahrhunderts, allen voran Dürer, Altdorfer und Huber, schufen das Landschaftsbild als eigenste Schöpfung des abendländischen Menschen in einer verwandelten Welt. Das große Thema der griechischen Malerei ist der Mensch und seit dem Beginn des 5. Jahrhunderts die Größe und Würde des Menschen. Dies ist der eigentümlich griechische Beitrag zu der Frage nach der Bestimmung des Menschen auf der Erde, dem Rätsel der Sphinx.

HINWEISE

Dieses Buch ist nicht das Werk des Verfassers allein. Er hat von anderen vieles übernommen bis in einzelne Formulierungen hinein, ohne daß dies jedesmal ausdrücklich vermerkt ist. Das hätte einen sehr umfänglichen Apparat von Anmerkungen erfordert, die den ungelehrten Leser nicht klüger machen, während der Sachkenner ohnedies Bescheid weiß. Längere Auszüge sind durch Anführungsstriche als solche gekennzeichnet, ihre Quellen im folgenden unter der Seitenzahl angegeben. Diese Angaben dienen zugleich als Hinweise auf weiterführende Literatur, die hier noch durch solche auf einige Nachschlagewerke in deutscher Sprache ergänzt sei:

Die gesamte wissenschaftliche Literatur über die antike Malerei ist jetzt zusammengefaßt von A. Rumpf, Malerei und Zeichnung, Handbuch der Archäologie II (1953).

Ausführliche Erörterungen der wissenschaftlichen Fragen und Probleme, wenn auch oft von einem inzwischen überholten Standpunkt aus, bei E. Pfuhl, Malerei und Zeichnung der Griechen, 3 Bände 1923, mit reichem Abbildungsmaterial. Desgleichen bei E. Buschor, Griechische Vasen (1. Auflage 1940), der auf die Gefäßformen besonders eingeht.

Die Geschichte der griechischen Kunst an Hand der schriftlichen Überlieferung behandelt ausführlich H. Brunn, Geschichte der griechischen Künstler, 2. Auflage 1889. Sie ist immer noch unentbehrlich, wenn auch die Erörterung der künstlerischen Probleme uns heute nicht mehr genügt. Dazu zu benutzen ist J. Overbeck, Die antiken Schriftquellen zur Geschichte der Bildenden Kunst, 1868.

Die künstlerischen Probleme der griechischen Kunstentwicklung erörtert vor allem A. von Salis, Die Kunst der Griechen, 4. Auflage 1953.

S. 7: *Kretisch-mykenische Kunst:* F. Matz in der Zeitschrift „Die Antike" 1935, 171 ff., Wandmalerei S. 189 ff. – Derselbe, Kreta, Mykene, Troja (1956), 88 ff. – W. Schadewaldt, Die homerische Gleichniswelt und die kretisch-mykenische Welt, in der Zeitschrift „Gymnasium" 1953, 197 ff.

S. 11: *Ornament und Bild* in der frühgriechischen Malerei: W. Kraiker in „Neue Beiträge zur klassischen Altertumswissenschaft", Festschrift B. Schweitzer 1954, 36 ff.

S. 19: *Schiffe:* W. Schadewaldt, Homer und sein Jahrhundert, in dem Sammelband „Das neue Bild der Antike", herausgegeben von H. Berve I (1942), 81 f. Wieder abgedruckt in desselben Verfassers gesammelten Aufsätzen „Von Homers Welt und Werk" (1944), 118 f.

S. 23: *Löwen:* B. Snell, Die Entdeckung des Geistes, 3. Auflage 1955, 270 ff.

S. 30: *Sappho:* W. Schadewaldt, Sappho (1950), 123 f.

S. 31: *Odyssee:* W. Schadewaldt in dem zu S. 15 angeführten Aufsatz. – *Sagen:* K. Kerényi, Die Mythologie der Griechen, 1951. – H. J. Rose, Griechische Mythologie, 1955. – F. Pfister, Götter- und Heldensagen der Griechen, 1956.

S. 31: *Mythos:* R. Guardini, Der Tod des Sokrates, 3. Auflage 1947, 293.

S. 33: *Tyrtaios:* R. Harder in der Zeitschrift „Neue Jahrbücher für Antike und deutsche Bildung" 1939, 354 ff.

S. 38: *Solons Elegie:* U. v. Wilamowitz, Sappho und Simonides (1913), 257 ff., besonders S. 266. – K. Reinhardt in der Zeitschrift „Rheinisches Museum für Philologie" 1916, 128 ff.

S. 39: *Holztafeln* von Pitsa: Jahrbuch des Deutschen Archäologischen Instituts. Archäologischer Anzeiger 1934, 194.

S. 41: Hochzeits-Gedicht: Manfred Hausmann, Das Erwachen, Lieder und Bruchstücke aus der griechischen Frühzeit (1948), 95. – W. Schadewaldt, Sappho, 50 f.

S. 43: *Klitias-Krater:* A. Furtwängler, Griechische Vasenmalerei, 62.

S. 53: K. Schefold, Die Bildnisse der antiken Dichter, Redner und Denker (1943), 26 f.

S. 56: *Polis Athen:* H. Schäfer, Athen und das Griechentum im 5. Jahrhundert, in „Das neue Bild der Antike", herausgegeben von H. Berve I (1942), 194 ff.

S. 86: *Apollon:* K. A. Pfeiff, Apollon (1943), 93.

S. 92: *Perikles-Rede:* Übertragung von W. Schadewaldt in „Hellas, Bilder zur Kultur des Griechentums", herausgegeben von H. von Schoenebeck und W. Kraiker (1943), 103 ff.

S. 99: *Kentaurenbild:* W. Kraiker, Das Kentaurenbild des Zeuxis, 106. Winckelmannsprogramm der Archäologischen Gesellschaft zu Berlin 1950.

S. 105: *Euripides:* K. Reinhardt, Sophokles, (3. Auflage 1947), 13 f. – B. Snell, Die Entdeckung des Geistes, 3. Auflage 1955, 172 ff.

S. 118: L. Curtius, Die Wandmalerei *Pompejis* (1929), 272.

S. 124: *Platon:* B. Schweitzer, Platon und die bildende Kunst seiner Zeit (1953), wo die angezogene Stelle aus Platons Staat jedoch nicht behandelt ist.

S. 133: L. Curtius, Die Wandmalerei *Pompejis*, 335.

S. 138: *Heroendichtung:* Euripides, Iphigenie im Taurerland, übertragen und erläutert von E. Buschor (1946), 72, 76, 78.

VERZEICHNIS DER ABBILDUNGEN IM TEXT

S. 8: Hofdamen als Zuschauerinnen bei einem Fest im Palast in Knossos. Bruchstück eines bunten Wandfreskos aus dem „Haus der Fresken" bei Knossos auf Kreta. 16. Jahrhundert v. Chr. Nachzeichnung in Originalgröße.

Sir Arthur Evans, The Palace of Minos at Knossos III 52, Abb. 30.

S. 10: Köpfe und Lanzenspitzen eines gemalten Kriegerfrieses. Eingeritzte Vorzeichnung auf Kalksteinquader eines Tempels im Heraheiligtum auf Samos. Höhe der Köpfe 3–4 cm, der Figuren vermutlich 20–25 cm. Um 575 v. Chr. Nachzeichnung.

Mitteilungen des Deutschen Archäologischen Instituts, Athenische Abteilung 1933, 157, Abb. 18.

S. 18: Fries mit Schlachtenbild von einem attischen Mischgefäß (Krater) des 8. Jahrhunderts v. Chr. Links Gefallene, dann Bogenschütze, Schwertkämpfer, der den Gegner am Helm niederzieht, Bogenschütze, Umsinkender, der von einem Pfeil durch den Kopf getroffen ist. Zahlreiche Füllmuster, zu denen auch das Radmuster links gehört, vielleicht ein sinnbildliches Zeichen. Höhe der Figuren etwa 8 cm. Nachzeichnung. Paris, Louvre.

E. Pottier, Vases antiques du Louvre I, Taf. 20.

S. 20 und 21: Löwen und weidende Hirsche auf einem Goldband aus einem Grab bei Athen. Die Goldbänder dienten als Beschlag für Holzkästchen und als Totenschmuck. Frühes 8. Jahrhundert v. Chr. Nachzeichnung.

D. Ohly, Griechische Goldbleche des 8. Jahrhunderts v. Chr., Taf. 15.

S. 23: Tierfries von einer korinthischen Kanne (Olpe). Steinbock, Sirene, weidender Hirsch. Schwarz ausgefüllte Konturmalerei auf hellgelbem Tongrund. Innenzeichnung geritzt. Originalgröße. Um 650–640 v. Chr. Nachzeichnung. Syrakus, Museum.

H. Payne, Necrocorinthia, Taf. 10, 5.

S. 25: Chimaira auf einem korinthischen Ölgefäß (Alabastron). Technik wie bei dem vorigen, Einzelteile dunkelrot abgedeckt. Originalgröße. Um 640–630 v. Chr. Nachzeichnung. London, Britisches Museum.

H. Payne, Necrocorinthia, Taf. 16, 2.

S. 35: Laufende Gorgo auf einem korinthischen Ölgefäß (Aryballos). Gleiche Technik, Einzelteile rot abgedeckt. Rechte obere und linke untere Hälfte des Gewandes gelb abgedeckt. Originalgröße. Um 600 v. Chr. Nachzeichnung. Delos, Museum.

H. Payne, Necrocorinthia, 82, Abb. 24.

S. 36: Greif auf korinthischem Salbgefäß (Alabastron). Gleiche Technik, Einzelteile rot abgedeckt. Punktrosetten als Streumuster. Originalgröße. Um 640–630 v. Chr. Nachzeichnung. London, Britisches Museum.

H. Payne, Necrocorinthia, Taf. 16, 2.

S. 51: Zum Wurf antretender Diskuswerfer vom Maler Phintias auf einem attischen Vorratsgefäß (Amphora). Konturzeichnung, um die der Grund schwarz abgedeckt ist. Figur tongrundig. Originalgröße. Um 500 v. Chr. Nachzeichnung. Die Umrisse der Gestalt sind im Originalbild derart gezeichnet, daß bei jedem Körperteil ein eigener Linienzug einsetzt, so daß die Gliederung des Körpers sich auch im Kontur klar abzeichnet. Zur Verdeutlichung sind in der Nachzeichnung die Enden dieser Linienzüge etwas übertrieben betont. Paris, Louvre.

Ganzes Bild: A. Furtwängler – K. Reichhold, Griechische Vasenmalerei, Taf. 112. Abb. nach K. Reichhold, Skizzenbuch griechischer Meister, 16, Taf. 1.

S. 54 und 55: Vergrößerte Nachzeichnungen von Details aus Gefäßbildern der gleichen Zeit. Die eine Flöte haltende Hand aus einem Gefäßbild des Kleophradesmalers (Amphora in Würzburg); ganzes Bild: A. Furtwängler – K. Reichhold, Griechische Vasenmalerei, Taf. 103.

K. Reichhold, Skizzenbuch, 45, Taf. 15.

S. 57: Liebespaare auf der Außenseite einer attischen Trinkschale aus Ton vom Maler Peithinos. Höhe der Figuren rund 12 cm. Um 500–490 v. Chr. Nachzeichnung.

P. Hartwig, Die griechischen Meisterschalen, Taf. 25.

S. 58: Vervollständigtes Innenbild der Schale Taf. 32 vom Kleophradesmaler.

The Journal of Hellenic Studies 10, 1889, Taf. 2.

S. 62: Trauerndes Mädchen aus dem Gefäßbild des Kleophradesmalers mit Trojas Fall, Taf. 33. Originalgröße. Nachzeichnung.

K. Reichhold, Skizzenbuch griechischer Meister, 99, Abb. 21.

144

S. 66:   Innenbild einer attischen Trinkschale vom Maler Onesimos. Mädchen vor dem Bad. Sie trägt in der Rechten den Kessel mit dem Badewasser und auf dem linken Arm ihr zusammengelegtes Gewand. Rechts die bronzene Badeschüssel. Inschriften: „das Mädchen ist schön" (verschrieben), auf dem Kessel: „Schöne". 480–470 v. Chr. Originalgröße. Nachzeichnung. Brüssel, Musées Royaux du Cinquentenaire.

    W. Fröhner, Collection van Branteghem, Taf. 28.

S. 72:   Sterbender Kentaur. Aus dem Innenbild einer attischen Trinkschale mit Lapith-Kentaurenkampf. Um 470 v. Chr. Originalgröße. Nachzeichnung.

    Ganzes Innenbild: E. Buschor, Griechische Vasen, 160, Abb. 179. Abb. nach K. Reichhold, Skizzenbuch, 81, Abb. 13.

S. 74:   Gefallener Athener aus dem Bildfries mit Amazonenschlacht auf dem attischen Mischgefäß, Taf. 35. Originalgröße. Nachzeichnung.

    K. Reichhold, Skizzenbuch, Taf. 52, 2.

S. 89:   Die Muse Terpsichore Harfe spielend. Aus einem Bild mit dem Sänger Musaios und zwei Musen auf einem attischen Vorratsgefäß vom „Peleusmaler". 450–440 v. Chr. Originalgröße. Nachzeichnung.

    Ganzes Gefäß: E. Buschor, Griechische Vasen, 206, Abb. 224. Abb. nach K. Reichhold, Skizzenbuch, Taf. 4, 1.

S. 91:   Menelaos verfolgt Helena nach der Einnahme Trojas. Helena flüchtet zum Kultbild der Athena um Schutz. Zwischen beide tritt Aphrodite, durch die dem Menelaos sein Schwert entgleitet, der sich dann mit Helena aussöhnt. Ungerahmte Darstellung auf einer attischen Kanne, auf der noch Peitho („Überredung") dargestellt ist, die den Vorgang verfolgt, aber durch das Ornament unter dem Henkel von der in sich geschlossenen Szene getrennt ist. Diese wird auf ein Tafelbild zurückgehen. Um 430 v. Chr. Verkleinerte Nachzeichnung. Vatikan, Museo Gregoriano.

    Ganzes Bild: A. Furtwängler–K. Reichhold, Griechische Vasenmalerei, Taf. 170, 1. Ganzes Gefäß: L. B. Ghali-Kahil, Les enlèvements et le retour d'Hélène, Taf. 56. Abb. nach Museo Etrusco al Vaticano II, Taf. 11.

S. 95:   Tanzende Mainade aus der Darstellung des Lenaienfestes auf dem attischen Mischgefäß, Taf. 50. Originalgröße. Nachzeichnung.

    K. Reichhold, Skizzenbuch, Taf. 37.

S. 109: Athena am Brunnen. Ausschnitt aus einer Darstellung des Urteils des Paris auf einem griechisch-unteritalischen Mischgefäß (Krater). An der Rückwand des Brunnens geweihte Tafelbilder, wohl aus Ton zu denken, das obere mit Andeutung der Weihinschrift. Unten geweihte Tonpuppen, wie sie wohl die Mädchen an solchen Brunnen niederlegten, die rechte zerbrochen. Vom „Dolonmaler", vielleicht aus der griechischen Kolonie Herakleia in Lukanien, der vermutlichen Geburtsstadt des Malers Zeuxis (Text S. 97). Dort sollen noch in späterer Zeit von Zeuxis figlina opera (Töpferwerke) erhalten gewesen sein, wohl von ihm signierte bemalte Tongefäße. Nachzeichnung in Originalgröße. Paris, Bibliothèque Nationale, Cabinet des Médailles.

> Ganzes Bild: A. Furtwängler – K. Reichhold, Griechische Vasenmalerei, Taf. 147. Abb. nach K. Reichhold, Skizzenbuch, 18, Taf. 2.

S. 115: Athena und Gigant aus der Gigantomachie auf dem attischen Mischgefäß Taf. 56. Originalgröße. Nachzeichnung.

> K. Reichhold, Skizzenbuch, Taf. 54, 1.

S. 117 Thronende Demeter aus dem Bild der Mysteriengottheiten von Eleusis auf einem attischen Krug (Pelike) in Leningrad. Von einem nach dieser Pelike genannten attischen Maler um 330 v. Chr. Höhe der Figur 14 cm. Nachzeichnung.

> Ganzes Gefäß: K. Schefold, Untersuchungen zu den Kertscher Vasen, Taf. 35. Abb. nach K. Reichhold, Skizzenbuch, Taf. 47, 4.

S. 134: Wand der Villa des Publius Fannius Sinistor in Boscoreale bei Pompeji mit thronendem Paar (Taf. 71). Skizze.

> A. Sambon, Les fresques de Boscoreale, 12.

ERLÄUTERUNGEN ZU DEN TAFELN

Farbtafeln

I. Wandgemälde mit Blaurake aus dem „Haus der Fresken" beim Palast von Knossos auf Kreta. 1600–1500 v. Chr. Ergänzte farbige Kopie von Gilliéron Sohn im Ashmolean Museum in Oxford. Restaurierte Höhe 60 cm. Wilde Rosen, Lilien, Narzissen und Stauden mit Blütenrispen (eine Lupinenart) in felsigem Gelände. Bildgrund in der Mitte, unten und rechts weiß, links und rechts venetianisch rot. Vogel kobaltblau mit roten Tupfen auf der Brust, Kopf ergänzt. Felsen weiß umrandet und zum Teil weiß geädert mit verschiedenfarbigen Schichtungen und Einsprengseln die konglomeratartige Beschaffenheit des Gesteins wiedergebend. Herakleion (Kreta), Museum.

Sir Arthur Evans, The Palace of Minos at Knossos II, 2, Taf. 11 nach S. 454.

II. Bemalte Tonplatte vom Apollontempel in Thermos in Aetolien im westlichen Mittelgriechenland. Nachzeichnung. Die Platten (Metopen) bildeten mit hölzernen Dreistegen (Triglyphen) den oberen Teil des Gebälks aus Holz über der äußeren Säulenreihe des Tempels. Dargestellt ist Perseus mit Tarnkappe und geflügelten Schuhen in eiliger Flucht vor den beiden Schwestern der von Perseus enthaupteten Medusa, die wahrscheinlich auf den anschließenden, aber nicht erhaltenen Platten dargestellt waren (vgl. Abb. S. 35). Das abgeschlagene versteinernde Haupt der Medusa im Sack (Kibesis) unter dem Arm. Bildgrund tongrundig. Die Ornamente auf dem Gewand und der Brustteil sind mit braunschwarzem Kontur aus dem Tongrund ausgespart. Höhe des Bildfeldes 50 cm, Breite 61 cm. Aus einer korinthischen Werkstatt um 630–620 v. Chr. Athen, Nationalmuseum.

Antike Denkmäler 2, Taf. 51.

III. Bruchstück von einer bemalten Tontafel des attischen Malers und Töpfers Exekias. Farbige Kopie. Die 37×43 cm großen Tafeln, von denen bei Athen zahlreiche Bruchstücke gefunden wurden, stellen die Aufbahrung, Beklagung und Überführung einer Toten dar und schließen sich zu zwei Friesreihen zusammen, die wohl an einem Grabbau (aus luftgetrockneten Lehmziegeln) eingelassen waren. Sie werden oben von einem Mäanderfries begrenzt, der wie eine Decke wirkt, die von der weiß gemalten Säule getragen wird. Die Säule deutet die Umgebung des Hauses an, in dessen Hof die Aufbahrung und Beklagung der Toten stattfand. Erhalten ist der Kopf eines bärtigen Mannes, der sein Haar zum Zeichen der Trauer kurz geschoren hat, und die Arme wehklagend zum Kopf erhebt. Die Innenzeichnung ist wie in den Bildern der Tongefäße in den Schattenriß geritzt. Hinter ihm eine Frau mit aufgelöstem Haar, die sich mit der Rechten die Wangen blutig kratzt, wie es das Ritual vorschrieb, und die Linke wie der Mann klagend auf ihr Haupt legt. Über dem Kopf des Mannes Rest einer schwarz aufgemalten Inschrift ARS . . ., die durch Einkratzen in den Namen ARESI(AS?) umgeändert wurde, wohl den Namen eines Angehörigen der Toten. Um 530 v. Chr. Berlin, Staatliche Museen.

Antike Denkmäler 2, Taf. 11, 2.

IV. Bemalter Grabstein des Lyseas aus Marmor, der auf einem Grabhügel in Ostattika (bei Velanideza) stand. Erhaltene Höhe 1,95 m. Malerei mit heiß aufgetragenen Wachsfarben, von der noch Spuren erhalten blieben. Farbige Rekonstruktion auf Grund dieser Spuren von K. Müller im Archäologischen Institut der Universität Göttingen. Das Bild gibt die Gestalt des Verstorbenen wieder, der ein purpurrotes Untergewand (Chiton) und einen weißen Mantel trug, die beide den Dionysospriestern zustanden. Der wie die Falten schwarz gemalte Kantharos deutet ebenso darauf, daß Lyseas ein Priester des Dionysos war. Der nackte Jüngling auf dem Schimmel im unteren Bildfeld deutet wohl darauf, daß Lyseas in seiner Jugend der attischen Ephebie angehörte, also Sproß einer angesehenen attischen Familie war. Auf der zugehörigen Basis des Grabsteines steht die Inschrift: „Dem Lyseas stiftete dieses Mal sein Vater Semon". Um 510 v. Chr. Athen, Nationalmuseum.

Antike Denkmäler 3, Taf. 32 (farbige Faksimile-Wiedergabe des heutigen Zustandes von E. Gilliéron Vater). – Jahrbuch des Deutschen Archäologischen Instituts, Archäologischer Anzeiger 1922, Beilage 1 (einfarbige Wiedergabe der farbigen Rekonstruktion von K. Müller, die hier zum ersten Mal farbig wiedergegeben ist, wofür auch an dieser Stelle K. Müller herzlich gedankt sei).

V. Kitharaspielerin beim Stimmen oder Spielen ihrer Instrumente: der Kithara, die sie mit der Linken abstimmt, und der Lyra, die flach auf ihrem Schoß liegt. Innenbild vom „Hesiodmaler" einer attischen Trinkschale aus Ton. Buntmalerei auf geweißtem Grund. Das wellige Haar hellbraun untermalt, das Untergewand (Chiton) in verdünnter hellbrauner Glanzfarbe. Der hellrot abgedeckte Mantel um den Unterkörper hat auf der Borte des unteren Mantelrandes weiße Blütenmuster. Diadem, Ohrschmuck, Halskette und Armband mit Tonschlamm aufgehöht und vergoldet. Die Schale war kaum zum Gebrauch bestimmt und wohl ein Weihgeschenk. Höhe der Gestalt 8 cm. 460–450 v. Chr. Paris, Louvre.

Fondation E. Piot, Monuments et Mémoires 2 (1895) Taf. 5, nach Photographie und farbigem Aquarell.

VI. Totenklage von Vater und Mutter um den aufgebahrten Sohn. Buntmalerei auf weißem Grund eines attischen Ölkruges aus Ton (Lekythos). Farbige Kopie von F. Winter. Links tritt ein Mädchen mit klagend ausgestreckter linker Hand und flachem Korb mit Totenspenden in der Rechten heran. Darüber aufgehängte geweihte Binde mit Schleife und kleine geflügelte Psyche als mattes Schattenbild. Farbauftrag stellenweise abgeblättert (z. B. Gesicht des Toten). Höhe des Bildfeldes 27 cm. Um 420 v. Chr. Berlin, Staatliche Museen.

F. Winter, Eine attische Lekythos, 75. Programm zum Winckelmannsfest der Archäologischen Gesellschaft zu Berlin 1895, Farbtafel.

1: Wandgemälde mit fliegenden Fischen aus Phylakopi auf Melos. Um 1500 v. Chr. Kopie. Bildgrund gelblichweiß. Korallenartiger Meergrund oben und unten mit den schwammartigen und eierförmigen Gebilden schwarz umrandet. Schwammstaude unten sowie einzelne Streifen der eierförmigen Gebilde hellgelb. „Meerschaum" (Meereswellen?) in hellblauen Tupfen. Umriß der Fische und Einzelheiten schwarz. Obere Hälfte und Köpfe der Fische hellblau, ihr Bauch hellgelb, einmal weiß gelassen. Afterflossen hellgelb, Flugflossen mit blauem Ansatz, zum Teil gelb. Oben und unten 2 cm breiter schwarzer Rand. Höhe des Bildstreifens: 23 cm.

   Farbige Kopie: Journal of Hellenic Studies, Supplementary Paper No. 4: Excavations at Phylakopi in Melos, Taf. 3.

2: Attisches Tongefäß (Amphora) mit „geometrischen" Mustern und Tierfriesen. Höhe 50 cm. Um 775 v. Chr. München, Staatliche Antikensammlungen.

   E. Buschor, Griechische Vasen, 12, Abb. 11. – Corpus Vasorum Antiquorum, Deutschland 9 (München 3), Taf. 106.

3 oben: Totenklage. Bildfries auf einem 1,50 m hohen attischen Tongefäß (Amphora mit Seitenhenkeln), das als Grabmal diente. Gefunden im Gräberfeld vor der antiken Stadt Athen beim Dipylon. Höhe des Bildstreifens etwa 12 cm, Länge etwa 55 cm. Aus der gleichen Werkstatt wie das vorige Gefäß. Athen, Nationalmuseum.

   Abbildung des ganzen Gefäßes: E. Buschor, Griechische Vasen, 14, Abb. 12.

3 unten: Totenklage und feierliche Umfahrt mit Wagen. Bildfriese auf einem großen attischen Tonkessel (Krater), der ebenfalls als Mal auf einem attischen Grab stand. Fundort wie bei dem vorigen. Mitte des 8. Jahrhunderts v. Chr. Paris, Louvre.

   Merlin, Vases grecs, Taf. 2.

4: Darstellung von Wettkämpfen auf einem attischen Trinkgefäß aus Ton (Kantharos). Tanzendes Paar. Zweikampf mit Schwertern, wie er bei den Totenfeiern der Griechen in älterer Zeit üblich war. Zwei Löwen, die einen Mann verschlingen, „wie der Tod den Menschen anfällt". Kitharaspieler und Reigentanz gefäßtragender Mädchen, deren Gefäße wohl die Totenspenden enthielten. Waffentanz mit Schild und Lanze. Boxkampf. Tänzer und Springer mit Kitharaspieler. Höhe des Bildfrieses 4 cm. Drittes Viertel des 8. Jahrhunderts v. Chr. Kopenhagen, Nationalmuseum.

   Corolla Ludwig Curtius, Taf. 42–43. – Corpus Vasorum Antiquorum, Copenhague, Musée National III H, Taf. 74.

5 oben: Einschiffung einer Braut (Paris und Helena, Theseus und Ariadne?). Nachzeichnung eines Bildfrieses auf einem attischen Kessel aus Ton (Schüssel mit Ausguß). Drittes Viertel des 8. Jahrhunderts v. Chr. London, Britisches Museum.

Journal of Hellenic Studies 1899, Taf. 8. – Abbildung des ganzen Gefäßes: R. Hampe, Frühe griechische Sagenbilder in Böotien, Taf. 22.

5 unten: Männer- und Mädchenreigen mit Kitharaspieler auf dem Hals eines attischen dreihenkligen Gefäßes (Hydria). Nachzeichnung. Höhe des Bildfrieses 9 cm. Um 700 v. Chr. Athen, Nationalmuseum.

Jahrbuch des Deutschen Archäologischen Instituts 1887, Taf. 3. – Abbildung des ganzen Gefäßes: E. Buschor, Griechische Vasen, 36, Abb. 42.

6: Attisches Tafelbild aus Ton, nur zur Hälfte erhalten. Ruderschiff mit Schwerbewaffneten an Bord mit Rundschild, Helm mit Busch und je zwei Lanzen. Die Ruderer sind nicht mit dargestellt. Am Heck der Steuermann mit Steuerruder. Braune Glanzfarbe auf hellgelbem Ton. Höhe 8 cm. Weihetafel mit Loch zum Aufhängen oder Aufnageln rechts oben. Aus dem Athenaheiligtum auf Kap Sunion an der Südspitze von Attika. Ende des 8. Jahrhunderts v. Chr. Athen, Nationalmuseum.

Annual of the British School at Athens 35, 1934, Taf. 40 b.

7 oben: Rennwagen mit Wagenlenker von einem großen attischen Kessel aus Ton (Krater). Höhe des Frieses etwa 15 cm. Frühes 8. Jahrhundert. Athen, Nationalmuseum.

Abbildung des ganzen Gefäßes: American Journal of Archaeology 1940, Taf. 25.

7 unten: Wagenfahrt. Bildfries auf dem Rand eines attischen Mischgefäßes aus Ton (Krater). Höhe des Frieses 10 cm. Frühes 7. Jahrhundert. München, Staatliche Antikensammlung.

Jahrbuch des Deutschen Archäologischen Instituts 1907, 78, Abb. 1–2 und Taf. 1. – Corpus Vasorum Antiquorum, Deutschland 9 (München 3), Taf. 130, 131, 133.

8 oben: Löwe auf dem Bruchstück einer großen Kanne aus Ton einer korinthischen Werkstatt. Braunschwarze Schattenrißmalerei auf hellgelbem Tongrund. Hals dunkelrot abgedeckt. Innenzeichnung eingeritzt. Gegen Mitte des 7. Jahrhunderts v. Chr. Aigina, Museum.

W. Kraiker, Aigina, Die Vasen des 11.–7. Jahrhunderts, Taf. 21.

8 unten: Löwe auf dem Schulterbild eines zweihenkligen Gefäßes aus Ton (Amphora) von Delos. Aus einer Werkstatt in Paros. Hellgelber Bildgrund. Konturen und Körper in stumpfbrauner keramischer Farbe. Kopf, Vorderbeine und Schwanz bräunlich hellrot. An der oberen Lefze braune Haarpunkte. Auge mit brauner Pupille; Zähne und Krallen nur in Konturzeichnung. Bildhöhe etwa 10 cm. Gegen Mitte des 7. Jahrhunderts v. Chr. Paris, Bibliothèque Nationale, Cabinet des Médailles.

Journal of Hellenic Studies 1926, Taf. 10.

9 oben: Liebespaar. Halsbild auf einer Tonkanne aus einem Grab in Arkades (Afrati) auf Kreta. Rotbraune Glanzfarbe auf hellem Tongrund. Der linke Teil am Rock des Mädchens ursprünglich weiß abgedeckt. Höhe der Figuren etwa 8 cm. Um 650 v. Chr. Herakleion (Kreta), Museum.

Buschor, Griechische Vasen, 49, Abb. 56. – Abbildung des ganzen Gefäßes: Annuario della R. Scuola Archeologica di Atene 1927/28, 338, Abb. 443 a.

9 unten: Totenklage auf einer attischen Kanne aus Ton von einem Totenopfer am Grab vor dem Dipylon von Athen. Ausschnitt. Farbige Malerei auf geweißtem Grund, stark beschädigt. Konturen in rotbrauner Farbe. In der gleichen Farbe Gesichter und Gewänder abgedeckt. Innenzeichnung der Augen verloren. Um 650 v. Chr. Athen, Kerameikos-Museum.

K. Kübler, Altattische Malerei, 62 f., Abb. 54–55. – Abbildung des ganzen Gefäßes (Höhe 50 cm): Jahrbuch des Deutschen Archäologischen Instituts, Archäologischer Anzeiger 1933, 273, Abb. 8.

10: Bruchstück einer bemalten Tonplatte aus einem Brunnen am Nordabhang der Akropolis in Athen. Die Tonplatte war ursprünglich wohl etwa 50×60 cm groß, das Bruchstück ist noch 21 cm hoch und 19 cm breit. Die verhältnismäßig dünne Tonplatte war wohl auf Holz aufgesetzt und diente so als Metope wie Tafel 13. Links der bärtige Kopf eines bekleideten Mannes, dem eine verlorene Gestalt rechts eine Lyra überreicht. Von ihr ist nur die rechte Hand, die die Lyra faßt, und die entgegengehaltene linke Hand erhalten. Hinter der Lyra die erhobene linke Hand des Bärtigen. Dieser wird wohl Apollon sein, dem die Lyra von seiner Mutter Leto überreicht wird. Die unbekleideten Teile der Gestalten sind in dunkel purpurner Farbe auf den gelblichen Tongrund gesetzt. Haarlocke, Braue, Auge, Bart und Gewand des Bärtigen, sowie Lyra und Fingernägel der haltenden Hand braun. Auf dem Saum des Gewandes weiße Punktreihe, auf dem Gewand selbst weiße Punktrosette um einen rot ausgefüllten Kreis. Alle Konturen und die Innenzeichnung geritzt. Athen, Agora-Museum.

Farbige Kopie: Hesperia, Journal of the American School of Classical Studies at Athens 1938, Taf. 1, nach S. 160.

11: Brautfahrt des Herakles auf einem zweihenkligen Gefäß (Amphora) aus Melos von einer melischen Werkstatt. Oberfläche stark beschädigt. Nachzeichnung. Herakles besteigt den Wagen, während er mit der Linken die Zügel hält und sich zum Vater der Braut abschiednehmend zurückwendet. In der Rechten hält er den Pferdestachel (Kentron). Er trägt kurzen gegürteten Chiton als Untergewand unter dem Löwenfell, Köcher auf dem Rücken und hohe Lederstiefel. Die unbenannte Braut steht auf dem Wagen und zieht mit der linken Hand ihren Mantel züchtig über die Schulter vor. Vor ihr hinter den Pferden ihre Mutter, die von ihr Abschied nimmt. Links der Brautvater mit redender Gebärde zu Herakles gewandt. Vor dem Wagen vier Rappen mit roten Mähnen. Gelblichweißer Bildgrund durch Überziehen der Tonoberfläche mit feinem Tonschlamm. Konturen in brauner Farbe. Nackte Körperteile der Männer ockergelb abgedeckt, bei den Frauen tongrundig hell gelassen. Augenlider

151

und Augäpfel schwarz, Augensterne weiß. Haupthaare, Mantel des Vaters, Punkte des Löwenfells, Chiton des Herakles, Mantel der Braut, Wagen und Pferde schwarz. Purpur: Borten der Mäntel, Längsstreifen in den quadratischen Mustern, oberer Gewandteil der Braut. Rosettenmuster auf den Mänteln und auf dem Chiton aus roten Punkten in weißem Punktkreis. Zwischen den Gestalten zahlreiche dekorative Füllmuster. Höhe des Bildes 30 cm. Um 620 v. Chr. Athen, Nationalmuseum.

Farbige Nachzeichnung: Ephimeris Archaeologiki 1894, Taf. 13. – E. Buschor, Griechische Vasen, 57, Abb. 67.

12 oben: Ausschnitt aus einem Bildfries mit Feldschlacht auf einer korinthischen Kanne aus Ton. Nachzeichnung. Schwarze, rote und hellbraune Brandfarben auf hellgelbem Tongrund. Weiße Punkte an den Ansätzen der Helmbüsche. Innenzeichnung und Konturen geritzt. Höhe des Frieses 4 cm. Rom, Villa di Papa Giulia, aus der Sammlung Chigi. 650–640 v. Chr.

Antike Denkmäler Bd. 2, Taf. 44 (farbige Kopie). – Abbildung des ganzen Gefäßes: E. Buschor, Griechische Vasen, 31, Abb. 37.

12 unten: Auffahrt mit Wagen und Reiter. Darunter Jagdszene. Bildfriese von derselben Kanne. Retouchierte Photographie. Schwarze und rote Brandfarbe auf hellgelbem Tongrund. Innenzeichnung und teilweise auch Konturen geritzt. Höhe des Frieses 4 cm.

H. G. G. Payne, Protokorinthische Vasenmalerei (Bilder griechischer Vasen, Heft 7), Taf. 28, 3.

13: Bemalte Tonplatte vom Apollontempel in Thermos wie Farbtafel II. Nachzeichnung. Jäger (Heros) mit Bogen und Pfeil in der Linken und geschultertem Tragestock mit der Jagdbeute (Wildsau und Hirsch). Farben an Gestalt und Gewand wie auf der Platte Farbtafel II. Wildschwein braunschwarz, seine Hauer gelb tongrundig. Rückenborsten braun. Hirsch hellbraun mit dunklen braunen Flecken. Athen, Nationalmuseum.

Farbige Abbildung: Antike Denkmäler Bd. 2, Taf. 51.

14: Herakles als Gast beim König Eurytios von Korinth. Ausschnitt aus einem Bildfries auf einem korinthischen Mischgefäß (Krater). Braunschwarze Schattenrißmalerei auf rötlich gelbem Tongrund. Innenzeichnung geritzt. Kopf der Königstochter Jole (Beischrift Fiola in korinthischen Buchstaben) mit braunschwarzem Kontur auf den hellen Bildgrund gemalt, ebenso Tische, Klinenbeine (Speisebetten), Kuchen und Rand der Trinkbecher auf den Tischen. Purpurrot: Mäntel, Gesichter der Männer und Einzelheiten. Höhe des Bildfrieses etwa 12 cm. Um 590 v. Chr. Paris, Louvre.

E. Buschor, Griechische Vasen, 65, Abb. 75.

15 oben: Götterzug auf Bruchstücken eines attischen Mischgefäßes (Dinos) von der Akropolis in Athen. Nachzeichnung. Auf dem größeren Bruchstück rechts Iris, die Götterbotin, dann Hestia und Demeter, Leto und Chariklo, die Gattin des Cheiron, des weisen kentaurengestaltigen Erziehers des Achilleus, durch

152

Beischriften in attischen Buchstaben benannt. Auf dem kleineren Bruchstück
Musen. Von einer Darstellung des Zuges der olympischen Götter zur Hochzeit
des Peleus, des Vaters des Achilleus, mit der Göttin Thetis. Rötlich gelber
Tongrund. Umrisse in roter Farbe. Mäntel purpurrot mit schwarzem Saum,
ihre Innenseite schwarz. Gesichter, Arme und Beine weiß abgedeckt, darauf
Bemalung in roter Farbe. Haare schwarz. Innenzeichnung an Haar, Mantel-
borten und Mantelrändern geritzt. Schurzfell und Botenstab (Kerykeion) der
Iris schwarz. Höhe des Bildfrieses 8,5 cm. Vom Maler Sophilos um 570 v. Chr.
gemalt. Athen, Nationalmuseum.

B. Graef – E. Langlotz, Die antiken Vasen von der Akropolis zu Athen,
Taf. 26. – Farbige Nachzeichnung: Mitteilungen des Deutschen Archäologischen Instituts in Athen 1889, Taf. 1.

15 unten: Ausschnitt aus dem Götterzug in einem Bildfries eines attischen Mischgefäßes (Krater) des Töpfers Ergotimos und des Malers Klitias, aus einem
etruskischen Grab. Nachzeichnung von K. Reichhold. Gleiches Thema wie auf
dem vorigen. Neben Hera Zeus mit Blitz und Pferdestachel (Kentron) zügel-
haltend auf dem Wagen, davor die Musen Urania und Kalliope Syrinx
spielend. Vor dem Gespann die drei Horen. Daneben Inschrift des Töpfers
Ergotimos. Schwarze Schattenrißmalerei auf rötlich gelbem Tongrund. Innenzeichnung geritzt. Gesichter, Arme und Füße der Frauen weiß abgedeckt,
ebenso alle bildlichen Gewandverzierungen und zum Teil die Untergewänder.
Kontur und Innenzeichnung schwarz. Gesichter der Männer, Teile der Gewänder, Pferdemähnen satt karmesinrot. Höhe des Frieses mit Randleisten
14 cm. 570–560 v. Chr. Florenz, Museo Archeologico.

A. Furtwängler – K. Reichhold, Griechische Vasenmalerei, Taf. 1–2. – Abbildung des ganzen Gefäßes: E. Buschor, Griechische Vasen, 103, Abb. 118.

16: Ausschnitt aus dem Bildfries des Gefäßes Taf. 18: Dionysos mit Thiasos.
Nachzeichnung. Dionysos mit Epheukranz trägt in der Linken ein Trinkhorn
und einen Epheuzweig, in der Rechten eine Weinranke mit Trauben. Hinter
ihm tanzende Mainaden und Silene. Vor ihm zwei Silene, der vordere mit
Epheu- und Weinranke mit Trauben. Er trägt auf dem Rücken einen Wein-
schlauch, aus dem der Silen hinter ihm trinkt. Darüber fliegender Vogel als
Zeichen guter Vorbedeutung. Schwarze Schattenrißmalerei auf rötlich gelbem
Tongrund. Die nackten Körperteile der Mainaden weiß abgedeckt. Dunkelrot:
Chiton der Mainaden, ihre Hauben, die Faltenbahnen am Mantel des Dio-
nysos, die Blätter des Epheukranzes, der Weinschlauch, die Brustwarzen der
Silene, Flügel und Schwanz des Vogels. Stabmuster am oberen Rand abwech-
selnd rot und schwarz. Konturen und Innenzeichnung geritzt. Höhe der
Figuren rund 20 cm.

Metropolitan Museum Studies 4, 2, Taf. 1 nach S. 170.

17: Ausschnitt vom Bildfries auf der Rückseite des gleichen Gefäßes: Hephaistos
mit Trinkhorn reitet auf einem Maultier in den Olymp zurück. Um ihn tanzende Mainaden und Silene. Der Silen rechts hält eine Schlange und eine
große Weintraube in der Rechten. Nachzeichnung.

18: Attisches Mischgefäß (Krater korinthischer Form) mit Darstellung des Dionysos mit seinem Thiasos, der Hephaistos in den Olymp zurückführt, vom Maler Lydos. Schattenrißmalerei auf rötlichgelbem Tongrund mit geritzter Innenzeichnung. Um 550 v. Chr. Höhe des Gefäßes 56 cm. New York, Metropolitan Museum.

Metropolitan Museum Studies 4, 2, S. 171, Abb. 2. – A. Rumpf, Sakonides (= Lydos; Bilder griechischer Vasen, Heft 11) Taf. 21–23.

19: Dionysos und zwei tanzende Mainaden auf einem attischen Vorratsgefäß (Amphora). Vom Maler Amasis. Dionysos hält ein großes Trinkgefäß (Kantharos) in seiner Linken, das auch im Dionysoskult verwendet wurde. Die Mainaden tragen Epheuzweige, die eine noch einen Hasen an den Ohren, die andere einen Hirsch an den Vorderbeinen. Gelblichroter Tongrund. Schattenrißmalerei mit geritzter Innenzeichnung mit Ausnahme der Köpfe und nackten Glieder der Mainaden, die in Umrißlinien auf den Tongrund gemalt sind. Dunkelrot: Mantel des Dionysos, Punkte am Obergewand der hinteren Mainade und Blätter der Epheuzweige im Haar. Über den Figuren Beischriften: Dionysos; Amasis epoiesen („Amasis hat es gemacht"). Gesichter der Mainaden vom Restaurator etwas übermalt. Um 540 v. Chr.. Paris, Bibliothèque Nationale, Cabinet des Médailles.

Corpus Vasorum Antiquorum, France, Bibliothèque Nationale, Cabinet des Médailles, Taf. 36–37. – S. Karouzou, The Amasis Painter, Oxford Monographs on Classical Archaeology (1956), Taf. 31–32.

20: Attisches Vorratsgefäß (Amphora) vom Töpfer und Maler Exekias. Achilleus und Aias beim Brettspiel im Feldlager vor Troja. Schwarze Schattenrißmalerei auf rötlichgelbem Tongrund. Innenzeichnung geritzt, Einzelheiten weiß abgedeckt. Höhe des Gefäßes: 61 cm. Um 530 v. Chr. Vatikan, Museo Gregoriano.

W. Technau, Exekias (Bilder griechischer Vasen, Heft 9), Taf. 20–21.

21: Ausschnitt aus dem Bild des vorigen Gefäßes: Aias. Nachzeichnung von Reichhold. Schwarze Schattenrißmalerei mit geritzter Innenzeichnung auf rötlichgelbem Tongrund. Verzierter Lederpanzer und Sternverzierung des Mantels weiß abgedeckt. Chiton darunter dunkelrot. Haarband, Rand der Beinschiene, Spirale auf den Oberschenkelschienen rot. Begleitende Punktreihe auf den Beinschienen weiß. Stirn- und Nackenlocken mit Tonschlamm aufgehöht und schwarz bemalt. Kontur und Innenzeichnung überaus fein eingeritzt. Beischriften: Tria (drei) = „drei" (Augen habe ich geworfen). Über der Figur: Aiantos = „des Aias" (Bild). Dahinter: Onetorides kalos = „Onetorides ist schön".

A. Furtwängler – K. Reichhold, Griechische Vasenmalerei, Taf. 131.

22: Polydeukes, bei seiner Heimkehr vom Hund begrüßt, und seine Mutter Leda, die seinem Bruder Kastor beim Eintritt eine Blume darreicht, mit geweihten Zweigen in der Linken. Ausschnitt aus dem Bild des Exekias auf der anderen Seite des gleichen Gefäßes. Gleiche Maltechnik. Ärmelrand, Taille, rechteckige Musterung des Gewandes der Leda und Blume rot.

154

23 oben: Aias gräbt sein Schwert in die Erde, um sich hineinzustürzen. Bild des Exekias auf einem attischen Vorratsgefäß (Amphora). Schwarze Schattenriß- malerei auf rötlich-gelbem Tongrund. Haarband rot. Innenzeichnung geritzt. Höhe der Figur etwa 8,5 cm. Gleiche Zeit wie das vorige Gefäß. Boulogne, Museum.

W. Technau, Exekias (Bilder griechischer Vasen, Heft 9), Taf. 24. – J. D. Beazley, The Development of Attic Black-Figure, Taf. 32, 1.

23 unten: Trauer um einen gefallenen Krieger. Bild eines dem Exekias nahe- stehenden Malers auf einem attischen Vorratsgefäß (Amphora). Schattenriß- malerei mit geritzter Innenzeichnung auf rötlich-gelbem Tongrund. Die nackten Körperteile der trauernden Frau weiß abgedeckt, Gewandmuster und Punktverzierung des an den Platanenstamm gelehnten Schildes ebenfalls weiß. Faltenbahnen am Mantel der Trauernden, an dem über einen Ast der Platane gehängten Gewand des Toten und Einzelheiten an Schild, Helm und Beinschienen rot abgedeckt. Ebenso Flügelansatz des Vogels auf dem Kiefern- zweig. Vielleicht ist Eos gemeint, die ihren vor Troja gefallenen Sohn Mem- non beweint. Vatikan, Museo Etrusco Gregoriano.

W. Technau, Exekias, Taf. 29. – J. D. Beazley, The Development of Attic Black-Figure, Taf. 33.

24: Dreihenkliges Tongefäß (Hydria) aus einer jonischen Werkstatt in Etrurien (Caere): Zeus in Gestalt eines Stieres entführt Europa. Buntmalerei in hell- brauner bis schwarzer Farbe auf orangefarbigem Tongrund. Nackte Körper- teile der Europa und der Nike, Vorderteile des Nikeflügels, Körper der Gans und Fische unter dem Stier weiß abgedeckt. Oberteil des Gewandes der Eu- ropa, Füße und Schnabel der Gans purpurrot. Innenzeichnung fein geritzt, ebenso der Umriß der Europa und teilweise der Nike. Um 530 v. Chr. Rom, Villa di Papa Giulia, Sammlung Castellani.

G. A. Giglioli, L'Arte etrusca, Taf. 128, 2.

25 links: Athener auf einem Gefäßbild des Andokidesmalers eines attischen Vor- ratsgefäßes (Amphora). Tongrundig ausgesparte Figur auf schwarz abgedeck- tem Bildgrund. Kontur und Innenzeichnung sind mit der Malfeder in schwarzer Glanzfarbe ausgeführt. Epheukranz dunkelrot. Umriß und Innen- zeichnung des Kopfhaares geritzt. Höhe der Figur 17 cm. Um 520 v. Chr. Berlin, Staatliche Sammlungen.

A. Furtwängler – K. Reichhold, Griechische Vasenmalerei, Taf. 133.

25 rechts: Artemis auf der anderen Seite des gleichen Gefäßes vom gleichen Maler. Gleiche Maltechnik. Blütenranke in der linken Hand, Zwickelblüte der ton- grundig ausgesparten Ranke in der rechten Hand und Blätter des Kranzes rot.

26: Rest eines bemalten Grabsteines mit Jünglingskopf. Die Farben waren ur- sprünglich als Wachsfarben auf den Stein heiß aufgetragen worden. Diese durch die Farbe besser geschützten Partien haben sich in hellerem Marmorton erhalten, so daß die Malerei jetzt hell auf dunkel, statt dunkel auf hell erscheint. Marmor vom Pentelikon in Attika. Höhe des Kopfes rund 13 cm. 510–500 v. Chr. Berlin, Staatliche Sammlungen.

Staatliche Museen Berlin. Katalog der Sammlungen antiker Skulpturen II, 1, Taf. 19.

27: Jünglinge aus einem Gefäßbild des Malers Euphronios auf einem attischen Mischgefäß (Krater). Nachzeichnung von Reichhold. Tongrundig ausgesparte Figuren auf schwarzem Grund. Innenzeichnung mit Pinsel und verdünnter hellbrauner Glanzfarbe. Haarumrisse geritzt. Kränze dunkelrot. Beischriften rot. 510–500 v. Chr. Paris, Louvre.

A. Furtwängler – K. Reichhold, Griechische Vasenmalerei, Taf. 92.

28: Mainade des „Kleophradesmalers" von einem attischen Vorratsgefäß (Amphora). Nachzeichnung von Reichhold. Technik wie bei dem vorigen. Epheukranz rot. Höhe der Figur etwa 17 cm. 500–490 v. Chr. München, Staatliche Antikensammlungen.

J. D. Beazley, Der Kleophradesmaler (Bilder griechischer Vasen, Heft 6), Taf. 5. – R. Lullies, Griechische Vasen der reifarchaischen Zeit, Taf. 36–47.

29: Zwei Liebespaare auf einem attischen Trinkbecher aus Ton (Skyphos) von „Brygosmaler". Gleiche Technik wie bei den vorigen. Brüche der Wandung übermalt. Höhe der Figuren etwa 12 cm. Um 490 v. Chr. Paris, Louvre.

E. Langlotz, Griechische Vasenbilder, Taf. 27.

30: Sänger mit Kithara. Einzelbild auf einem attischen Vorratsgefäß (Amphora) vom „Maler der Berliner Amphora". Nachzeichnung von Beazley. Gleiche Technik wie bei den vorigen. Höhe 21 cm. 490–480 v. Chr. New York, Sammlung Hearst.

J. D. Beazley, Der Berliner Maler (Bilder griechischer Vasen, Heft 2) Taf. 21.

31: Attischer Ölkrug (Lekythos) mit dem Jäger Kephalos vom „Panmaler". Der Jäger trägt in der Linken Speer und Wurfkeule. Gleiche Technik wie bei den vorigen. Höhe der Gestalt etwa 18 cm. 480–490 v. Chr. Boston, Museum of Fine Arts.

J. D. Beazley, Der Panmaler (Bilder griechischer Vasen, Heft 4), Taf. 24, 1. – L. Caskey – J. D. Beazley, Attic Vase Paintings in the Museum of Fine Arts Boston, Bd. 2, Taf. 51.

32 links: Kopf des Theseus, der mit dem Riesen Kerkyon ringt. Bruchstück vom Innenbild einer attischen Schale des „Kleophradesmalers". Der Riese hat den Nacken des Theseus umfaßt. Theseus drückt mit der linken Hand seinen Kopf nieder, um ihn mit einem „Ausheber" zu Fall zu bringen (Abb. S. 58). Links Inschrift Theseus und Rest des aufgehängten Schwertes und Mantels des Theseus. Oben Rest der runden Umrandung des Bildes mit Mäanderborte. Maltechnik wie bei den vorigen. Haar hellgelb grundiert mit übergemalten

156

hellbraunen Strähnen, Blondheit andeutend. Haarband tongrundig ausgespart. Höhe des Theseuskopfes etwas über 3 cm. 490–480 v. Chr. Paris, Bibliothèque Nationale, Cabinet des Médailles.

J. D. Beazley, Der Kleophradesmaler, Taf. 10.

32 rechts: Kopf einer Thrakerin vom weißgrundigen Innenbild einer attischen Schale, vom „Pistoxenosmaler". Oberkopf, Hinterhaupt und unterer Teil der Thrakerin weggebrochen. Von der Akropolis in Athen. Buntmalerei auf weißem Grund. Höhe des Bruchstückes etwa 9 cm. Gegen 470 v. Chr. Athen, Nationalmuseum.

H. Diepolder, Der Penthesileamaler (Bilder griechischer Vasen, Heft 10), Taf. 5 und 17, 2. – Ders., Der Pistoxenos-Maler (110. Winckelmanns-Programm der Archäologischen Gesellschaft zu Berlin, 1954), 6 f., 14 f.

33: Trojas Fall. Bildfries des „Kleophradenmalers" auf der Schulter eines drei-henkligen attischen Gefäßes (Hydria). Abgerollte Nachzeichnung von Wilhelm Tischbein. Tongrundig ausgesparte Figuren auf schwarzem Glasurgrund. Haare hellbraun untermalt. Teile der Gewänder, Inneres der Schilde und Blattstümpfe der Palme hellbraun getönt. Haarbinden, Schwertgehänge und Wundblut tiefrot. Höhe der Gestalten rund 16 cm. Um 470 v. Chr. Neapel, Museo Nazionale.

W. Tischbein, Homer nach Antiken, Heft 9, Taf. 5–6. – J. D. Beazley, Der Kleophradesmaler, Taf. 27.

34: Athena und Hera von einem Bildfries mit Urteil des Paris vom „Penthesilea-maler" auf der Wandung einer attischen Tonbüchse (Pyxis). Buntmalerei auf weißem Grund. Mantel der Hera und Gewand der Athena (Peplos) in leuch-tendem Braun mit purpurnen Falten und Borten. Gewandmuster weiß. Alles andere in dunkelbrauner bis schwarzer Glanzfarbe. Höhe der Figuren etwa 12 cm. Um 550 v. Chr. New York, Metropolitan Museum of Art.

H. Diepolder, Der Penthesileamaler, Taf. 11–12 (Abbildung des ganzen Gefäßes; ebenso:) Gisela M. A. Richter, Red-Figured Athenian Vases in the Metropolitan Museum of Art, Taf. 77.

35: Athener im Kampf mit Amazonen. Ausschnitt aus einem Bildfries auf einem attischen Mischgefäß (Krater). Nachzeichnung von Reichhold. Tongrundig ausgesparte Figuren auf schwarzem Grund. In hellbrauner verdünnter Glanz-farbe lasiert: Augenfalten des umgeschlungenen Mantels (Chlamys) des Kriegers, am Oberteil des Gewandes (Chitons) der Amazone rechts, Innen-seite ihres Schildes, Längsfaltengräben am Unterteil ihres Chitons, Rehfell der anderen Amazone, Fußsohle des Gefallenen. Geländelinien und Stauden in weißer Farbe. Höhe der Gestalten 21 cm. Gegen Mitte des 5. Jahrhunderts v. Chr. New York, Metropolitan Museum of Art.

A. Furtwängler – K. Reichhold, Griechische Vasenmalerei, Taf. 116. – G. M. A. Richter, Red-Figured Athenian Vases in the Metropolitan Museum of Art Taf. 97.

36: Achilleus tötet im Kampf die Amazonenkönigin Penthesilea. Innenbild einer großen attischen Schale des „Penthesileamalers". Gleiche Technik wie bei dem vorigen, doch bunter ausgemalt. Durchmesser der Schale 43 cm. Gegen 460 v. Chr. München, Staatliche Antikensammlungen.

    H. Diepolder, Der Penthesileamaler, Taf. 14–15.

37: Theseus im Kentaurenkampf. Gefäßbild auf einem attischen Mischgefäß (Krater). Nachzeichnung von Reichhold. Gleiche Technik wie bei den vorigen. Haarband des Theseus und Kranz des Kentauren rot. Höhe der Figur des Theseus 19 cm. 460–450 v. Chr. Florenz, Museo Archeologico.

    A. Furtwängler – K. Reichhold, Griechische Vasenmalerei, Taf. 166.

38: Attisches Mischgefäß (Krater) mit Darstellung der Tötung der Kinder der Niobe durch Apollon und Artemis. Tongrundig ausgesparte Figuren auf schwarzem Grund von Glanzfarbe. Geländelinien in weißer Farbe. Höhe des Gefäßes 53 cm. Gegen 450 v. Chr. Paris, Louvre.

    A. Furtwängler – K. Reichhold, Griechische Vasenmalerei, Taf. 108 und 109.

39: Andere Seite des gleichen Gefäßes: Versammlung von Helden im Beisein von Herakles und Athena. In hellbrauner verdünnter Glanzfarbe lasiert: Augenfalten der Gewänder, Fell des Herakles, einige Innenzeichnung und Einzelheiten.

40: Ausschnitt aus dem vorigen Bild mit gelagerten Helden.

41: Apollon tötet den Riesen Tityos, dessen Mutter Ge flieht. Innenbild einer attischen Schale des „Penthesileamalers". Gleiche Maltechnik wie bei dem vorigen. Diadem der Ge und Früchte am Lorbeerkranz Apollons mit Tonschlamm aufgehöht und vergoldet. Haarband des Tityos rot. Durchmesser der Schale 39 cm. Gegen 450 v. Chr. München, Staatliche Antikensammlungen.

    H. Diepolder, Der Penthesileamaler, Taf. 16.

42: Telemachos und Penelope vor dem Webstuhl. Ungerahmtes Bild auf der Wandung eines attischen Trinkbechers aus Ton (Skyphos). Nachzeichnung von Reichhold. Gleiche Technik wie bei dem vorigen. Ornament des Teppichs links und Innenzeichnung am Körper des Telemachos in hellbrauner verdünnter Glanzfarbe. Gewichte an den herabhängenden Webfäden weiß. Auf dem Teppich schraffierter Schlagschatten vom Kopf des Telemachos in hellbrauner Farbe. Höhe der Figur des Telemachos 14,5 cm. 460–450 v. Chr. Chiusi, Museo Civico.

    A. Furtwängler – K. Reichhold, Griechische Vasenmalerei, Taf. 142.

43: Zwei Mädchen, die einer Leierspielerin zuhören. Ausschnitt aus einem Bild auf einem attischen Mischgefäß (Krater). Gleiche Technik wie bei den vorigen. Höhe der Figuren etwa 18 cm. Um 450 v. Chr. New York, Metropolitan Museum of Arts.

    G. M. A. Richter, Red-Figured Athenian Vases in the Metropolitan Museum of Art, Taf. 111.

44: Abschied eines Kriegers von Vater und Mutter. Ausschnitt aus einem Bild auf einem attischen Vorratsgefäß (Amphora). Nachzeichnung. Gleiche Technik wie bei den vorigen. Locken am Haarrand, Einzelnes der Innenzeichnung, Armband und Verzierung der Spendeschale, die die Mutter dem Sohn kredenzt, in hellbrauner verdünnter Glanzfarbe. In der gleichen Farbe Lasur der Faltentäler an den Gewändern und des Felles über dem Stuhlsitz. Haarband und Beischriften in roter Farbe: Kalliope (Mutter), Antiochos (Vater), Neoptolemos (Sohn). Die sonst nur im Epos gebräuchlichen heroischen Namen bezeichnen hier nicht Gestalten einer bestimmten Sage. Auf dem Gefäßbild rechts noch der Bruder Antimachos, der Schild und Helm bereithält. Höhe der Figuren 26 cm. Um 440 v. Chr. New York, Metropolitan Museum of Art.

G. M. A. Richter, Red-Figured Athenian Vases in the Metropolitan Museum of Art, Taf. 128.

45: Achilleus. Einzelfigur auf einem attischen Vorratsgefäß (Amphora) vom „Achilleusmaler". Brüche in der Gefäßwandung teilweise übermalt. Unterschenkel durch die Gefäßeinziehung verkürzt. Gleiche Technik wie bei den vorigen. Haar hellbraun untermalt. Hellbraun lasiert: Verzierungen am Panzer und Faltentäler des Mantels (Chlamys) über dem linken Arm. Über dem Kopf Beischrift: Achilleus, in roter Farbe. Höhe der ganzen Figur etwa 22 cm. Um 440 v. Chr. Vatikan, Museo Gregoriano.

A. Furtwängler – K. Reichhold, Griechische Vasenmalerei, Taf. 167.

46. 47: Mann und Frau auf einem attischen tönernen Ölkrug (Lekythos) von dem gleichen Maler. Buntmalerei auf weißem Grund mit dunkelbraunen Umrissen. Körperfarbe des Mannes hellbraun, sein Mantel hellrot, sein Haar rötlich braun mit weißen und schwarzen Strähnen, etwas verwischt. Sitzkissen rötlichbraun. Die Frau trug einen Ärmelchiton in dunkelroter Farbe, die bis auf wenige Spuren abgegangen ist. Haar mit schwarzen Strähnen auf dunkelbrauner Untermalung. Der Mann hält in der rechten eine Frucht, deren rote Farbe verblaßt ist, wohl einen Granatapfel, die Frucht des Hades, die ihn als Toten bezeichnet. Über ihm, an der Zimmerwand aufgehängt zu denken, eine zierliche Kanne (aus Silber oder Bronze) und ein Spiegel (aus Metall). Hinter der Frau eine aufgehängte lange Haube in rötlich-brauner Farbe. Die Szene ist also im Frauengemach (Gynaikonitis) im Haus des Verstorbenen gedacht. Lebensbild und Totenbild gehen so ineinander über. Höhe der Frauenfigur rund 16 cm. 440–430 v. Chr. New York, Metropolitan Museum of Art.

G. M. A. Richter, Red-Figured Athenian Vases in the Metropolitan Museum of Art, Taf. 116.

48: Rückkehr der Persephone aus dem Hades im Beisein des Totengeleiters Hermes. Ausschnitt aus einem Bild auf einem attischen Mischgefäß (Krater) des „Persephonemalers". Gleiche Technik wie bei den vorigen. In hellbrauner Farbe lasiert: Augenstern und Hut (Petasos) des Hermes, Falten am Chiton, Halsband der Persephone, Erdspalt und Felsen. Beischriften: Hermes, Persephone. Höhe der Figur des Hermes 18 cm. Rechts noch die Hekate mit brennenden Fackeln und die Mutter Demeter der Persephone, die nach ihrer vom

Hades geraubten Tochter sucht. Um 440 v. Chr. New York, Metropolitan Museum of Art.

G. M. A. Richter, Red-Figured Athenian Vases in the Metropolitan Museum of Art, Taf. 124.

49: Artemis und Apollon. Ausschnitt aus einem Bildfries auf einem attischen Mischgefäß (Krater) des Malers Polion. Artemis hält die Zügel des Pferdegespannes des Apollon. Apollon nimmt die Kithara von seiner Mutter Leto entgegen. Über Artemis eine Nike, die mit dem Siegeskranz auf Apollon zufliegt, um ihn mit diesem zu kränzen. Gleiche Technik wie bei den vorigen. Untermalung des Haares der Artemis in hellbrauner Farbe. Beischriften in roter Farbe: Artemis; über den Köpfen der Pferde: Polion egraphsen = Polion hat es gemalt. Höhe der Figuren etwa 18 cm. Gegen 420 v. Chr. New York, Metropolitan Museum of Art.

G. M. A. Richter, Red-Figured Athenian Vases in the Metropolitan Museum of Art, Taf. 154.

50: Tanzende Mainaden beim Fest des Weinausschanks (Lenäenfest) auf einem attischen Weinmischgefäß (Stamnos). Nachzeichnung von Reichhold. Bekränzte Dionysosmaske am Pfahl, der mit Gewändern bekleidet und mit Epheuzweigen geschmückt ist. Davor heiliger Tisch (Trapeza) mit Weingefäßen (Stamnoi), einem Trinkbecher (Kantharos) und Opferbroten. Die Mainade „Dione" links vom Tisch schenkt aus einem der Gefäße den neuen Wein aus. Rechts zwei tanzende Mainaden: „Mainas" mit Schallbecken (Tympanon) und eine unbenannte mit brennenden Fackeln. Gleiche Technik wie bei den vorigen. Reichliche Verwendung von lasierender hellbrauner Farbe an Gewandfalten, Rehfell und Haarlocken der Mainaden. Weingefäße und Schallbecken durch Schraffierung mit hellbrauner Farbe mit breiten Pinselstrichen modelliert. Reichliche Verwendung von Weiß für kleinere Einzelheiten. Höhe der Figuren 27 cm. Gegen 420 v. Chr. Neapel, Museo Nazionale.

A. Furtwängler – K. Reichhold, Griechische Vasenmalerei, Taf. 36. – Abbildung des ganzen Gefäßes: E. Buschor, Griechische Vasen, 223, Abb. 242.

51: Wettfahrt des Pelops mit der Braut Hippodameia über das Meer. Gefäßbild auf einem attischen Vorratsgefäß (Amphora). Nachzeichnung von Reichhold. Rechts im Meer ein Delphin. Gleiche Technik wie bei den vorigen. Lasuren in hellbrauner Glanzfarbe an den Innenseiten der Gewänder, dem Gürtel des Pelops, als Untermalung der Haarlocken und am Haarnetz der Hippodameia, am Wagenkorb und an Innenzeichnung, Augen und Nüstern der Pferde. In roter Farbe Rippelwellen und Beischriften: Pelops, Hippodameia. Bildhöhe rund 20 cm. Um 420 v. Chr. Arezzo, Museo Publico.

A. Furtwängler – K. Reichhold, Griechische Vasenmalerei, Taf. 67.

52: Sitzender Jüngling am Grabstein. Lebensbild des Verstorbenen. Ausschnitt aus einer Buntmalerei auf weißem Grund eines attischen Ölkruges aus Ton (Lekythos). Hinter dem Dargestellten sein Grabmal (Stele), auf dessen Sockelstufen er sitzt, was besagt, daß der hier Dargestellte jetzt tot ist. Rechts und links treten Bruder und Schwester zum Grab, in deren Gedächtnis der

160

Tote so weiterlebt, wie er hier zu sehen ist. An den Gewändern waren reichlich bunte Deckfarben verwendet, die jetzt verloren sind. Höhe des Oberkörpers des Sitzenden von der Sitzfläche ab gemessen rund 13 cm. 410–400 v. Chr. Athen, Nationalmuseum.

Ganzes Bild: E. Riezler, Weißgrundige attische Lekythen, Taf. 91.

53: Leierspielende Muse eines Wandbildes aus einem Haus in Pompeji. Kopie vom Ende des 1. Jahrhunderts v. Chr. nach einem attischen Gemälde vom Ende des 5. Jahrhunderts. Die Muse trägt einen Mantel von seegrüner Farbe mit hellvioletten Randborten, kein Untergewand. Die nackten Körperteile in heller Körperfarbe, das Haar hellbraun. Faltentäler des Mantels in der gleichen seegrünen Farbe in dunklerer Tönung, Faltenrücken in der gleichen, weiß aufgehellten Farbe. Haltung, Ausdruck und Modellierung der Falten entsprechen wohl dem griechischen Vorbild. Die hellgrau gemalte Lyra hat die Form, die attische Gefäßbilder aus den beiden letzten Jahrzehnten des 5. Jahrhunderts zeigen und die nur damals gebräuchlich war. Auch die Haarfrisur kommt in jener Zeit auf. An der Lyra gelbes Band für das Schlagholz (Plektron) mit Schleife. Die Figur steht vor einem weißen Bildgrund, wohl in Anlehnung an das Vorbild. Höhe der Figur 38 cm. Neuaufnahme des Museums. Neapel, Museo Nazionale.

Beste farbige Abbildung: A. Maiuri, La peinture romaine, 119 (Hintergrund des Bildes zu gelb). – W. Kraiker, Das Kentaurenbild des Zeuxis (106. Winckelmannsprogramm der Archäologischen Gesellschaft zu Berlin, 1950), 16–17, Abb. 4–5.

54: Bemalte Tontafel mit Demeter und Persephone in Eleusis von einem attischen Maler. Demeter, von vorn gesehen, bekränzt, in gegürtetem Chiton, den Mantel über den Knien, sitzt und stützt sich auf die heilige Truhe, die mit einem bestickten Tuch bedeckt ist. In der Rechten hält sie ein Skeptron. Vor ihr am Boden der bekränzte heilige Omphalos (Erdnabel), weiß gemalt. Dahinter ihre Tochter Persephone mit Fackeln. Wie auf den Gefäßbildern tongrundig ausgesparte Figuren auf schwarzem Grund von Glanzfarbe, mit der Malfeder gezeichnet. Kleine Bruchstellen vom Restaurator übermalt. Vergoldetes Weiß auf den mit Tonschlamm aufgehöhten Gliedern der Halskette der Persephone, des Ohrschmucks und der Kranzblätter der Demeter. Bruchstück von einer größeren Darstellung der eleusinischen Gottheiten. Weihetafel, die einst im Heiligtum in Eleusis aufgestellt war. Höhe etwa 25 cm. Um 400 v. Chr. Eleusis, Museum.

Ephimeris Archaeologiki 1901, Taf. 2.

55: Aufnahme des Herakles in den Olymp. Athena führt Herakles dem thronenden Zeus zu. Ausschnitt aus einem Bild auf einem attischen Mischgefäß (Krater). Nachzeichnung von Reichhold. Über Zeus fliegt die Siegesgöttin Nike mit dem Kranz der Unsterblichkeit auf Herakles zu. Technik wie bei dem vorigen. Einzelne Verzierungen und Namenbeischriften weiß. Geländelinie und Staude zwischen Athena und Herakles in den Tongrund eingegraben. Sitzfläche des Zeusthrones in mißglücktem Versuch perspektivischer Verkürzung, die in dieser Zeit in den Bühnenbildern (Pinakes) aufkommt und von der Malerei für vereinzelte Gegenstände übernommen wird. Höhe der Figur der Athena 16 cm. Beginn des 4. Jahrhunderts v. Chr. Rom, Villa di Papa Giulia.

A. Furtwängler – K. Reichhold, Griechische Vasenmalerei, Taf. 20.

56: Kampf der Götter gegen die Giganten. Ausschnitt aus einer um das ganze Gefäß umlaufenden Darstellung auf einem attischen Vorratsgefäß (Amphora). Gleiche Technik wie bei dem vorigen. Nachzeichnung von Reichhold. Drei Pferde, Blitz des Zeus, Flammen der Feuerbrände und Einzelheiten des Schmuckes weiß. Lasur in hellgelber Farbe an den Panthern des Dionysoswagens, den Tierfellen der Giganten, den Gewandfalten und als modellierende Untermalung der Muskulaturzeichnung. Höhe des Bildfrieses rund 25 cm. Erstes oder zweites Jahrzehnt des 4. Jahrhunderts v. Chr. Paris, Louvre.

A. Furtwängler – K. Reichhold, Griechische Vasenmalerei, Taf. 96. – A. von Salis, Die Gigantomachie am Schild der Athena Parthenos: Jahrbuch des Deutschen Archäologischen Instituts 1940, 90 ff.

57: Parisurteil. Zeichnung auf Elfenbein. Die Elfenbeinplatten sind nur zum Teil erhalten, von der Zeichnung nur die Ritzung, von den aufgetragenen Farben nur die stellenweise Verfärbung der Oberfläche. Dargestellt sind Paris, Hera, Athena und Aphrodite, ohne Umgebung. Der hier nicht abgebildete Paris trägt als Sohn des Königs von Troja in Kleinasien asiatische Königstracht: ein reich besticktes gegürtetes Kleid und eng anliegende Hosen mit Vogelmustern. Das widerspricht der alten Fassung des Mythos, der Paris als Hirte kannte, zu dem die Göttinnen in die Wildnis kommen. Vor ihm Hera, das Gesicht halb im Profil gesehen, in gegürtetem Chiton, ein Schleiertuch in der Rechten, betont einfach gekleidet. Athena, im Profil nach rechts gewendet, in gegürtetem Chiton mit schleierartigem Tuch, Lanze und Helm in den Händen als Zeichen ihrer Friedlichkeit. Daneben Aphrodite, im Schritt sich umwendend, mit erhobener Rechten (über dem Helm der Athena) und leicht in die Hüfte eingestützter Linken, im Chiton mit schleierartigem Mantel über Hüfte und rechtem Oberarm, unter dem er herabweht. An ihrer linken Schulter ein geflügelter Eros, zu dem sie sich im Dreiviertelprofil hinwendet. Die Elfenbeinplatten stammen wohl von einem Kästchen für Schmucksachen, wie sie in attischen Gefäßbildern oft dargestellt sind. Sie wurden in einem skythischen Fürstengrab in Kul Oba westlich von Kertsch an der Nordküste des Schwarzen Meeres gefunden. Höhe der Figuren 15 cm. 360–350 v. Chr. Leningrad, Eremitage.

E. H. Minns, Scythians and Greeks, 204.

58: Schmückung einer jungen Priesterin. Photomontage nach einem Stuckgemälde aus Herculaneum vom Ende des 1. Jahrhunderts v. Chr. nach einem griechischen Gemälde (Weihetafel) um 330–320. Das Stuckbild ist ringsum mit einem breiten gemalten weißen Streifen umgeben, der auf den Innenseiten Licht- und Schattenkanten hat, also als Rahmen gedacht ist. Höhe des Bildes mit

162

Rahmen 34 cm. Der römische Wandmaler hat dem griechischen Vorbild links neben der Thronenden noch ein sich aufstützendes Mädchen hinzugefügt, die der Schmückung zuschaut, und im Hintergrund zwischen Thronender und dem Paar rechts einen Pfeiler eingefügt, sowie den Bildgrund hinter der Thronenden durch verkürzende Linien korridorartig nach hinten geöffnet. Dies alles ist hier weggelassen. Die Farben der Figuren halten sich wohl an das griechische Vorbild. Neapel, Museo Nazionale.

W. Kraiker, Das Stuckgemälde aus Herculaneum „Schmückung einer Priesterin": Mitteilungen des Deutschen Archäologischen Instituts, Römische Abteilung 1953/4 (Beiträge zum Gedächtnis an Ludwig Curtius), S. 133 ff., Taf. 57–58.

59: Junge Athenerin vor einer Braut. Ausschnitt aus einem Bild auf einem attischen Hochzeitsgefäß (Lebes). In dem Bild ist die Überreichung der Hochzeitsgeschenke der Freundinnen an eine Neuvermählte dargestellt. Diese sitzt links auf einem Sessel und spielt mit einem weiß gemalten Eros in ihrem Schoß, von zwei ebenso gemalten Eroten umflattert. Der Mantel der jungen Frau war bunt aufgemalt und mit goldenen Punkten verziert. Die junge Besucherin streichelt bewundernd die Flügel des Eros im Schoß der Frau. Vor ihr ein kleines Mädchen, das dieser mit kindlichem Eifer eine Deckelschale überreicht. Tongrundig ausgesparte Figuren auf schwarzem Grund mit reichlicher Verwendung von bunten Deckfarben. Höhe der Stehenden etwa 21 cm. Um 330 v. Chr. Leningrad, Ermitage.

K. Schefold, Kertscher Vasen (Bilder griechischer Vasen, Heft 3), Taf. 19.

60: Raub der Nereustochter Thetis durch Peleus auf einem attischen zweihenkligen Krug (Pelike). Nachzeichnung von Reichhold. Die Szene spielt am Meeresstrand, wie die Delphine unten angeben, wo Thetis und ihre Schwestern beim Baden von Peleus überrascht werden. Gleiche Technik wie bei dem vorigen. In der Mitte Eros in weißer Farbe, der Peleus bekränzt und diesen damit als Überwinder der Meerjungfrau kennzeichnet. Um dessen rechtes Bein schlingt sich ein Meerdrache (Ketos), in den sich Thetis unter anderem verwandelte, um dem Zugriff des sterblichen Mannes zu entgehen. Thetis ist weiß gemalt, also von besonders heller und schimmernder Hautfarbe vorgestellt. Haare, Armbänder und Halsketten sind weiß aufgehöht und waren einst vergoldet. Höhe der fliehenden Schwester rechts rund 19 cm. 340–330 v. Chr. London, Britisches Museum.

A. Furtwängler – K. Reichhold, Griechische Vasenmalerei, Taf. 172. – K. Schefold, Kertscher Vasen, Taf. 16–17.

61: Perseus befreit Andromeda. Wandgemälde aus einem Haus in Pompeji. Kopie des 1. Jahrhunderts n. Chr. nach einem griechischen Tafelbild aus den letzten Jahrzehnten des 4. Jahrhunderts v. Chr., das wahrscheinlich Nikias von Athen gemalt hat (Lebenszeit etwa 350–290 v. Chr.). Zwei kleinere, zum Teil in den Proportionen der Figuren veränderte und durch zwei Strandnymphen vermehrte Kopien aus Pompeji im Nationalmuseum in Neapel zeigen denselben Bildaufbau und dieselbe Farbverteilung, die demnach sicher auf ein gemeinsames berühmtes Vorbild zurückgehen. Höhe des ganzen Bildes 1 m. Neapel, Museo Nazionale.

> Farbige Abbildung: L. Curtius, Die Wandmalerei Pompejis, nach S. 56, Abb. 151–152. – Farbige Abbildung der zweiten Kopie: A. Maiuri, La peinture romaine, 79.

62: Orest und Pylades vor König Thoas in Tauris. Wandgemälde aus einem Haus in Pompeji des 1. Jahrhunderts n. Chr. nach einem griechischen Vorbild aus den letzten Jahrzehnten des 4. Jahrhunderts v. Chr. Zwischen den beiden Gruppen im Hintergrund in hellen dünnen Farben gemalte Freitreppe zum Tempeleingang, der mit einem blaßvioletten Vorhang verhängt ist. Tempel auf erhöhtem Podium mit Freitreppe gibt es nur in der römischen Baukunst, dieser ist demnach eine Zutat des Wandmalers. Vor dem Vorhang auf der obersten Treppenstufe erscheint die weiß gekleidete Iphigenie mit dem kleinen Kultbild der Artemis im Arm, deren Priesterin sie in Tauris war. Der obere Teil des Wandgemäldes mit dem Oberkörper und Kopf der Iphigenie ist zerstört, die Gestalt des Königs stark verblaßt. Höhe des Bildes soweit erhalten rund 1,60 m. Neapel, Museo Nazionale.

> L. Curtius, Pompejanische Wandmalerei, 244 f., Abb. 142–143.

63: Köpfe des Orest und Pylades aus dem vorigen Bild.

64: Alexanderschlacht. Bodenmosaik aus der „Casa del Fauno" in Pompeji. Kopie des späteren 2. Jahrhunderts v. Chr. nach einem großen Tafelbild, das wahrscheinlich der Maler Philoxenos von Eretria (Stadt auf Euboia) für den makedonischen König Kassandros (317–297) gemalt hat. Breite 5 m, Höhe 2,17 m. Das Mosaik ist wahrscheinlich in der Mitte auseinandergeschnitten und zusammengezogen worden, um es den Ausmaßen des Fußbodens im Hause anzupassen, demnach also kaum an Ort und Stelle verlegt worden. Neapel, Museo Nazionale.

> Farbige Abbildung: A. Maiuri, La peinture romaine, 69.

65: Alexander aus dem Mosaik vom Pompeji.

66: Dareios und Wagenlenker aus dem Mosaik von Pompeji.

67: Pferdehalter aus dem Mosaik von Pompeji.

68. 69. Peitho mit Eros und Aphrodite auf einem Wandbild von Pompeji. Wahrscheinlich nach griechischen Vorbildern vom Ende des 4. und dem Beginn des 3. Jahrhunderts v. Chr. Vor Peitho, der überredenden Begleiterin der Aphrodite, ein vom Rücken gesehener geflügelter Eros, dessen Beine und Flügel zur Strafe zusammengebunden sind, anscheinend weinend. Rechts von den beiden sitzt Aphrodite auf einem Felssitz, den linken Arm auf einen Pfeiler gelehnt. Sie hat dem Eros Köcher und Bogen weggenommen, die sie auf ihrem Schoß festhält, und schaut auf Eros herab. Hinter ihrer linken Schulter ein anderer geflügelter Eros (Himeros?), der auf seinen gefesselten Bruder deutet. Er ist

sicher eine Zutat des Wandmalers, denn solche deutenden Gesten sind erst in den römischen Bildern geläufig, wo sie den Betrachter auf die Zusammenhänge der Szene aufmerksam machen sollen. Die beiden Figuren sind vor eine Felslandschaft mit Bäumen gesetzt, so daß sich die hell beleuchteten Partien der Peitho vor einer dunklen Felswand in grauen Tönen kontrastierend abheben, während ihre beschattete Seite vor dem helleren Hintergrund neben dem Felsen steht. Aphrodite sitzt vor einem hellen Hintergrund. Der Hintergrund ist also erst von dem Wandmaler auf die Figuren abgestimmt worden und daher mitsamt den Bäumen sicher eine Zutat von ihm. Peitho trägt hellblaues Kopftuch, ein violettes Untergewand (Chiton) mit dunkelblauem Rand und darüber einen blaugrau bis dunkelgrau gehaltenen Mantel mit weißem Rand oben in vielen Abtönungen und mit weiß aufgehellten Faltenrücken, dazu gelbe Schuhe. Die nackten Körperteile sind in heller Körperfarbe wiedergegeben, der Ansatz des rechten Armes und der Schulter verzeichnet. Zur Gebärde der linken Hand und der ganzen Haltung ist die Athenerin auf dem attischen Hochzeitsgefäß der Zeit um 330 v. Chr., Taf. 59, zu vergleichen. Höhe der Figur 40 cm. Die Gestalt der Aphrodite ist im ganzen lockerer gemalt und mit lebhafteren Farben, ihre Körperfarbe rosig blühend. Sie trägt ein in weißer Farbe dünn übergemaltes Untergewand (Chiton) aus gleichsam durchscheinendem Stoff und darüber ein leuchtend ockerfarbiges und ein dunkelviolettes Gewand, deren Zusammenhang nicht deutlich ist. Sie hat dunkelbraune Augen und kastanienfarbiges Haar. Der Köcher in ihrem Schoß ist hellgrün. Der Eros an ihrer Schulter ist in matteren Farben gemalt. Neapel, Museo Nazionale.

Farbige Abbildung: A. Maiuri, La peinture romaine, 118 (Vordergrund und Hintergrund zu gelb).

70–76: Wandbilder mit lebensgroßen Gestalten aus der Villa des Publius Fannius Sinistor in Boscoreale bei Pompeji. Kopien aus der Mitte des 1. Jahrhunderts v. Chr. nach griechischen Wandgemälden aus der Mitte des 2. Jahrhunderts v. Chr. Neapel, Museo Nazionale, und New York, Metropolitan Museum of Art.

L. Curtius, Pompejanische Wandmalerei, 115, Abb. 77, und S. 119, Abb. 79. – Phyllis W. Lehmann, Roman Wall Paintings from Boscoreale in the Metropolitan Museum of Art, 32, Abb. 27 (Neapel), Taf. 1–7 (New York). – Farbige Abbildung des Wandbildes mit Philosoph: A. Maiuri, La peinture romaine, 64.

NACHWEIS DER PHOTOGRAPHISCHEN VORLAGEN

Photographische Vorlagen zu den Tafeln: Alinari, Florenz (20. 22. 23 unten. 29. 45. 58. 61. 62. 63. 65. 66. 68). Anderson, Rom (64. 67. 69). Sir John Beazley, Oxford (32 links). H. Bloesch, Zürich (23 oben). Giraudon, Paris (3 unten. 8 unten. 14. 38. 39. 40). W. Harder, Celle (25). E. Seraphim, Athen (54).

Museumsaufnahmen: Athen, Agora-Museum (10). Leningrad, Eremitage (57). München, Staatliche Antikensammlungen (2. 7 unten. 36. 41). Neapel, Museo Nazionale (53. 73. 74. 75. 76). New York, Metropolitan Museum (18. 34. 43. 46. 47. 48. 49. 70. 71. 72). Paris, Bibliothèque Nationale, Cabinet des Médailles (19).

Deutsches Archäologisches Institut in Athen (3 oben. 6. 7 oben. 8 oben. 9 unten. 52).

Ministero della Publica Istruzione, Gabinetto Fotografico Nazionale, Rom (24).

TAFELN

1. *Fliegende Fische, Wandgemälde aus Phylakopi auf Melos (Kopie)*

2. *Attische Amphora, München*

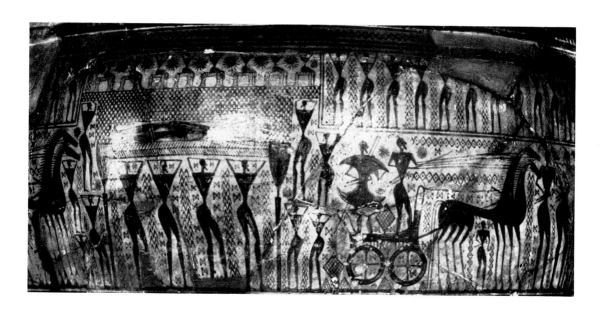

3. *oben:* *Totenklage. Bildfries auf einer attischen Amphora. Athen*
   unten: Totenklage und feierliche Umfahrt mit Wagen. Bildfriese auf einem attischen Krater, Paris

4. Darstellungen von Wettkämpfen auf einem attischen Kantharos, Kopenhagen

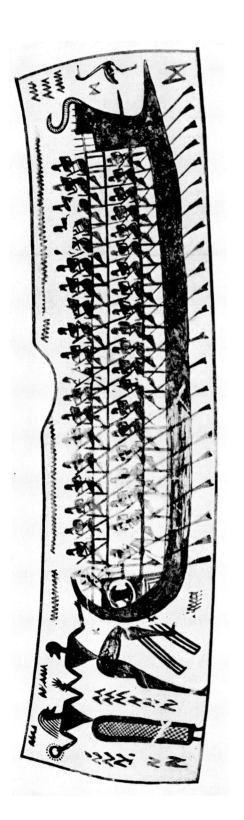

5. *oben: Einschiffung einer Braut. Nachzeichnung eines Bildfrieses auf einem attischen Tonkessel. London*

unten: Männer- und Mädchenreigen mit Kitharaspieler. Nachzeichnung eines Bildfrieses auf einer attischen Hydria. Athen

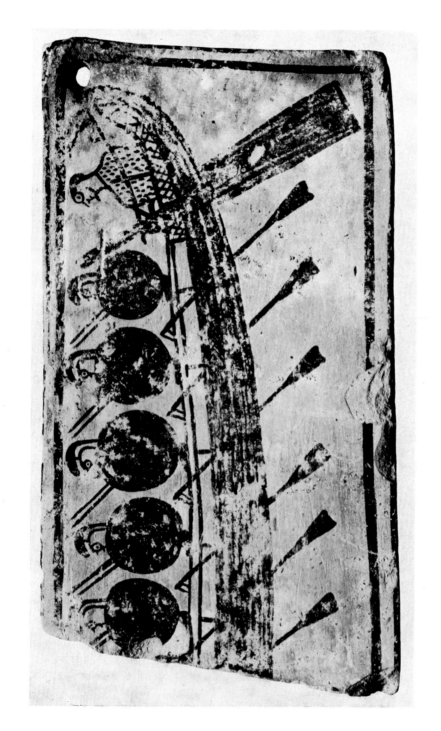

6. *Ruderschiff mit Schwerbewaffneten, attisches Tafelbild aus Ton. Athen*

7. oben: *Rennwagen mit Wagenlenker auf einem attischen Krater. München*

unten: *Wagenfahrt auf einem attischen Krater. München*

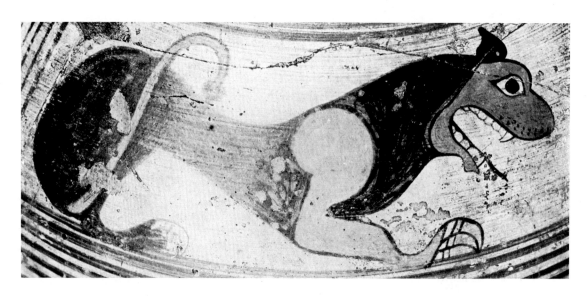

8. oben: *Löwe auf dem Bruchstück einer großen korinthischen Tonkanne, Aigina*

unten: *Löwe. Schulterbild einer parischen Amphora, Paris*

9. oben: *Liebespaar. Halsbild auf einer kretischen Tonkanne, Herakleion (Kreta)*
   unten: *Totenklage auf einer attischen Tonkanne, Athen*

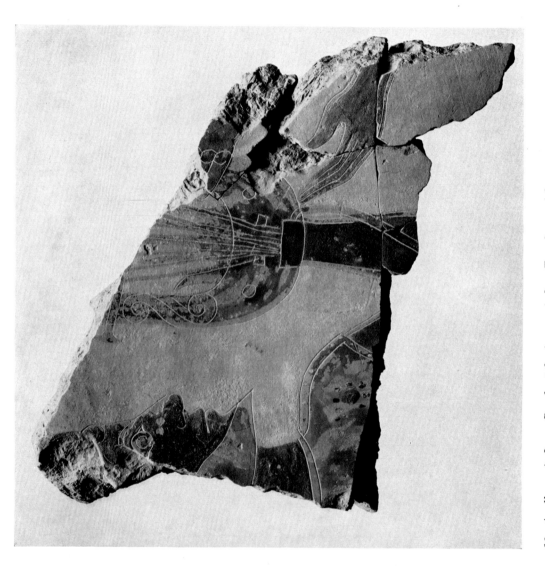

10. *Apollon mit Lyra. Bruchstück einer attischen Tonplatte. Athen*

11. Brautfahrt des Herakles auf einer melischen Amphora. Athen (Nachzeichnung)

12. oben: *Feldschlacht. Nachzeichnung eines Bildfrieses auf einer korinthischen Tonkanne, Rom*
unten: *Auffahrt mit Wagen und Reitern. Bildfries von derselben Kanne*

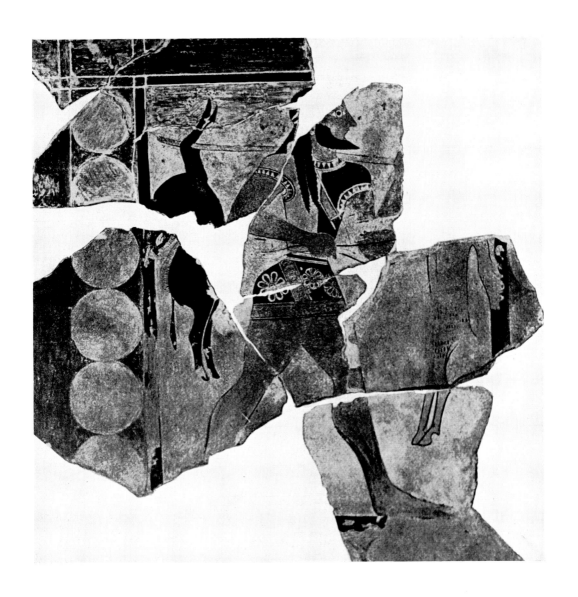

13. Jäger mit Jagdbeute. Bemalte Tonplatte vom Apollontempel in Thermos, Athen

14. Herakles als Gast
bei Eurytios. Bild
auf einem korin-
thischen Krater,
Paris

15. oben: Götterzug.
Bruchstücke eines
attischen Misch-
gefäßes, Athen

unten: Götterzug
auf einem
attischen Krater
von Ergotimos
und Klitias
(Nachzeich-
nungen)

16. *Dionysos mit Thiasos. Bildfries des Lydos auf einem attischen Krater. New York (Nachzeichnung)*

17. *Hephaistos reitet in den Olymp zurück. Vom gleichen Gefäß wie Tafel 16 (Nachzeichnung)*

18. *Attischer Krater mit der Darstellung des Dionysoszuges vom Maler Lydos, New York*
 Vgl. Tafeln 16 und 17

19. *Dionysos und tanzende Mainaden. Darstellungen des Amasis auf einer attischen Amphora, Paris*

20. Achilleus und Aias beim Brettspiel. Amphora des Atheners Exekias, Vatikan

21. *Aias, Ausschnitt aus Tafel 20 (Nachzeichnung)*

22. *Heimkehr des Polydeukes und seine Mutter Leda. Von Exekias. Rückseite des gleichen Gefäßes wie Tafeln 20 und 21*

23. *oben: Aias. Bild des Exekias auf einer Amphora, Boulogne*

   unten: Trauer um einen gefallenen Krieger. Bild auf einer attischen Amphora, Vatikan

24. *Zeus in Gestalt des Stieres entführt Europa. Hydria aus einer ionischen Werkstatt in Etrurien, Rom*

25. Athener und Artemis vom Andokidesmaler auf einer attischen Amphora, Berlin

26. Jünglingskopf auf dem Bruchstück eines attischen Grabsteines, Berlin

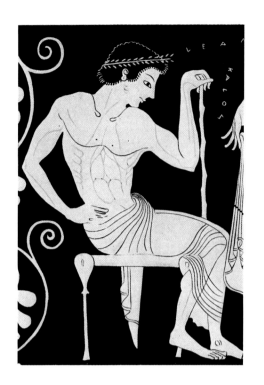 

27. Jünglinge. Gefäßbild des Euphronios auf einem attischen Krater, Paris (Nachzeichnung)

28. *Mainade des Kleophradesmalers auf einer attischen Amphora, München (Nachzeichnung)*

29. Zwei Liebespaare des Brygosmalers auf einem attischen Skyphos, Paris

30. Sänger mit Kithara auf einer attischen Amphora, New York
    (Nachzeichnung)

31. *Der Jäger Kephalos vom Panmaler, attische Lekythos, Boston*

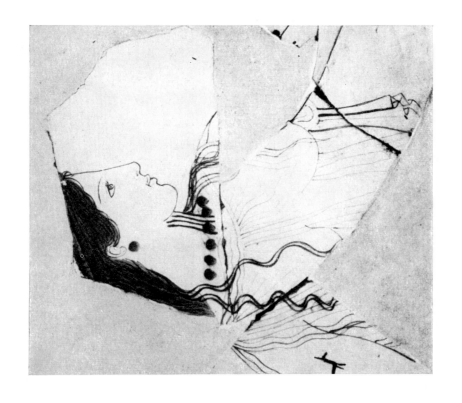

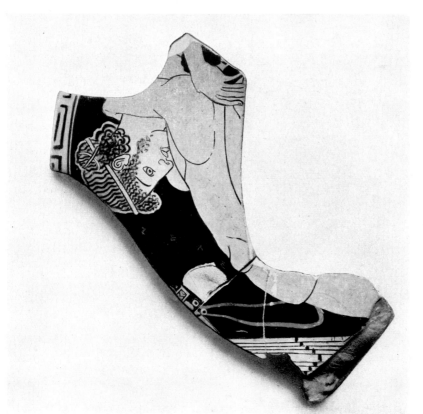

32. *links: Kopf des Theseus vom Kleophradesmaler. Bruchstück einer attischen Schale, Paris. Vgl. Abb. S. 58.*
rechts: Kopf einer Thrakerin vom Pistoxenosmaler. Innenbild einer attischen Schale, Athen

33. *Trojas Fall vom Kleophrades maler. Schulterbild einer attischen Hydria, Neapel (abgerollte Nachzeichnung)*

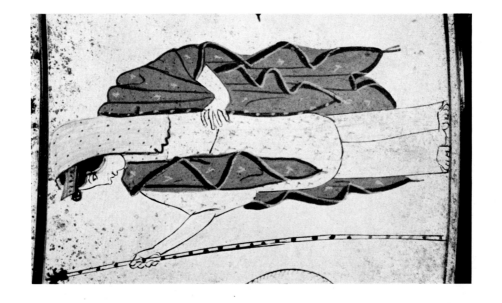

34. Athena und Hera aus einem Paris-Urteil des Penthesileamalers auf einer attischen Pyxis, New York

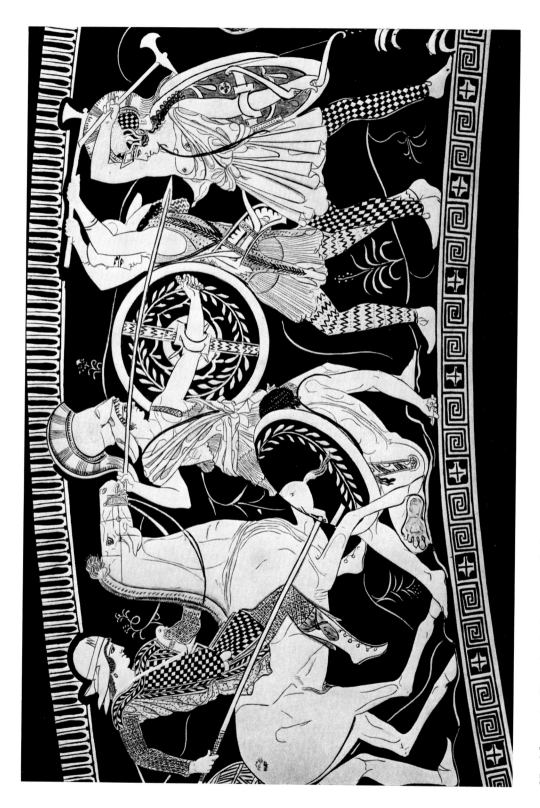

35. Athener im Kampf mit Amazonen. Nachzeichnung eines Bildfrieses auf einem attischen Krater, New York

36. *Achilleus tötet Penthesilea. Innenbild des Penthesileamalers einer attischen Schale, München*

37. *Theseus im Kentaurenkampf auf einem attischen Krater. Florenz (Nachzeichnung)*

38. Tötung der Kinder der Niobe durch Apollon und Artemis. Attischer Krater, Paris

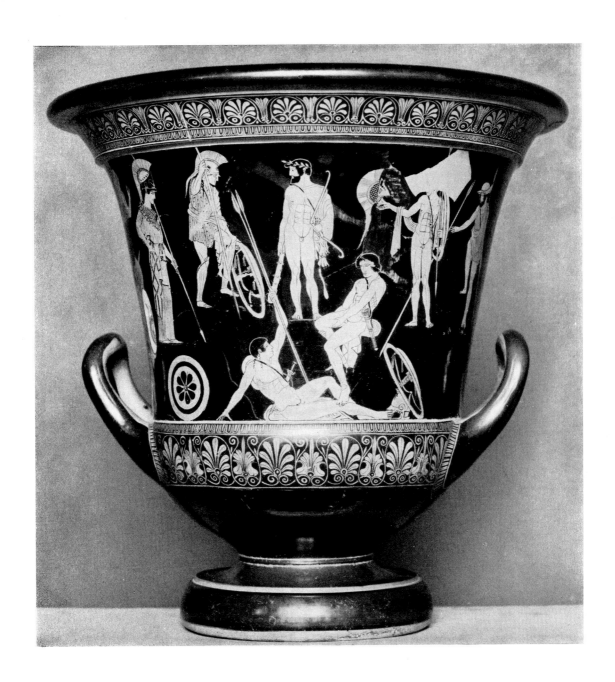

39. *Andere Seite des gleichen Gefäßes: Versammlung von Helden im Beisein von Herakles und Athena*

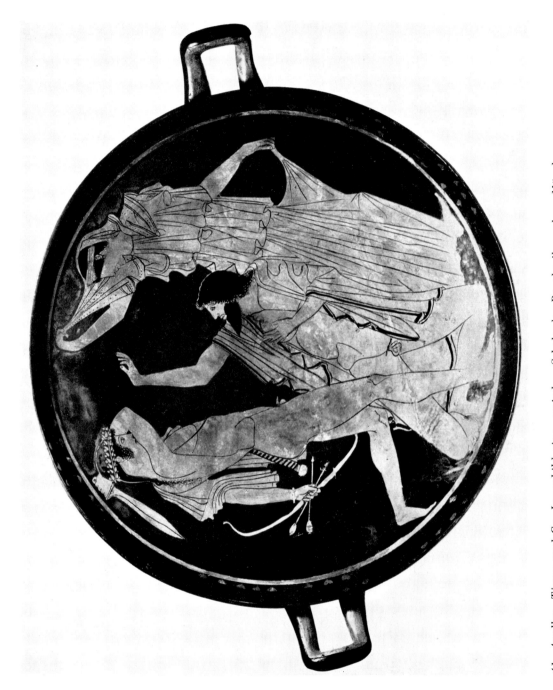

41. *Apollon, Tityos und Ge. Innenbild einer attischen Schale des Penthesileamalers. München*

42. *Telemachos und Penelope vor dem Webstuhl. Nachzeichnung eines Bildes auf einem attischen Skyphos, Chiusi*

43. Zwei Mädchen von einem attischen Krater, New York

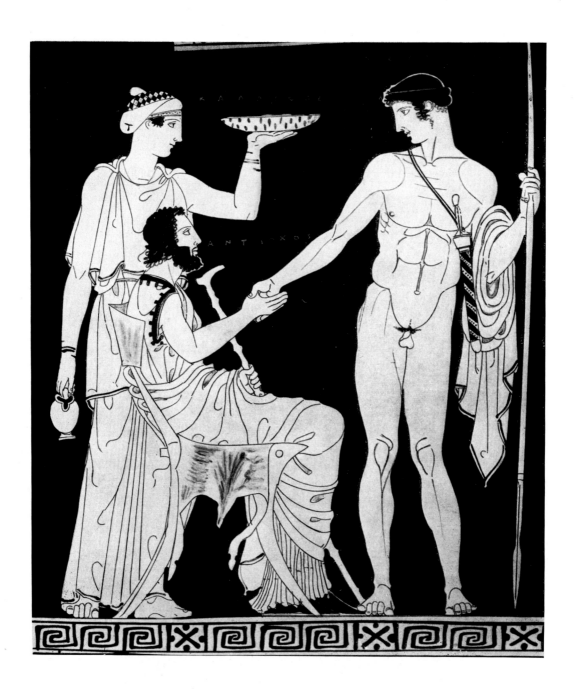

44. *Abschied eines Kriegers auf einer attischen Amphora, New York (Nachzeichnung)*

45. *Achilleus. Einzelfigur auf einer attischen Amphora vom Achilleusmaler, Vatikan*

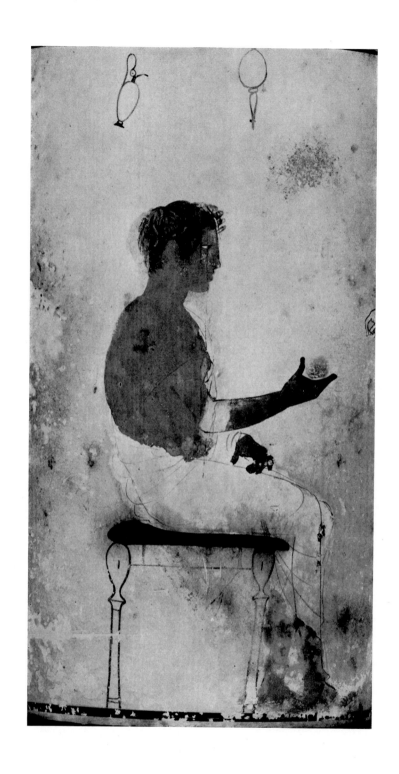

46. Mann auf einem attischen Lekythos des Achilleusmalers,
    New York

47. Frau vom gleichen Gefäß

48. *Rückkehr der Persephone aus dem Hades. Bild des Persephonemalers auf einem attischen Krater, New York*

49. *Artemis und Apollon. Aus einem Bildfries des Polion auf einem attischen Krater, New York*

50. *Tanzende Mainaden auf einem attischen Stamnos. Neapel (Nachzeichnung)*

51. *Wettfahrt des Pelops auf einem attischen Krater, Arezzo (Nachzeichnung)*

52. *Sitzender Jüngling am Grabstein auf einer attischen Lekythos, Athen*

53. *Leierspielende Muse eines Wandbildes aus Pompeji. Neapel*

54. *Demeter und Persephone in Eleusis. Attische Tontafel, Eleusis*

55. *Aufnahme des Herakles in den Olymp auf einem attischen Krater, Rom (Nachzeichnung)*

56. Kampf der Götter gegen die Giganten auf einer attischen Amphora, Paris (Nachzeichnung)

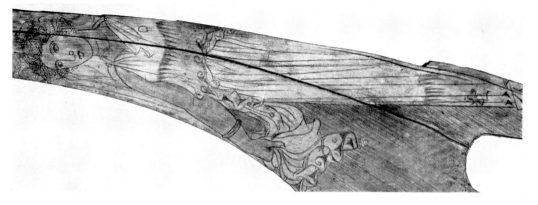

57. *Athena, Aphrodite und Helena vor Paris. Zeichnung auf Elfenbeinbruchstücken. Leningrad*

58. Schmückung einer jungen Priesterin. Photomontage nach einem Stuckgemälde aus Herculaneum, Neapel

59. *Junge Athenerin vor einer Braut auf einem attischen Hochzeitsgefäß.*
    Leningrad

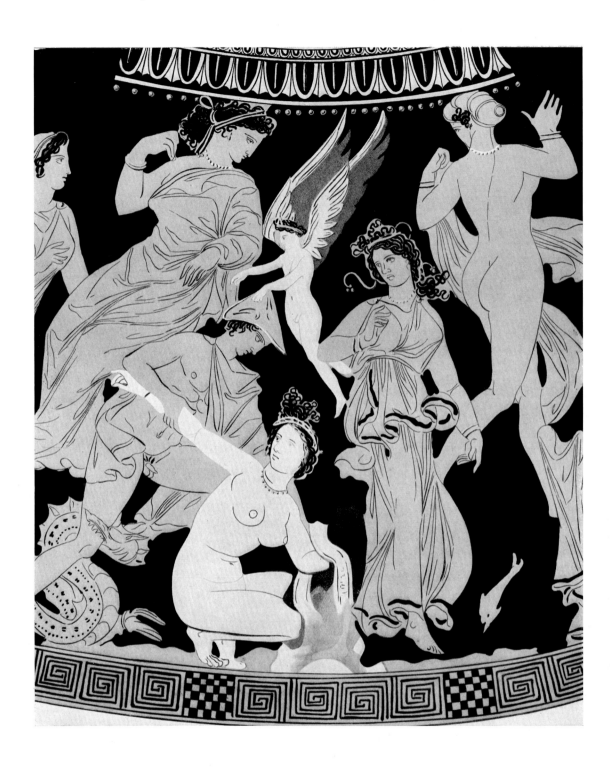

60. *Raub der Thetis durch Peleus auf einem attischen Krug, London (Nachzeichnung)*

61. *Perseus befreit Andromeda. Wandgemälde aus einem Haus in Pompeji, Neapel*

62. *Orest und Pylades vor Thoas. Wandgemälde aus einem Haus in Pompeji, Neapel*

63. Ausschnitt aus Tafel 62

64. *Alexanderschlacht. Bodenmosaik aus der „Casa del Fauno" in Pompeji, Neapel*

65. Alexander. Ausschnitt aus Tafel 64

66. Dareios, Ausschnitt aus Tafel 64

67. Pferdehalter, Ausschnitt aus Tafel 64

68. *Peitho mit Eros auf einem Wandbild von Pompeji, Neapel*

69. *Aphrodite vom gleichen Wandbild*

70. *Wandbild aus der Villa des Publius Fannius Sinistor in Boscoreale, New York*

71. *Wandbild aus der gleichen Villa, New York*

72. Wandbild aus der gleichen Villa in Boscoreale, New York

73. Wandbild aus der gleichen Villa, Neapel

74. *Wandbild aus der gleichen Villa in Boscoreale, Neapel*

75. Wandbild aus der gleichen Villa, Neapel

76. Wandbild aus der Villa des Publius Fannius Sinistor in Boscoreale, Neapel, in Ausschnitten wiedergegeben
Tafeln 73–75